رواية

أنتيخريستوس

II

عصير
الكتب

عصير الكتب
للنشر و التوزيع

إدارة التوزيع
00201150636428

لمراسلة الدار:
email:P.bookjuice@yahoo.com
Web-site: www.aseeralkotb.com

- الطبعة الأولى: يونيو / 2021م
- رقم الإيداع: 2021/8795م
- الترقيم الدولي: 978-977-992-157-0

- المؤلف: د. أحمد خالد مصطفى
- تدقيق لغوي: مهند ماهر جندية
- تنسيق داخلي: معتز حسنين علي

رواية

أنتيخريستوس

II

د. أحمد خالد مصطفى

عصير الكتب

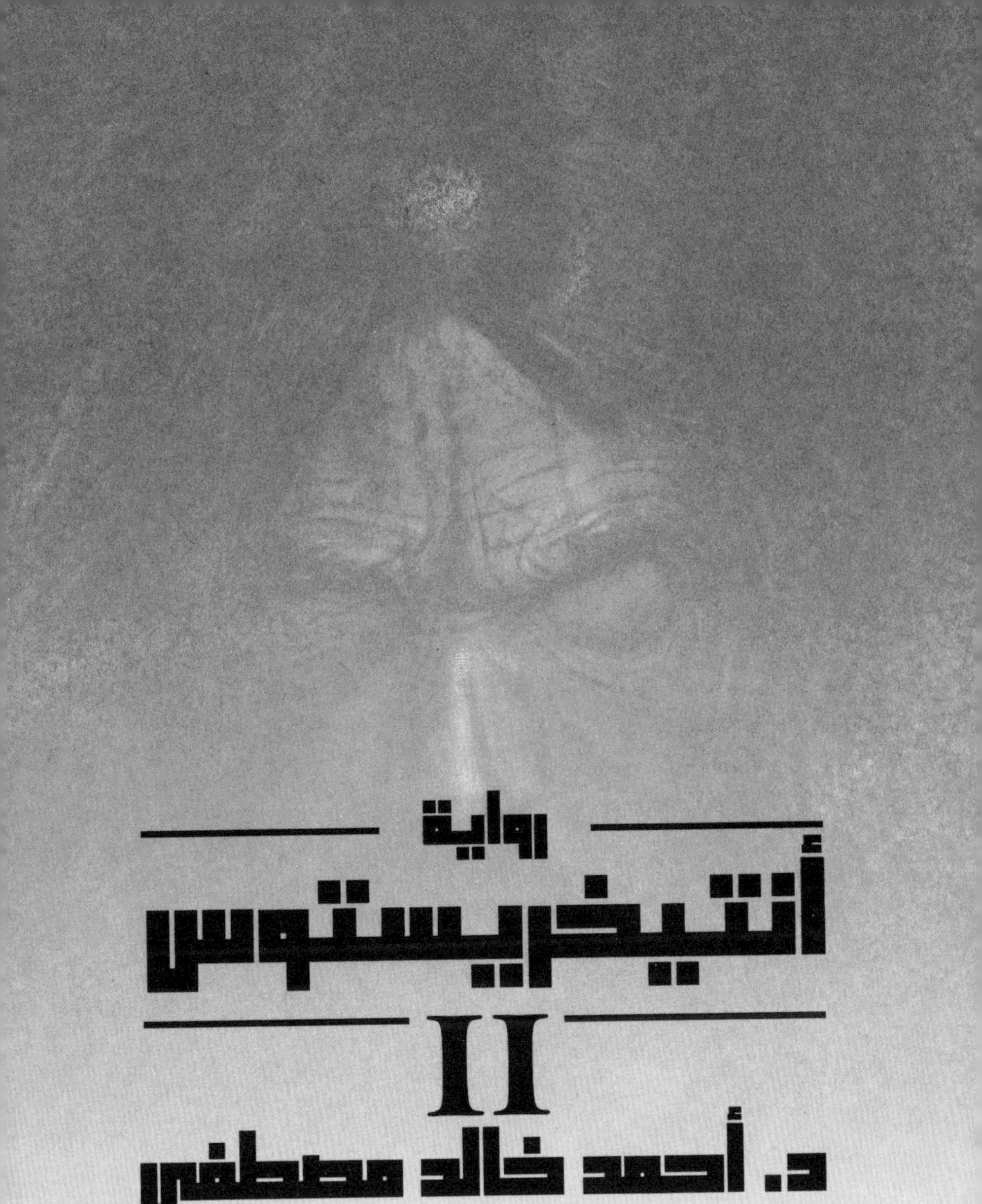

إهداء

إلى إخوتي رفقاء حياتي..

أختي «د. سارة»، إذا فرقت بيننا الأماكن فالقلب لا يفترق عن القلب، كل الحب والنعمة لك والسعادة.

أخي المهندس «مصطفى»، كنتَ حاضرًا جميع طقوس كتابة هذه الرواية وأشرفتَ على كل أجزائها، أنت الصديق المخلص قبل أن تكون الأخ الرائع، أؤمن أن الله سيحقق لك جميع غاياتك قريبًا.

أخي المهندس «محمد»، الحب الخاص الذي في قلبي لك لا أجد له مثيلًا، ستكون أعظم مُصور ومُصمم في هذا الوطن، أثق بك كثيرًا.

أخي محمود، رحمك الله رحمة واسعة وألحقنا بك على خير.

إهداء 2

إلى صديقي «ياسر الشاعري»..

يوجد أشخاص تضحك دومًا على نِكاتهم وتعليقاتهم وذكائهم، والحقيقة أن روحك هي التي تضحك لأنك فقط بصحبتهم، أنت أولهم عندي.

تنويه

جميع الشخصيات المذكورة في هذه الرواية هي شخصيات حقيقية، بإنسها وجنِّها وشياطينها، وجميع الأحداث المحكية مبنية على أحداث ووقائع حقيقية مثبتة.

تنويه 2

أي عجب يصيبك من قراءة هذه الرواية فهذا يعني أنك تحتاج إلى اكتشاف مزيد من الكتب حتى يزول العجب.

غرفة صغيرة ليس فيها سوى أنا، وأنت.

نورٌ خافت فلا ترى وجهي، ولا أرى وجهك.

ضربات عنيفة على باب الغرفة تحاول كسره.

أراهنك أن بابًا ضعيفًا كهذا لن يصمد أكثر من دقيقة واحدة، لا أكثر.

فإن هم فتحوه الآن.. سيعدمونني، ويمثّلون بجثتي.

ماذا يمكن أن يقوله المرء في دقيقة؟!

دعني أهمس لك بأنك أملي الوحيد في هذا العالم.

فإن جاءك كتابي هذا وأنت جالس فقُم من مكانك واختفِ عن الأنظار، وافتحه وحدك.

فإذا قرأته في الليل فلا تنتظر النهار، وإذا قرأته في النهار فلا تنتظر الليل.

حتى تُنفّذ ما فيه.

كل عين رأت وكل أذن سمعت حديثي هذا فهي مرصودة.

فأنت لن تكون في مأمن.

إما أنهم يرونك الآن... وإما قريبًا جدًّا سيحضرون.

شياطين من الجن والإنس، يتنزّلون من كل زاوية من أعلاك ليقتصّوا منك كما اقتصُّوا مني.

هل انتهت الدقيقة؟

هناك صوت شيء يعبث بقفل الباب بأداة معدنية ويد محترفة!

وها هو ذا صوتُ التكة المميزة للقفل يرن في الأذن كأنه جرس الموت.

سفر الأصول

صورة حية من داخل شاشة كمبيوتر..

في خلفية الشاشة نجمة سداسية تنقبض لها القلوب ومؤشر الماوس واقف في زاوية الشاشة لا يتحرك..

فجأة تحرك الماوس..

بسرعة محمومة تحرك باحثًا عن شيء ما في عجلة وأخذ يفتح الكثير من القوائم..

حتى وجد أيقونة فتح الكاميرا..

هنالك توقف الماوس وضغط عليها مرتين..

انقلب شكل الماوس إلى هيئة الانتظار ثم برزت نافذة الكاميرا..

بداخل النافذة ظهر بث حي لما تراه كاميرا ذلك الكمبيوتر الآن..

سقف غرفة مهترئ تتدلى منه مروحة قديمة تدور في بطء وصوت مكتوم ينبعث من مكان ما يبدو كأنه أنين شخص..

ضغط الماوس مرتين بداخل نافذة الكاميرا فكبرت وأصبحت تملأ الشاشة..

ظهرت بغتة في البث يد غليظة اقتربت من الكادر ثم أظلمت الصورة لحظات..

كانت تلك يد شخص ما يمسك بالكاميرا ليعدلها..

صدر كثير من الضجيج من تحريك يده للكاميرا ثم اعتدلت صورة الكاميرا وظهرت في البث صورة صاحب اليد..

16

شاب قبيح الوجه أصفر الأسنان اقترب بوجهه الدميم من الكادر وهو ينظر في أنحاء الشاشة ويده تضغط بعصبية على زر الماوس، لم تكن الدَّمامة تنبعث من ملامحه بل من عينيه التي يعرف من يراهما أنها لشخص مختل..

قال المُختلّ ووجهه يقترب من الكادر اقترابًا يُظهره أكثر بشاعة:

- هل هذا الشيء اللعين يصور؟

برز من خلفه شاب طويل الشعر قرَّب وجهه الحاد من الشاشة هو الآخر وإن كانت عيناه أقل اختلالًا، قال لصاحبه:

- هذه مشكلة الجَهَلَة أمثالك، ها هو الزر أمام وجهك القبيح.

ارتدى كلاهما على رأسه قناع عِجْل أسود مخيفًا، ثم ظهرت في زاوية الشاشة كلمة Rec حمراء؛ ما يعني أن المختل قد بدأ تسجيل فيديو. بانت في عيونه الظاهرة من القناع نظرة جَذَل وهو يرى بدء التسجيل، ثم قال المختل:

- الليلة تشهد عيونكم المريضة التي تزور هذا الموقع اللعين مشهد إعدام إنسان مصاب بالتوحد.

تمخَّط المُختل وأنزل رأسه بعيدًا عن الكاميرا وتَفَل على الأرض ثم أعاد القناع على رأسه وقال:

- اسمه بوبي، ومن أصدر الأمر بإعدامه هو أبوه، هل رأيتم موقفًا لعينًا كهذا من قبل؟ أب يأمر بإعدام ابنه.

- كُفَّ عن تسمية هذا الشيطان بالإنسان يا ليوبولد.

نظر ليوبولد إلى الكاميرا وقال:

- معذرةً.. نسيت أن هذا اللعين تحاول كل التنظيمات العليا منذ سنة كاملة الوصول إلى مكانه وهو يختفي كالشيطان، حتى انكشف لنا موقعه اليوم.

رفع صاحبه يده وهو يقول:

- فليكن أيها السادة.. حضّروا عيونكم اللعينة، نقدم لكم: بوبي فرانك.

ابتعد الاثنان عن الكادر ليظهر وراءهما صبي مُقيَّد مُكمَّم، عيناه تنطقان بالرعب، أشار أحدهما إلى زميله أن يُوقِف البث فانحنى ليوبولد على الكمبيوتر وأوقف التسجيل، وخلع كلاهما أقنعة العجول، وتحولت عيون ليوبولد المُختل إلى نظرة شرسة وهو يقول للصبي المُكمَّم:

- المشهد الآتي في التسجيل سيكون إعدامك بالصودا الكاوية، وهي طريقة التنظيم في قتل كل من يفشي أسرارًا مكتومة يراد لها أن تظل مكتومة، لكن ليس الآن، دعنا أولًا ننفذ فيه ما اتفقنا عليه يا لويب.

اقترب لويب ذو الشعر الطويل من الصبي المُكمَّم وقال له:

- إنها المرة الأولى في عالم التنظيمات السرية التي يأمر فيها رئيس التنظيمات العليا في أمريكا؛ أبوك «يعقوب فرانك»، أمرًا مباشرًا بإعدامك وأنت ابنه الوحيد صاحب القدرات العقلية الفذة، بعد أن كان يُحضِّرك لتكون الماستر من بعده، ذلك لأنك مثل أي خائن لعين هربت فجأة دون سبب مفهوم بعد أن حصلت على نوع معين من الأسرار المحظورة التي لا تخرج لأي أحد، ونشرت بعض المذكرات للعامة[1]، قل لي أيها الابن الوحيد اللعين، لقد طالعنا تلك المذكرات التي نشرتَها قبلًا للعامة ووجدنا أنها تحوي الأسرار المبدئية العادية التي قد يَقدِر الباحثون على الوصول إليها بشيء من الجهد، فأين وضعت الأسرار المحظورة الأخرى؟ أين كتبتها وأخفيتها؟

---

(1) المذكرات المنشورة في «أنتيخريستوس 1».

18

نزع لويب التكميم عن فم بوبي الذي كان ينظر بملامح خائفة بلا رد وإحدى عينيه ترمش باستمرار ككثير من مصابي التوحد. فجأة هجم عليه ليبوبولد وسحبه من ياقته وهو يقول:

- هذا اللعين لا يتفاعل معنا جيدًا يا لويب.

فزع الصبي وهو يسمع صوت تجهيز طلقة مسدس، ونظر وراءه ليجد لويب يمسح بيده على فوهة مسدس ويقول:

- هوِّن عليك يا ليوبولد، سأجعل هذا الصبي الذميم يشتري منا حياته بدمائه.

أمسك لويب شعر بوبي بقسوة ورفع له رأسه وهو يقول:

- أنت تحب الألعاب اللعينة يا بوبي الصغير، كنتَ تلعب مع العامة بِكروت لعبة الإيلوميناتي الممنوعة وتُفشي الأسرار السطحية للتنظيم، لذلك قد حضَّرنا لك لعبة تليق باسمك.. لعبة ستلقى فيها حتفك، لكن دعني أكُن صادقًا معك، إذا تجاوزتَ اللعبة اللعينة بكل جولاتها للنهاية فستعيش وستنجو بحياتك، لكن إذا خسرت في أي جولة منها يا بوبي فسأنتزع منك بهذا النصل الجميل أحد أحشائك القذرة، وكلما خسرتَ جولة أخذتُ منك عضوًا جديدًا حتى تموت متعفنًا.

نظر إليه بوبي فرانك في رعب ولويب يكمل:

- سيكون اللعب فوق طاولتك هذه بكروت من نوع آخر يا بوبي.. نوع له رائحة الموت.

نظر بوبي إلى الطاولة في فزع وليوبولد ينفض عنها كروت الإيلوميناتي، ويضع عليها كروتًا من نوع آخر أصابت بوبي بكثير من التوتر، ووضع ليوبولد فوهة المسدس تحت ذقن بوبي وهو يقول:

- أرى أن عينيك عرفتا اللعبة أيها اللعين الصغير، نعم هي أوراق التاروت التي أخرجناها من خزانتك، والتي لاحظنا أنها أوراق مجمعة من أكثر من طبعة بعضها حديث وبعضها قديم، وموضوعة في ثلاث عشرة مجموعة كما لاحظنا.

نظر بوبي، بشيء من الندم، إلى كروت التاروت الخاصة جدًّا، التي أخرجها هذان السافلان من خزانته. شد لويب بالمسدس على ذقن بوبي وهو يقول:

- لعبتنا هذه يا بوبي ليس فيها سوى قاعدتين اثنتين.

أدخل ليوبولد فوهة المسدس في فم بوبي وقال:

- القاعدة الأولى: في كل جولة تاروت لعينة ستسحب بيدك القذرة مجموعة كروت من الثلاثة عشر، ثم ستنظر إلى رسومات الكروت وترتيبها ثم ستسرد لنا ما تحكيه من الأسرار التي خصك بها والدك، تلك الأسرار العميقة التي لا تقال إلا في الدرجات العليا، التي أخفاها أعضاء التنظيم القدامى في رسومات التاروت فلا يفهمها إلا الخاصة الذين هم في مرتبة والدك.

حرَّك ليوبولد زر الأمان الخاص بالمسدس وهو يقول:

- القاعدة الثانية: إن قلتَ سرًّا واحدًا فقط يا بوبي وكنا نعرفه أو يعرفه أحدنا ونحن أعضاء في التنظيم، فإن هذا يعني أن المعلومات التي عندك قد نضبت، وأنك بلا فائدة، وستخسر الجولة وسأضرب بهذا النصل في جسدك وأستخرج أحد أحشائك وأضعه أمامك، وحذارِ أن تكذب أو تتصنع الأسرار، فإنك إن لم تأتِ بدليل على صحة السر الذي تعلنه لنا فستُعَدُّ جولتك خاسرة.

فتح ليوبولد مِطواة سويسرية كانت في جيبه وسحب بوبي ليقف أمام الطاولة، وقال له:

- والآن يا لعين، مدَّ يدك القذرة الصغيرة واسحب المجموعة الأولى.

20

تقدم بوبي من الكروت المغلقة وبِيد مرتعشة سحب مجموعة من خمسة كروت، نظر إليها واتسعت عيناه في قلق وهو ينظر إلى الأخوين؛ فقد كانت تلك الكروت بالذات تحكي سِرًّا من الأسرار العليا التي لا يدري عنها أحد أي شيء.

الورقة الأولى كانت ورقة أميرة الفتنة، وعليها صورة شيطانة تحيط بها حبائل الخديعة.

الورقة الثانية هي ورقة الشيطان، وعليها الصورة النمطية للشيطان الجالس متربعًا في هدوء مخيف.

الورقة الثالثة هي ورقة الغيرة، وعليها صورة رجل وامرأة متحابين، وهناك امرأة أخرى تنظر إليهما من وراء شجرة في حسد.

الورقة الرابعة هي ورقة شجرة الحياة، وعليها الصورة التخيلية لشجرة الحياة وثمارها التي من نور.

الورقة الأخيرة هي ورقة الليل الموحش، وعليها صورة مكان مقفر بين جبلين، فيه ذئاب متوحشة وعقارب، والقمر فوق كل ذلك يعكس صورة الإنسان الحزين.

ازدرد بوبي فرانك لعابه.. ونظر إلى الأرض في ندم، وبدأ يحكي الحكاية الأولى، والسر الأول.

1

في البدء كان ثلاثة

7000 قبل الميلاد

QUEEN OF WANDS
LILITH
23. THE TREE OF LIFE
XVIII. THE MOON
Jealousy

****

«عين البشر إن لمحت أرضًا.. تصير خرابًا»

****

أرضٌ بحث عنها بنو الإنسان حتى عميت عيونهم ولم يجدها أحد، إلا قليل، وكل مَن علم بأمرها أخفاه لغرض في نفسه. في تلك الأرض تبدأ قصتنا، في زمان بعيد ربما يكون قبل تسعة آلاف عام. صخور جبلية خضراء ترتفع إلى مد بصرك، شلالات ساحرة تنهمر من اليمين والشمال على نهر النيل الصافي كالكريستال، لا تظن أن ذاك هو نيل إفريقيا، بل هو نيل آخر في موضع آخر، يجري كاللؤلؤ وسط حيوانات الليزو الرمادية التي تنظر إليك في ريبة، وطيور التيراتورن الضخمة تُحلِّق فوقنا وتهبط كل حين بأعناقها لتشرب، وحيّات عملاقة رابضة على الضفاف تتحرك ببطء.

وسط كل هذا ظهرت صورة يد سمراء لرجل بُنِّي اللون مائل إلى السواد، إنسان مثلي ومثلك يمسك بعود من نبات وترتجف أصابعه، أمامه لوح من طين يحاول جاهدًا أن يكتب عليه أي شيء لكن الرعشة تمنعه. طويلًا كان، جميل الملامح، فيه صفاء مدهش، له شعر طويل جَعْدٌ يصل إلى نهاية رقبته. بجواره وقف ملاك مهيب جليل اسمه «رازئيل» متمثلًا في شكل بشر يطمئنه ويربت عليه ويقول:

- سرات.

كانت تلك لغة سريانية قديمة جدًّا، أعاد الملاك الكلمة على الرجل، كان يقول له «اكتب». ظل الرجل يرتجف حتى قال الملاك:

- هذا الغصن الزهيد إذا وضعته على هذا اللوح من الطين امتلكتَ سر القلم، وصرت سيدًا على كل دابة تسير على الأرض.

وكتب الرجل وتعلَّم بالقلم وسار مع رازئيل ينظر إلى خلق الله من حوله، حتى أتيا تلةً عاليةً، نظر من فوقها إلى البحر فاتسعت عيناه في انبهار. كان يرى على سطح البحر وأمواجه عجبًا، مدائن ليست كأي مدائن، تشاكيل من بنيان ترسو على صفحة الماء، قباب ملونة وتماثيل وجبال بارزة من البحر عليها مساكن معلقة في الجبال كالقناديل يلفها الضباب، قال الرجل الأسمر:

- ما تلك التي هناك يا رازئيل؟

ضيَّق رازئيل عينيه الزرقاوين وقال:

- هؤلاء قوم خير لك ألا تقربهم ولا يقربوك، فلا تحرك قدمك إلى هناك، بل لا تحرك حتى خواطر قلبك.

نظر الرجل بوجهه الوسيم ناحية المدائن في قلق، كان ذاك الرجل الصافي القلوق هو أبي، وهو أبوك، وأبو البشرية كلها.. آدم.

****

«بومة وَحَيَّة وامرأة، في روح واحدة».

****

شفتان كأنهما التوت والياقوت، فاتنة حادة الملامح، ذات بشرة بيضاء ورمشين طويلين يعلوهما شعر ثائر كثيف بين البُني والبرتقالي، كانت تمر بكرب عظيم في غابة كثيفة وسط أرض عدن، رياح عاصفة تضرب وجهها وملابسها والشجر من حولها، وهي تحتمي بشجرة عملاقة علَّمها الملاك أن تشق جذعها وتسكن فيها. لم تبدُ على وجهها أي علامة للخوف وحولها الحيوانات تركض لتلوذ بأي شيء. مالت شجرتها العملاقة مع الريح حتى انهارت بكامل ثقلها فجأة على رأسها. اقشعرَّ جلدها والشجرة تهوي عليها، ثم توقفت الشجرة بغتة عن اندفاعها وارتجَّت

26

الأرض من تحت أقدامها، نظرت بعيون مرتعبة فرأته، ردَّ الشجرةَ بكتفه فقط حتى تشققت الأرض من تحت قدميه، كان قوي الجسد والروح، نادته:

- سامنجلوف!

صوتها يقع في النفس موقعًا أشد من السهام، كانت تنادي الملاك الموكل بها، الذي أنقذ حياتها متمثلًا في هيئة بشر، لكن الخطر لم يتوقف، إذ سقط من جذع الشجرة ثعبان مرفوع الرأس ينظر إليها في تهديد.. وبغتة انقضَّت. انقضَّت يد المرأة بعزمٍ لا يلين لتمسك برقبة الثعبان، فأخذ يتلوى حتى سقط من يدها، ورفع رأسه المرعب لينفث سُمَّه، وقف الملاك مندهشًا لشجاعتها، ثم صاح فيها:

- ابتعدي عنه يا ليليث، إن سُمه قاتل.

نزلت قدم قوية على رقبة الثعبان فساوتها بالأرض، ثم هوت ضربة عصا غليظة فسحقت رأسه، نظرت ليليث بدهشة إلى صاحب القدم القوية، والجسد المفتول، ذي الوجه الصافي النضر، كان هذا آدم، في أول لقاء بينه وبين المرأة الأولى. سألته ليليث بإعجاب:

- أنت آدم؟

نظر إليها وكل ذكريات وحدته تتبدد وهو يقول:

- أوتعرفينني؟

قالت ليليث وهي تتفحصه:

- ألست تعرفني وجئت هنا لأجلي؟ فأنا كذلك أعرفك، فلديَّ مثل الذي عندك من العلم.

قال آدم بصوته الدافئ:

- فأنتِ مني وأنا سَكَنك، وحيثما تكوني أكُن.

قالت وعيونها تنبض دهاءً:

- ومن أين أتيت أنت؟

- خلقني الله بيده، ثم خلقكِ مني و...

قاطعته بشيء من الحدة:

- وما الله؟

اتسعت عين آدم خيفة من قولها وقال:

- هو خالق كل شيء ونحن عباده.

صاحت ليليث بروحها السوداء:

- هل رأيته؟ أين هو، أيخشى الظهور؟ فليعِش مَن يشاء عبدًا، أما أنا فلست عبدة لأحد.

خفق قلب آدم الصافي، ولم يكن يدري ما ليليث.. قالت قولتها في وجهه وانصرفت بعيدًا عنه. كفرت ليليث ولم يكفر قبلها إنسٌ ولا جانٌ، نظر إليها بدهشة صافية، كان في روحها شيء ما لا ينطبق على روحه، كأنما خلقت من صخر الجبل.

****

«أغواها الشيطان، أم أغوتها نفسها؟».

****

في ظلمة الليل وقفت ليليث على جانب من نهر عدن تحت نور باهت للقمر، وأفكار تتقاذف قلبها الساخط، كان آدم لطيفًا معها، لكنه مثلهم.. لماذا لا يوجد أحد مثلها؟ أطرقت برأسها تنظر إلى صورتها المنعكسة في الماء، وجهٌ فاتن يتموج مع تموج الماء، لكن شيئًا جعل عيونها تنبض خوفًا؛ خُيِّل إليها أن وجهًا آخر يظهر في الانعكاس، وجهًا قبيحًا. أخذت تقرب وجهها وتغمض عينيها وتفتحهما، ثم نفضت هذه الخيالات وتقدمت بقدمها الحافية لتنزل في النهر، وبغتة انقبض قلبها، فعلى صفحة الماء برز ظل آتٍ من خلفها كأن أحدًا يقف خلفها، نظرت وراءها في رعب فلم ترَ كائنًا، إلا أنها لمحت الحيوانات تهرب

28

من مواضعها وتختبئ والطيور تبتعد في ذعر، نظرت ليليث حولها في خوف ثم استدارت ببطء تنظر إلى النهر فلم تجد أثرًا للظل، وقبل أن تفكر ليليث جاءها من خلفها همس خافت تصلبت له روحها، رفيع قميء ذو بحة كريهة:

- الماء أفسد بصرك يا بشرية وسيفسد رداءك، فاخلعيه وانزلي عارية.

بطرف عينها الغاضبة نظرت خلفها، فوجدته واقفًا يحدق إليها وكل شيء فيه ينطق بالغرابة، رجل عجوز كسيح، أكثر أسنانه ليست في فمه، تخرج من ذقنه شعرات معدودة مجعدة طويلة، يرتدي عباءة سوداء ممزقة من هنا وهناك. قالت ليليث بلسان حاد:

- ما.. أنت؟

أمال رأسه إلى اليسار وهو يحدق إلى عينها ويقول:

- أنا الحارث.

صاحت فيه:

- هل أنت مِن تلك المساكن الملونة في البحر؟

اقترب منها ببطء وقال لها بصوته الذي يشابه الفحيح:

- تلك مساكن قومي، لكنني سهوت عنهم منذ أيام وبقيت أتبعكِ من بعيد.

قالت له بحذر:

- لماذا تتبعني؟

قال وهو يميل رقبته إلى اليسار:

- أنتِ أكثر حكمة منه وعقلًا، في الحقيقة أنتِ أذكى وأجمل مخلوق رأته عيناي على هذه الأرض وكل أرض.

ثم ظهرت على وجهه ملامح الندم الزائف وهو ينظر إلى جسدها ويقول:

- هذا الجسد الجميل يجب ألّا يعيش في الغابات ويتخذ من جذوع الأشجار سكنًا، أمثالكِ من الفاتنات عندنا أميرات.

قالت ليليث وقد بدأت تتمالك نفسها:

- مَن أنتم؟

أشار بظفره إلى تلك المدائن التي يلفها الضباب في البحر، قال لها:

- أرضنا أعظم من أرضكم الخاوية التي ليس فيها سوى اثنين، أما نحن فكثير.

شعرت بشيء من البهجة في نفسها.. لكنها أخفتها وقالت:

- خذني إلى مساكنكم.

ابتسم بأسنانه البشعة واستدار يمشي، فتحركت وراءه وهو يقول لها:

- لا يمكننا إدخالك عبر البحر، فتعالي من ناحية جبال أكروزيان الحمراء.

ومشت الإنسية وراء الحارث وسمعت من ورائها مناديًا يقول:

- ليليث!

كان ذاك هو الملاك الطيب سامنجلوف يقول لها:

- لا تتبعيه يا ليليتو، هذا شيطان.

رمقته بطرف عينها ثم أشاحت بوجهها عنه وسارت مع الشيطان، ولم تدرِ مع أي شيطان كانت تسير، وأي خطأ ترتكبه، فذلك الذي سحبها وراءه لم يكن شيطانًا عاديًا.

****

«بالسلام خلقت والسلام عنك بعيد».

****

في ممر مظلم داخل جبال أكروزيان كانت ليليث تسير وراء الشيطان، ولا تدري لِمَ تذكرت آدم في هذه اللحظة، لماذا تفكر الآن في أنه كان وديعًا جدًّا؟ ما الذي جعلها تتبع هذا الشيء لهذا المكان؟ وفجأة توقف الشيطان.

كانت هيئته في الظلام تبدو أكثر طولًا وقوة، وببطء استدار لها وأنزل العباءة عن رأسه. فُجِع قلب ليليث وتراجعت للوراء فطريًّا وهي ترى قامته الطويلة وشعره الأسود الطويل النازل على جانبي وجهه الحاد المخيف الذي يماثل لونُه ذرَّ الرماد، ظهر التوتر على عينيها وقالت بحدة:

- من أنت؟

حدق إليها بنظرته تلك التي يُنزِل فيها رأسه قليلًا ويرفع عينيه كأنه سيخترق روحك ذاتها، وقال:

- عيناكِ لا ترجفان خوفًا يا بشرية، وروحك ثائرة كأنها أفعى، أنا لوسيفر، خازن هذه الأرض وما حولها.

ذهلت عيونها وسكتت رهبة ومشت وراءه حتى خرجا إلى مساكن سوداء مبنية كأن البحر هو أساسها وليس الأرض، تتحرك مع تحرك الموج، وهناك رأت حيوانات ذات عنق طويل تمضي في الماء وقبابًا حمراء كقباب القصور. مضى بها الشيطان حتى دخلا مدينة الجن، كل شيء كان مبنيًّا بأحجار كبيرة والأرض مرصوفة قطعًا قطعًا بشيء كالرخام، ووسط كل هذا برزت من بين الظلائم عيون سود تبرق في تحفز، ثم تكاثرت العيون حتى ظهر أصحابها، صنوف من الجن بأنواعهم تجمهروا حولها، وقال قائل منهم:

- يا أبانا.. ما هذه؟

نظر إليها إبليس في احتقار لم تَرَه ليليث وقال:

- هذه صاحبة ذلك البشري، الخليفة الذي جعله الله في الأرض، وجدتُها كفرت ولم يمضِ على خلقها شهر.

رأت ليليث الجميع ينظر إليها نظرات لم ترتَح لها، وتجرَّأ أحد حديثي السن وصاح:

- كافرة.. كافرة.

ردد وراءه بعض صغار الجن المتجمهرين، كافرة.. كافرة.. كافرة.

****

«يزخر جوف الأرض بجماجم الذين اتبعوا الشيطان وظنوا أنه على حق».

****

لا يمكنك أن تزعج ليليث وتبقى بخير. فجأة هبَّت ليليث إلى ذلك الجني الهازئ في غفلة منه مندفعة ومدت يدها إلى عنقه بقسوة، ثم اتسعت عيناها بدهشة ويدها تمر منه كأنه من ذرات الجو، فتراجعت خوفًا وعلا تضاحُك الشياطين حولها. وفجأة صمت الجميع. التفت الجن وراءهم وتباعدوا في رهبة لتظهر من ورائهم امرأة تقترب في هيبة، نظرت إليها ليليث وقد أيقنت أنه قد قُضي عليها، وجه رمادي وكحل ثقيل في العين وجدائل بيضاء وسوداء تُزين شعرها، كانت تلك «واضية»، زوجة لوسيفر الأولى، قالت بصوت رصين:

- ألم يخبرك ملاككِ يا بشرية أن الجن لا يؤذيهم أمثالك؟

لم تردَّ ليليث وظلت تنظر في كراهية، ثم قالت واضية:

- أنتِ هنا يا بشرية بأمر الشيطان، فلا أذى يطالك عندنا ما دامت روحكِ له مأسورة.

مشت ليليث بجوار واضية وهي تنظر حولها إلى الجن الذين يسير الواحد منهم وبصره ينظر إليها نظرة الذي يشتهي أن ينفرد بك. قالت لها واضية:

- أكافرة أنتِ بالله؟

ردت ليليث بحزم:

- لا أؤمن إلا بما تراه عيني.

- عليكِ ألا تثقي بهذه العين، فأنت ترييننا نحن الجن لأن روحكِ صافية في أول خلقك، لكن ما دام لديكِ هذا الجسد فسيأخذكِ

إلى شهواته وتثقل روحك عن رؤيتنا وتكونين مثل كل الحيوانات المادية التي رأيتِها في الغابة، عمياء عن رؤية الجن والأرواح.

وفي موضع غير بعيد كان لوسيفر ينظر بعينيه الساهمتين إلى ليليث، فجاءه صوت من أسفل منه يحدثه ويقول:

- ماذا ترى هذه المرأة فاعلة إذا عرفت الحقيقة؟

وضع لوسيفر ظفره الطويل الوحيد أمام شفتيه وهو يقول في تؤدة:

- ستحرق كل شيء.

سكت محدثه طويلًا، فنظر لوسيفر أسفله وهو يقول له:

- أتظنها تفعل هذا وهي بيننا؟

لكنه لم يجد محدثه الذي بدا وكأنه غاب في جحور الأرض.

****
«سموم أفاعي الجن تُميت الأرواح».

****

أيام تجري تتبعها الليالي بظلمتها، وعيون ليليث ترقب كل شيء، وكل شيء في تلك الأرض يُرهب القلوب، أولئك قوم لا يخرجون إلا في الليل، فإذا أتى النهار فعلاقتهم بالظل عجيبة كأنهم يحيون به أو فيه، وكانوا يسمون أرضهم السوداء أرض ديجور. وفي ذلك المساء ومن بين الظلال شق أرض ديجور كيان بلا ظل، كلما سمع أحد من الجن صوته دخل بيته وأغلق عليه بابه، كأن كل الكيانات خلقت من ماء وهذا وحده خُلق من سُم، كلما نفث كلماته في أرض انقلب أهلها من بعد سلامهم فُجّارًا ومن بعد إيمانهم كُفّارًا، وفي تلك الليالي الأولى من تاريخ الزمان.. كان ذلك الكيان متوجهًا إلى نقطة واحدة، ليليث.

بداخل برج يتشح بالسواد، كانت ليليث تنام ونافذة البرج غير بعيدة عنها، تُظهِر اكتمال قرص القمر وحوله قطع من سحاب رمادي، فبرز

34

من وسط الصمت صوته، كأنه صوت الحية ذات الجرس، دخل من النافذة وتحرك ناحية جسدها النائم، قرَّب وجهه من أذنها وعنقها كأنه يتشمَّمها، أصدرت بوجهها تعبيرًا منزعجًا، وفجأة وبلا مقدمات نهضت من رقادها كأن الشيطان قد مسَّها، سمعت عند قيامها صوت طائر أسود يفِرُّ من النافذة، دق قلبها في فزع، لم يكن صوت الطائر هو المُفزع.. بل ذلك الصوت الآخر المنبعث من جوار النافذة، كأنه صوت حية.

قامت تخطو ببطء إلى ناحية النافذة ودقات قلبها تعلو، كانت عيونها تميز شيئًا في الركن بجوار النافذة، أو شخصًا يخفيه الظلام، وقبل أن تخطو خطوة أخرى أتاها صوته من بين الظلمة:

- ألم تشتاقي إلى غابة البوم؟

صوت أنثوي ناعم عميق ينفذ إلى الروح، بدأ صاحب الكيان يتقدم حتى انعكس عليه ضوء النافذة الخافت فرأت وجهه، وإن مظهره أشد غرابة من صوته، وجه ليست فيه أي ملامح أنثوية، وفي الوقت ذاته ليست فيه شعرة واحدة في الوجه أو الرأس، يضع عباءة تغطي جسده ومعظم رأسه، لا تدري أَذَكَر هو أم أنثى، قالت ليليث:

- من أنت؟

قال لها ووجهه الأصلع يبرز من تحت الرداء:

- يدعونني سيربنت.

وقبل أن تتساءل وتفهم، قال لها القولة التي صرعتها:

- كنت أظن أنكِ أجمل الوجوه.. حتى رأيتُها معه.

- مه!

- صاحبكِ، رأته عيني وهو يسير ومعه امرأة أذكى منكِ وأجمل.

- آدم!

35

- اليوم منحه ربه معها حق الدخول إلى الجنة العظيمة «جان أكويلو»، أما أنتِ فتركوك هاهنا تَهيمين بين جن وشيطان.

ولم تمضِ ساعة واحدة، حتى كانت ليليث خارجة من أرض ديجور، تركت قصور الشياطين وانطلقت وليس في قلبها إلا النيران.

****

«الغيرة قتلت الحية».

****

كان نائمًا وروحه تسير في سبحات من نور، ثم رأى رؤيا غريبة.

«امرأة في كامل زينتها ترقص وحولها كثير من الرجال ينظرون إليها، كانت تشبه ليليث، وبين الرجال كان ملك البلاد المهيب ينظر إلى رقصها في شهوة، وهي تنظر له بغنج في أثناء رقصها».

كان ذاك حلم آدم الذي فتح عيونه ببطء وهو مستلقٍ على أرض عدن، وما إن فتح عينيه المتعبتين حتى تراءت له صورة مموهة لامرأة ذات شعر أسود، ولم تلبث الصورة أن اتضحت وظهرت أمامه عذراء صبوحة ذات رمش جميل وعينين وضّاءتين سوداوين، سمراء البشرة إذا نظرت إليكَ أضاءت روحك، حسناء لها شعر ناعم متموج يصل إلى كتفيها، تنظر إليه ببراءة طفلة، عرفها فور أن رآها، لأن رازئيل أنبأه عنها.. حواء، ابتسم ثغره وفؤاده لها، وقال:

- أنتِ حواء؟

نظرت إليه ببراءة وقالت:

- ولماذا أنا حواء؟

- لأنكِ سمراء، وفي روحك حياة.

ثم بدا أنه تذكَّر شيئًا مُقلقًا، فسألها في حذر:

- من أين أتيتِ؟

قالت له ببساطة:

- منكَ.

اطمأن قلبه وقال لها:

- أنتِ مني وأنا سَكَنك، وحيثما تكوني أكُن، وإذا تناثرت أجزاء روحي تجمعينني، وعندما تجمعينني فأنتِ تجمعين نفسك.

فضحكت لقوله، كانت حواء حنون دافئة الروح، نظرتها سحر وكلامها سَكَن، فسأل ربه أن تكون له رفيقة، فكتبها الله له زوجة، وعلَّمها آدم عن الله مما علَّمه الله، وفي ذلك اليوم تحت جبل ماتاريمون الأخضر العظيم، جاءهما الملاك الجليل رازئيل وقال:

- لأن ربكما رأى كل ما تعملانه أنه حسن، فاليوم برحمة من ربك يا آدم، أَسكَنكما ربكما جنة أرض أكويلو.

وأشار إلى ربوة مرتفعة عليها أشجار باهرة المنظر، فرح قلب آدم وحواء بمجرد مرآها من بعيد، وامتثلا لأمر ربهما ومشيا ويده لا تفارق يدها إلى تلك الجنة. في هذه اللحظة أحسَّ رازئيل بشيء في الخلف، فاستدار ناظرًا، فرأى لوسيفر واقفًا ينظر إليهم نظرة جامدة، قال رازئيل لآدم وهو يشير إلى لوسيفر:

- يا آدم انظر إلى ذاك صاحب الرداء الأسود، ذاك من الجن الذين أريتُكَ مساكنهم، ولقد اتخذكَ عدوًّا أنت وزوجكَ، فاتخذاه عدوًّا، وتنبَّها ألا يخرجنَّكما من هذه الجنة فتشقى يا آدم.

نظر آدم نظرة طويلة إلى لوسيفر وكذلك حواء، ثم انصرف نظرهما عنه إلى الجنة ومشيا مع رازئيل الذي قال:

- يا آدم.. إن جان أكويلو جنة مقدسة في أرض عدن، نصلي فيها لربنا ونُسبِّحه، وفيها من الجن كثير، ولا يجوز فيها ذنب؛ أيُّ ذنب، وإنه لا جوع فيها ولا ظمأ، ولا حَرَّ فيها ولا مشقة.

37

مشى آدم وحواء إلى أعلى الربوة الزاهرة البديعة حتى أتيا مشهدًا أوقفهما مكانهما من بهائه. ساحة واسعة مجيدة يتوسطها نهر النيل الذي يجري في هدوء، ووسطه ممر طويل يصل إلى مدخل لم يُرَ على الأرض في كل العصور مدخل يماثل عظمته، صرحان عاليان مبنيّان من قوالب كالمرمر بيضاء، يقف الصرحان كعمودين جليلين وسط النهر الواسع، ويظهر خلفهما الأفق والسحاب، هبَّت على آدم وحواء نسائم الجنة برائحة المسك، ومشى الزوجان على الممر حتى أشرفا على مدخل الجنة، فإذا عليها ملائكة حسان الوجوه والثياب يُحيّونهما بتحية الله.

دخل آدم وحواء وهما ينظران حولهما، الجبال مزهرة والأرض، والمياه جارية، والنسيم رقيق يداعب الوجوه، ومن وسط ذلك الجمال أتاهما أفزعهما.

ملاكٌ اتَّشح برداء أسود يظلم على وجهه فلا تظهر ملامحه، ملاك ليس على ظهر الأرض إنسان إلا سيرى وجهه عيانًا بيانًا عند موته، ملك الموت، قال لهما:

- آدام وإيفا، كل ذنوب الإنس والجان التي تعلمانها لا تدخل هاهنا، وكل شجر الجنة تأكلان منه كيف شئتما إلا تلك الشجرة هناك، لا تقرباها.

نظر آدم وحواء برهبة إلى الشجرة التي يشير إليها، كانت شجرة خضراء كبيرة تتناثر فيها ثمار صفراء مشقوقة يظهر منها لب أحمر كالدم كأنه عيون حمر تنظر في ثقة مخيفة وكأنها تعلم ما سيكون.

****

«ليست الأشياء في ذاتها ملعونة،

بل نحن من يصنع لعناتنا».

****

هُرعت ليليث والنار في قلبها تكاد تُشعل الأرض، كانت تمشي جوار نهر عدن متوجهة إلى الجبل الذي ينزل منه النهر، جبل ماتاريمون الأخضر الذي تقع جنة «جان أكويلو» أعلاه. لكن لم تكن صخور ذلك الجبل قابلة للتسلق بأي حال، دارت حوله من كل موضع حتى أوشكت أنفاسها على الانقطاع. وعند سفح الجبل، رأته واقفًا ينظر إليها بعينه التي تلتهم مَن أمامه، لوسيفر بكامل حقده، قال وهو ينظر أعلى الجبل:

- تلك الجنة ثمرها ليس مثله ثمر، وملائكة تطوف بكل مكان تبحث عن رضى ساكنيها.

صاحت ليليث:

- خذني إليها كما أخذتني إلى أرضكم السوداء.

- لن يمكنك دخولها، فهي ليست لكل أحد.

نظرت ليليث له بانزعاج فسكت قليلًا، ثم قال لها ببحة ثعبان:

- إلا بطريقة واحدة.

قالت بسرعة:

- ما هي؟

- أن تُخرجي منها أحدًا حتى يمكنك أن تدخلي مكانه.

ثارت النار في روحها، فقال لها:

- لو أخرجتِ تلك المرأة الجميلة السمراء، سيخلو لكِ وجه صاحبك وتأخذين مكانها.

تغيرت ملامحها إلى الحدة وهي تقول:

- بل سأخرجهما معًا.

لمعت عينه جذلًا وإعجابًا وهو يقول:

39

- يمكنكِ عمل ما هو أشد، شيء سيموتان بسببه كل يوم حتى تنتهي حياتهما، أما أنتِ فستعودين كالأميرة إلى قصرك في أرض ديجور.

- وكيف أخرجهما؟

رمى إليها شيئًا صغيرًا جدًّا فالتقطته بتلقائية وهو يقول لها:

- بهذه.

نظرت إلى الشيء الذي رماه، كانت ثمرة صغيرة، صفراء اللون ربما بحجم ظُفرها، رفعت عينيها له متسائلة! أخبرها الشيطان ماذا تفعل وكيف تدخل إلى الجنة، وتحولت النار التي بداخلها إلى طاقة في أطرافها وصرامة في عينيها الجميلتين، وعقدت العزم على التحرك.

- سأكون بانتظاركِ هناك.

قالت له والدهشة تغمرها:

- أيمكنك الدخول أنت؟

- أنا خازن هذه الأرض كلها، لكن لا يمكنني إدخالك معي، سأُعِينك فقط على إخراجهما.

مشت ليليث بمحاذاة سفح الجبل ودقات قلبها تتسارع كلما توغلت في الطريق الذي وصفه لها لوسيفر، طريق الشيطان.

****

«جنة في الأرض وجنة في السماء، وجنة بينهما».

****

مضت ليليث في طريق وَعِرَة تُبعد أغصان الأشجار المتكاثفة وأنفاسها تتلاحق، ووراءها يكمن لوسيفر، يراقبها دون أن تدري، حتى اقتربت من المكان الذي وصفه الشيطان، عرفت هذا لما رأت أمامها شجرًا كثيفًا قصيرًا ملتفًّا حول بعضه يسد الطريق، انحنت وحاولت

المرور.. لكن بلا فائدة، انقطع جزء من ردائها عند الساعد، فتوقفت قليلًا ثم نزلت على بطنها وزحفت من تحت الدغل، كان لوسيفر ينظر إليها وجسدها الرشيق يتلوى عبر الدغل وابتسم هازئًا، بدت في عينه كأنها حية تسعى إلى فريستها، ولم ينسَ تلك الصورة أبدًا. كان يمكنها أن تدخل إلى الجنة إذا دعاها هو، لأنه خازن الجنة، ولكنه كذب عليها لغرض في نفسه، كان يُحب أن يرى ذُلَّ الإنسان وسعيه لأجل الشرور.

قامت ليليث تنفض رداءها مما علِق به من أغصان، ونظرت أمامها فأصابها الذهول للحظات، فجأة أصبحت داخل الجنة، هكذا بلا مقدمات، أرض مفروشة بالزهر الأبيض المنتشر على بسيطة خضراء، نسائم عطرة وزهور بنفسجية وقرمزية متطايرة في الهواء كأنها زينة الجو، ونهر النيل الأزرق يجري وسط كل هذا ليصب بشلال هادئ في ثلاثة أنهار متدفقة، سيحان وجيحان والفرات، شجر بديع، وثمار وأرض ممهدة للسائرين، رأت كل هذا فلم تتمالك نفسها، ضحكت ورفعت يدها تتلمس الأوراق الملونة المتناثرة وتتنفس أريج الجنة، وقررت ليليث أن تبقى هاهنا وتطرد كل من سواها. خطت بضع خطوات ثم انتبهت إلى شيء في السماء.. بل أشياء، وارتجف كيانها، رأت ملائكة عظام الهيئة يسُدّون أفق السماء، سائرين في كل موضع فيها، تسمع صوتهم في ترنيمة واحدة تُقدس الله: «قدوس، قدوس، قدوس...». مشت رافعة كتفيها في خوف، أدهشها أكثر أنها وجدت بعض الجن هنا وهناك يُصلّون ويُسبِّحون، ثم تذكرت حديث لوسيفر وأخرجت الثمرة الصغيرة تنظر إليها، ومشت تبحث عن شخص واحد.. حواء. ولم يطُل بحثها كثيرًا حتى وجدتها.

****

«إذا التقت الغريمتان، جلس الشيطان يتعلم».

****

وحدها كانت حواء في أرض من الورد تنحني لتطعم بيدها سِربًا من طيور الفيل السوداء وطيور الموا البنية، حتى برزت أمامها فجأة ليليث بشعرها البرتقالي المميز ونظرتها الثائرة، فزِعت منها حواء فزعًا شديدًا؛ فلم تكن قد رأت امرأة غيرها من قبل، نظرت إليها ليليث نظرة نافذة من أعلاها إلى أسفلها، كانت تتفحص المرأة التي فضَّلها آدم ورب آدم عليها، سمراء حسناء دافئة بعيون بُنية وشعر جذاب، قالت لها ليليث بشبح ابتسامة:

- هل أنتِ حواء؟

أومأت حواء برأسها إيجابًا وقالت لها بخوف:

- أَبَشرية أنتِ مثلي؟
- أتظنين نفسك الوحيدة في الأرض؟

لمعت عين حواء وهي تقول:

- أتكونين أنتِ تلك المرأة التي تحدث آدم عنها؟

قالت ليليث وهي تربط على غضبها:

- أدخلني ربي هنا كما أدخلكِ، فأنا هنا قبلكِ بزمن.

ردت حواء بدهشة:

- ولكن كيف؟ أنتِ كافرة.

قال ليليث بسرعة:

- هكذا قال لكِ صاحبكِ، ليبعد تفكيركِ عني، أخبريني، ماذا تفعلين هنا؟
- أمرنا الله أن نعتني بكل دواب الجنة، فأعطى آدم شرق أكويلو، وأعطاني هذه الأرض.

قالت لها ليليث بابتسامة مصطنعة:

- كيف وجدتِ طعم ثمار الجنة؟ هل أعجبتكِ؟

قالت حواء ببراءتها الجميلة:

- حلوة المذاق تعيننا على التسبيح، نأكل من كل شجرة ما عدا واحدة محرمة علينا.

ثبتت ليليث نظرها على حواء وأخرجت يدها مليئة حتى آخرها بتلك الثمرة الصفراء التي أعطاها إياها لوسيفر، وقالت:

- تقصدين هذه؟

نظرت حواء بقلق إلى يد ليليث ورأت الثمار الصفراء التي حرمها الله عليها، فجزعت وتراجعت، فقالت ليليث:

- أتعلمين؟ إن هذه هي طعامي المفضل من بين الثمار جميعًا، ذُقتها فانفتحت عيناي هاتان وأصبحتُ أرى أمورًا لم أكُن أراها.

دُهشت حواء وقالت:

- وماذا فعل بكِ ربكِ؟

- لم يفعل شيئًا، أنتِ حقًّا لا تعرفين، لو ذُقتِ منها ستكونين خالدة كالملائكة، لا يشيخ جلدك ولا يذهب جمالكِ.

مدَّت ليليث يدها إلى حواء بثمار الشجرة المحرمة، كانت تلك الثمرة هي جوزة الطيب، صفراء مخيفة المنظر تُسكِر العقل، حرَّمها الله على الإنسان لأنها تُذهب العقل، نظرت حواء بقلق للثمار وقالت:

- لا أستطيع، أنا خائفة.

ظلت يد ليليث ممتدة بالثمار تُشجِّع حواء، حتى مدَّت حواء يدها وفي رأسها عشرات المخاوف، ولما وصلت يدها إلى الثمار، سحبت ليليث يدها بعيدًا، فنظرت لها حواء في دهشة، فقالت ليليث:

- ما أدراني أنكِ لمّا تأكلين من هذه الثمار وتصيرين كالملائكة يصيبك الغرور، وتمنعين منها خليلك آدم وتستأثرين بها لنفسك؟

- والله إن لم يكن على الأرض ثمر غيرها لآثرته بها على نفسي.

نظرت إليها ليليث في غيرة لم تنجح رموشها الحمراء في أن تخفيها، ثم مدَّت لها يدها بالثمار مرة أخرى، أخذت حواء الثمار لكن شيئًا داخلها منعها أن تأكل، فقالت حواء:

-   لعلكِ تكذبين، لن آكل منها حتى تأكلي أنتِ أولًا.

بُهتت ليليث للحظات، فهي لم تأكل من هذه الثمار لأن لوسيفر حذرها أن تأكلها داخل الجنة، لكنها حرصت ألا يظهر شيء من هذا على ملامحها، وقربت الثمار من فمها وقلبها يرتعد، لم يعُد أمامها من سبيل، أكلت ليليث بعض الثمار، طعمها كريه، لكنها قاومت امتعاضها وبقي وجهها جامدًا، وحواء ترقبها، ثم قالت ليليث:

-   هيا يا سمراء خذيها، كيف تعتقدين أنني ما زلت أسكن جنة المقربين وها أنا آكلها أمامك؟

-   لن أفعل هذا إلا بعد أن أخبر آدم أولًا.

واستدارت حواء وغادرت المكان متَّجهة إلى آدم، وظلت ليليث واقفة لا تتكلم والحنق يجتاحها، كان تأثير جوزة الطيب المُسكِر قد بدأ، شعرت أن عقلها يدور ببطء وتوازنها يختل وكل شيء حولها صار أبطأ، الطيور والحيوانات، كل شيء لا يكاد يتحرك، لم يكن هذا كل شيء.. بل شعرت بداخلها أن شيئًا ما كان كامنًا ثم انفجر، شيء لا تدري ما هو، لكنه يشعلها بغريزة غريبة، فإن جوزة الطيب إلى جانب أنها تُسكِر، فهي تثير الرغبة الجنسية التي كانت كامنة في المرأة الأولى، والآن تفجرت.

****

«الشيطان لا يكذب، إنما يخلط الحق بالباطل».

****

في مروج أكويلو كان آدم يرعى طيور الراتيت الصغيرة، ثم توقف فجأة لما رأى لوسيفر يقترب منه ببطء، قرب الشيطان رأسه منه وقال بلا مقدمات:

44

- شجرة واحدة مَن يأكل ثمرها ينعم بالخلود ولا يذوق الموت أبدًا.

نظر إليه آدم بحذر ثم أكمل ما كان يفعله مع الطيور وقال:

- انصرف عني فلا يعنيني الخلود، لقد أنبأني ربي بعمري وعمر ذريتي.

نظر الشيطان إلى الأرض وقال:

- لقد كنتُ مثلك يومًا ما يا آدم، ولمّا رزقني الله ذرية، كفر كثير منهم، رغم كل مواعظي، ولولا أن عمري طويل ما استطعتُ أن أصلح أمرهم في الأرض.

قال آدم بحسم:

- تلك ذريتك، أما ذريتي فأنبأني ربي أن أكثرهم لا يفسدون في الأرض.

شعر الشيطان بنار أخفاها وهو يقول:

- أما أنا فصبرت وأصلحت من فسد من ذريتي جميعًا؛ فأكرمني الله وأدخلني إلى الملأ الأعلى، وأنت لا تدري كم هو جمال ذلك البيت المعمور الذي هناك.

أطرق آدم برأسه ولم يرد.. فضيَّق الشيطان عينيه وهو يقول:

- أنت إذا نلت الخلود يا آدم، ستنال عمرًا طويلًا، وبدل أن تعبد الله ألف سنة ستعبده آلافًا، وكلما عبدته تقربت من نوره أكثر، وأعظم الخلق هو من ينال نورًا أكبر.

نظر إليه آدم وقد أثَّرت فيه هذه الكلمة الأخيرة لحبه اللهَ تعالى وحرصه على القرب منه، وهنا ظهرت حواء آتية وهي تنظر إلى الشيطان بريبة، ثم اقتربت من آدم وهمست في أذنه بشيء، عرف الشيطان أنها تهمس له بأمر الشجرة، فقال لهما وهو يتهيأ للمغادرة:

– يا بشريان، أقسمتُ لكما إنني ناصح، ولا أقسم به كاذبًا، ونحن
في هذه الجنة المقدسة وإلا يخسف بي ربي، ما نهاكما ربكما عن
هذه الشجرة إلا أن تنالا الخلود أو تكونا ملائكة.

****

«الجنة تصير نارًا تحرق روحك إذا غضب عليك الرب».

****

وقفت أمامهما الشجرة المحرمة تزينها كلمات الشيطان بثمارها
المشقوقة الصفراء التي تبدو كعيون ساخرة.. ظلا ينظران إليها في
ارتياب، وحواء تتعلق بذراع آدم وتقول له:

– يا آدم، هل سنأكل منها حقًّا؟

نظر إلى الأرض ولم يرد، ثم نظر إلى الشجرة في قلق، وفي غفلة
منهما، ظهر من خلف الشجرة آخِر مَن يتوقعه آدم في تلك اللحظة،
ليليث، شيطانة بني الإنسان، فجزع لرؤيتها والتهب عقله بالظنون،
فقالت له حواء:

– يا آدم إنني رأيت هذه المرأة تأكل من الشجرة.

قالت له ليليث بصوت خافت:

– لقد صرت أعلى منكَ عند ربي يا آدم فقط بسبب هذه الشجرة،
الملائكة تحسدك ولا تريد لك القرب من ربك.

وضعت ليليث الثمار في فمها وأكلت وهي تنظر إليه، أحسَّ أن طبعها
الحاد قد تغير فأشعره هذا بمزيد من الاطمئنان، فشد آدم على يد حواء
وقال لها:

– نعم سنفعل يا حواء، عسى أن نكون من المقربين.

«ثمرة صفراء من جنة خضراء صبغت الأرض بلون الدم».

مد آدم يدًا مرتجفة إلى الثمار فالتقط بعضها وأعطى حواء، ثم قرَّب الثمرة من فمه في تردد، كان شيء ما يمنعه وشيء آخر يدفعه، وحواء بجواره تفتح شفتيها ثم تغلقهما في خوف، بقيا ينظران إلى بعضهما وعيونهما تبرق بالفضول والخوف، حتى إذا وضعا الثمار في فميهما ارتعدا وهما ينظران إلى بعضهما في تقزز من مذاقها، وانحنت حواء لتبصق هذه المرارة من فمها، ولم تمضِ دقائق إلا وبدأت الدنيا تدور، وسمع آدم صوت حواء غريبًا متثاقلًا وهي تقول شيئًا ما ثم تهوي على الأرض من المرارة، وجثا آدم على ركبتيه وبدأ يغيب عن الوعي ثم سقط على وجهه، وكان آخر ما رآه هو اقتراب أقدام الشيطان.

لم يكن إبليس ينظر إليهما شامتًا، بل كانت نظرة كراهية وحقد، وليليث بجواره تنظر إليه متعجبة في سُكرها، رأته يمد يده وينزع ملابس آدم ببطء، تسارعت ضربات قلب ليليث وهي تنظر إلى ما يفعله الشيطان الذي عرّى آدم تمامًا عن ملابسه، ثم نزع عن حواء رداءها، وتركهما ملقيين على الأرض، وأخذ ملابسهما بعيدًا. كانت ليليث تنظر إلى إبليس ثم تنظر إلى آدم وكثير من المشاعر المتضاربة تجتاح قلبها، شيء ما أصبح يُقربها من آدم وتشعر أنها مشفقة عليه، أو ربما هي تريده بقربها.

ومن بين جنبات الصمت والعري والخزي، سمع الجميع بوقًا عاليًا صمَّ آذان الكل، فتح آدم عينه وشيء ما يضرب في دماغه بلا هوادة، وأفاقت حواء أسرع منه وتفتحت عيونها فرأت الكارثة، رأت نفسها دون ردائها، ورأت آدم كذلك، ففجع قلبها وقامت تهرع إلى أقرب شجرة بالجوار، وطفقت تنزع أوراقها الكبيرة وتضعها على جسدها، وأفاق

آدم بعدها وشهق شهقة الفزع والأسى، وهرب إلى ناحية الشجرة يضع الأوراق على جسده هو الآخر، وسمعا البوق يضرب أنحاء الجنة مرة أخرى، ونزلت ملائكة العذاب.

****

«أخطاء الآباء يدفع ثمنها الأبناء».

****

تحرك إبليس مبتعدًا بقلق عن المكان لمّا سمع البوق، وليليث تتبعه، كان يقول لنفسه أنه لم يقترف معصية يمكن أن تخرجه من الجنة، إنه يعرف أن ليس عليه أمر أو نهي إلا ما أمره الله به صراحة، وما فعله مع آدم لم يكن كذلك، توقف إبليس مكانه فجأة وتسمَّرت قدماه وأصابته رجفة ونظر إلى الأعلى، كان ربه يكلمه قُبُلًا من أمامه وهو لا يراه، وهكذا كان يتكلم الله مع أول خلقه من أي جنس، رحمة به، وكان إبليس أول خلقه من الجن، قال له ربه:

- ﴿يَا إِبْلِيسُ مَا مَنَعَكَ أَن تَسْجُدَ لِمَا خَلَقْتُ بِيَدَيَّ ۖ أَسْتَكْبَرْتَ أَمْ كُنتَ مِنَ الْعَالِينَ﴾؟

لم يتوقع إبليس ذلك السؤال في هذا الوقت، فقد مرَّ على قصة السجود تلك زمن، أيعاتبه الآن؟! رد إبليس وكل ذرة فيه ترتعد بين خوف وغرور:

- لم أكن لأسجد لبشر خلقته من طين الأرض.

ورفع رأسه للسماء يملؤه الكِبْر والجُبن وقال:

- أنا خير منه خلقتني من نار سامية وخلقته من طين مهين.

فأتاه أمر ربه الذي لم يكن في حسبانه:

- ﴿فَاهْبِطْ مِنْهَا فَمَا يَكُونُ لَكَ أَن تَتَكَبَّرَ فِيهَا فَاخْرُجْ إِنَّكَ مِنَ الصَّاغِرِينَ﴾.

بجوار لوسيفر وقفت ليليث تنظر إليه في دهشة وحنق وقد سمعت كلامه مع ربه، ورغم أنها لم تسمع كلام ربه له، فإنها فهمت، لقد كان لوسيفر يخدعها، إنه مثلهم، يؤمن بوجود الرب، ولم يمهلها الوقت حتى تغضب غضبتها؛ إذ أتت ملائكة العذاب وأمسكوا بها من رقبتها وهي تنظر إلى مشهد أدهش كيانها. لوسيفر صاحب المظهر المهيب فجأة تخشَّب وانضمَّت قدماه لبعضهما وتمزق رداؤه الأسود عن صدره فظهر جسده النحيل المشدود وعليه أثر كأنه ضربة سيف قديمة تقطع صدره من أعلاه إلى أسفله، لم يكن هذا ما أدهشها، ولكن عندما تمزق الرداء ظهرت أجنحة لوسيفر، ثلاثة أجنحة عن اليمين وعن الشمال كأجمل ما تكون الأجنحة، ولكن وجه لوسيفر كان يتبدل من طابع المهابة العام إلى طابع الألم، وفجأة صرخ، وبدت أجنحته وكأنها تتقصف وتتقصم دون أن يمسها أحد، كانت تتهشم محدثة صوتًا أشبه بكسر العظام، سالت الدماء من فم لوسيفر وصرخ صرخة قيل إن جميع أهل السماوات قد سمعوها.

وجثا لوسيفر على ركبتيه وبدأت تظهر وراءه كأمثال الذرات التي تتكون حتى برز خلفه من العدم ملاكان، هاروت وماروت، أمسكا به في قسوة، وهو مُنكِّسٌ رأسه ولا يصدق أن هذا يحدث معه بعد ألفين من السنين قضاهنَّ ناسكًا بين السماء والأرض والأرض، نسي لوسيفر أن الكِبر ذنب وأن تتكبر في الجنة يعني أن تُطرد. وعند أقدام آدم وحواء المرتعدة نزل الملاك جبرايل ومشى نحوهما وهو ينظر إليهما بغير شفقة، واقتادهما أمامه وهما يشعران بالخزي. ونزل أمر الله على الجميع: ﴿اهْبِطُوا بَعْضُكُمْ لِبَعْضٍ عَدُوٌّ وَلَكُمْ فِي الْأَرْضِ مُسْتَقَرٌّ وَمَتَاعٌ إِلَىٰ حِينٍ، قال فِيهَا تَحْيَوْنَ وَفِيهَا تَمُوتُونَ وَمِنْهَا تُخْرَجُونَ﴾.

****

«الخارج من النعيم يرى كل من حوله ذئابًا ولو كانوا ملائكة».

****

كانت الأرض تهتز من تحته، وأوراق أشجار جنة عدن تذروها الرياح العاتية فتطير وتصفع وجهه وجسده، وهو يسير حسيرًا، وخليلته حواء تسير بجواره وكل ذرة فيها ترتجف حتى يدها الحنون التي تحتضن يده. لم يكن على جسديهما شيء يغطيهما، إلا أوراق شجر محبوكة في بعضها يُثبِّتانها بيد مهزوزة لئلا تقتلعها الريح الثائرة. وعند الأبواب الشمالية لِجَنة عدن، كانا يقفان بصعوبة على قدميهما، وبدرت منهما نظرة إلى المكان الذي سيخرجان منه، فقط نظرة واحدة، لكنها خلعت روحيهما.

لم يكن مثل المكان الذي دخلا منه ولا حتى قريبًا، بل كان شيئًا آخر يفجع الروح، كهف مظلم أسود ضيِّق بصخور يابسة وأرض حجرية، نظرا إليه فوجدا عنده ملك الموت ينظر إليهما نظرة لم ينسياها فارتعبا وظنّا أنه موتهما، وعجزت أقدامهما عن تحمل المنظر؛ فسقطا على وجهيهما على الأرض يرتجفان من الهول. على بُعد خطوات كان يقف الملاكان هاروت وماروت ممسكين بلوسيفر الذي كان ينظر إلى آدم بشماتة كريهة وليليث بجواره وسط ملكين من خزنة الجنة يحوطانها وهي تصرخ في آدم وتقول:

- آدم، أليس رب هذه الأرض قد خلقك؟ أيطردك هكذا؟ أهذا هو الرب؟

كان آدم ساكنًا بلا حراك وبدا عليه الموت، فنادته بصوت أعلى:

- آدم!

ثم استدارت عازمة على الهرب معطية ظهرها للملكين، لكنها فجأة انتفضت والتوى ذراعاها حول جسدها دون أن يمسها أحد، وأُدير

جسدها لتواجه الملكين مُجبَرة، ثم سقطت على ظهرها مغشيًّا عليها، والتقطها أحد الملكين على كتفه ومضيا بها مبتعدين.

ومن وسط العواصف والأوراق الثائرة ظهر ظل لملاك ثالث يقترب، حتى تبين وجهه، كان متمثلًا في هيئة بشر، اقترب من آدم وانحنى عليه وقال له بصوته الذي يعرفه آدم جيدًا:

- آدم، إن ربك المَجيد يُلقِّنك كلمة.

ارتجفت ملامح آدم وهو يرفع عينه إلى الملاك وقد اغبرَّ وجهه، وقال بصوت واهن:

- رازئيل.

نظر إليه الملاك رازئيل وقال له:

- أنت محفوظ برحمة الله يا آدم، وربك الرحمن يلقنك كلمات، بكلمة منها خلقك، وبكلمة منها قال لك كُن، وبكلمة منها تاب عليك، قم يا آدم وتلقَّ كلمة ربك.

توهج آدم بالأمل، وقام وجسده يرتعش وهو يشد على يد حواء ليقويها، ونظر إلى ما حوله، لم يكن هناك أحد. لوسيفر أخذه الملكان وأهبطاه من فوق سماء جبل ماتاريمون جسدًا داميًا مكسور الأجنحة ذليلًا ينظر إلى السماء في ذهول وهو يهوي كالنجم، وليليث أخذتها الملائكة ورمتها في أرض قاحلة لا زرع فيها ولا ماء، أما هو وحواء فقد ساقهما ملك الموت إلى ذلك الكهف المظلم، كهف المكفيلة، مغارة الموت.

***** تمت *****

صمت تام احتل المكان بعد انتهاء القصة، وأصبح لويب يمسك بالكروت وينظر إليها صامتًا بشرود، أما ليوبولد فاقترب من بوبي وقال:

– أتساءل عن الإنسان الأحمق الذي يحذره إلهه من الخطية فيفعلها، يبدو أن قصة آدم تنسخ نفسها في كل عصر، فأنت يا لعين حذَّرك أسيادك في التنظيم ألا تخون فخنت وجلبت على نفسك هذا.

رفع ليوبولد المسدس أمام عين بوبي الذي اصفرَّ وجهه، لكن لويب قال وهو يتطلع إلى الكروت:

– دعه يا ليوبولد، إن هذه القصة التي رواها موجودة هنا حقًّا بين ثنايا الرسومات.

قال بوبي وهو مطأطئ الرأس ساهمًا:

– الرسم موجود أمام العامة طيلة الوقت ولا يفهم شفرته إلا الخاصة.

تحرك ليوبولد وجلس بالمقلوب على كرسي صغير أمام بوبي، وعقد ذراعيه على ظهر الكرسي ويده ما زالت تمسك بالمسدس في تهديد، وقال:

– دعك من هراء الأشياء المخفية يا بوبي، أنت ستخبرنا بكل أثر يدل على هذه القصة أو سأنتزع أحشاءك القذرة أمام عينك واحدًا واحدًا حتى تتكلم، قل لي، من أين أتت التنظيمات السرية بهذه القصة التي لم ترِد في كتاب؟

ابتلع بوبي ريقه بخوف وهو يقول بصوت مرتعد:

– الفكرة أن البشر ينظرون إلى حكايات الكتب المقدسة على أنها دين فقط، ولا يأخذونها على أنها نصوص تاريخية أبدًا، رغم أنها أقوى توثيقًا من كتب التاريخ العادية. التنظيمات السرية هي الوحيدة التي نظرت إلى هذه النصوص على أنها تاريخ.. متحررين من أي عقيدة، بهذا جمعوا النصوص إلى جوار بعضها كما تفعل مع أي بحث تاريخي، وشيئًا فشيئًا بدأت بعض الكنوز تخرج من مخابئها.

52

توقف ليوبولد عن اللعب بالمسدس بين يديه وقال:

- أي نصوص؟ لا توجد لهذه القصة التي حكيتها أي نصوص.

قال بوبي بسرعة:

- نصوص التوراة والإنجيل والقرآن والحديث ومخطوطات اليهود والمسيحيين المخفية المسماة «كتب آدم وحواء المنسية»، كل هذا وُضع بجوار بعضه فخرجت القصة.

تدخل لويب هذه المرة ووضع الكروت جانبًا وقال:

- مستحيل، هذه الكتب تتعارض مع بعضها مواضع عديدة من قصة آدم، يبدو أن هذا الفتى يكذب يا ليوبولد.

أسرع بوبي قائلًا وهو ينظر إلى الكمبيوتر المحمول في قلق:

- بل الحقيقة أن كتب اليهود المخفية تتفق مع القرآن كثيرًا وتذكر أحداثًا من القصة تفرَّد بها المسلمون وحدهم في قرآنهم وحديثهم دونًا عن بقية الأديان، مثل: سجود الملائكة لآدم، وامتناع إبليس عن السجود، والكلمات التي تلقاها آدم من ربه، وإرسال آدم بنيه إلى الجنة في آخر حياته، وقوله لهم: «انطلقوا فاجنوا لي من ثمار الجنة»، وطريقة موت آدم ودفنه المذكورة في الحديث، فحكماء التنظيم وضعوا فقط كل النصوص المتفقة وغير المتعارضة في لوحة واحدة، فرسمت لهم القصة، تمامًا مثل البحث التاريخـ....

قاطعه ليوبولد بحدة:

- لماذا تنظر إلى التسجيل كل حين يا هذا؟ هل أنت خائف؟ لا تتعجل؛ فهذا التسجيل خاص بنا نحن حتى لا ننسى أي معلومة تقولها، أما التسجيل الذي سننشره على الموقع اللعين، فهو مقطع إعدامك، فوفر على نفسك القلق حتى ننتهي منك.

قال لويب لأخيه بصوت عالٍ:

- لا تقاطع اللعين في أثناء حديثه يا لعين، دع اللعين يتحدث.

رد ليوبولد بغضب:

- وأين السر المهم فيما قال؟

قال بوبي فرانك:

- السر الذي سيفتح النار على الجميع لو تمت إشاعته بين الناس هو جنة عدن التي طُرِد منها آدم، فمن بين النصوص المقدسة المتفق عليها في الكتب السماوية، اتضح أن هذه الجنة كانت على الأرض، لا في السماء.

التفت إليه ليوبولد قائلًا:

- أي هراء هذا؟

أكمل بوبي وهو يميل رأسه وعيناه تحدقان إلى موضع واحد كعادة المتوحدين:

- ألـم تقـرآ فـي التـوراة أن جنـة عـدن هي ملتقـى أربعـة أنهـار، واحـد منهـا هـو نهر الفـرات المعـروف، وعليـه فهـي علـى الأرض، والسُّـنة الصحيحـة لمحمـد نبـي الإسـلام، ذكـرت في حديـث صحيـح أن آدم قـال لأولاده: «أيْ بنـي، إني أشـتهي ما يشـتهي المريض، وإني أشـتهي من ثمـار الجنـة فابغوني من ثمـار الجنـة مـن ثمـار الجنـة»، فهـي علـى الأرض، وإلا لكان أولاده شـياطين تطيـر إلى السـماوات.

قال لويب باهتمام:

- دعك من هذا، ماذا تعني أنها سر سيؤدي كشفه إلى مشكلات؟

قال بوبي بصوت قلق:

- لقد عرف التنظيم موضع تلك الجنة بالضبط على الأرض، وإذا كُشف هذا الموضع فستشتعل لأجله حروب لا تنطفئ، أكبر من الحروب التي على القدس اليوم.

أمسك ليوبولد بِياقة بوبي وهو يقرب المسدس ويقول:

- لا تجعلني أسأل، أجب بنفسك وصِف لنا ذلك الموضع.

قال بوبي مرتجفًا:

- لا تسأل.. سيكون كشفها في مجموعة الكروت التالية.

أبعد ليوبولد المسدس متفهمًا، وقال لويب بصوت ساهم كأنه يحدث نفسه:

- لكن ليليث، كل الأديان وكتب التاريخ اتفقت على أنها أسطورة، كيف تقول القصة أنها حقيقة.

قال له بوبي:

- ألم تسأل نفسك لماذا تقدس التنظيمات السرية إلى هذه الدرجة شيئًا هو مجرد أسطورة؟

سكت لويب في شرود وبوبي يكمل:

- كل شيء بدأ من الحية التي أغوت آدم وحواء في التوراة، كان السؤال المنطقي هو: كيف تتكلم الحية؟ سيقول لك اليهود والمسيحيون إنها ليست إلا رمزًا، وستجد مفسري القرآن يحشرون قصص الحية حشرًا رغم أنه لا ذكر لها في القرآن ولا في أحاديث محمد، والحق أن السر الأعمق بدأ من تلك الحية التي عاشت كل هذه السنين تنتقل في كتب الأديان.

دقَّ قلب لويب وهو يستمع صامتًا وبوبي يقول:

- مفتاح السر انكشف من «الزوهار» أهم كتاب في الكابالا -الأسرار الإلهية اليهودية-، حيث قال بوضوح إن قرينة الشيطان في الجنة كانت امرأة عادية تُلقَّب **بالحية المُلتوية**، وسقط

الغطاء عن السر لمّا تُرجمت التوراة إلى اللاتينية أول مرة، إذ ترجموا كلمة «ليليث» إلى «لاميا» التي هي في أساطير اليونان امرأة نصفها حية ونصفها امرأة، من هنا ظهر أصل الأسطورة.

قال لويب بدهشة:

- أنت تريد أن تقول إن كلمة الحية في التوراة هي لقب لامرأة عادية اسمها ليليث؟

رد بوبي مستعيدًا رباطة جأشه:

- نعم، ولُقِّبت بالحية لخبثها، وقد استعان بها لوسيفر ليغوي آدم وحواء ويخرجهما من الجنة، وتحولت هذه المرأة، بوحي الشيطان بعد ذلك تقديسًا لها وإمعانًا في إضلال البشر، إلى إلهة تُعبَد، فأصبح البابليون يعبدونها باسم **«تيامات»** إلهة البحر التي نصفها حية ونصفها امرأة، والسومريون يعبدونها باسم الحية **«بيليلي»**، والمصريون يعبدونها باسم **«واجيت»** التي هي امرأة بوجه حية، وهي نفسها الحية الموضوعة فوق رأس تمثال توت عنخ آمون الشهير، ولمّا أراد أهل التوراة أن يذكروها في سِفْر التكوين كتبوا فقط لقبها: الحية، وربما فعلوا ذلك تحقيرًا لها.

قال لويب:

- يبدو أن في كلامك بعض المنطق؛ فأشهر الرسامين دومًا يرسمون الحية التي أغوت آدم وحواء على هيئة امرأة، كرسمة مايكل أنجيلو الشهيرة على سقف كنيسة سيستينا.

قال بوبي وهو ينظر إلى التسجيل:

- ليس هذا هو الدليل الوحيد على وجود هذه المرأة، هناك المزيد، وسيأتي في درجة أعلى من الكروت.

قال لويب وقد تذكر أمرًا:

56

- من هو رازئيل ذاك؟ لم أسمع اسمه قبلًا!

زفر بوبي بتوتر وقال:

- رازئيل هو بداية خزينة الأسرار، هو في تعاليم اليهود الملاك الذي نزلت معه أسرار الكابالا وأعطاها للإنسان في كتاب يؤمنون أنه الكتاب المقدس لآدم ويسمونه سِفْر رازئيل.

قال ليوبولد بِحِدة:

- وما أهمية هذا في أي شيء؟

أغمض بوبي عينيه وكأنه يهدئ نفسه وقال:

- ستعرف فيما بعد.

شد ليوبولد المجموعة التالية من الكروت ونثرها أمام بوبي وهو يقول:

- إذن لا تُضيِّع الوقت؛ فصبري بدأ ينفد.

نظر بوبي إلى الكروت وتنهَّد بأسف ثم قال:

- القصة التالية ستفتح مزيدًا من الأبواب المغلقة، بدأ كشفها عندما ظهرت أربع مخطوطات قديمة في أماكن متفرقة من العالم، كل مخطوطة منها ترجع إلى زمن مختلف، ومكتوبة بلغة مختلفة، والغريب أنها كلها تحكي القصة الغريبة نفسها التي لا يعرفها أحد عن آدم وحواء ونشأة بني الإنسان، وعندما ظهرت هذه المخطوطات الأربع.. قلبت أفكار العالم، لأن مجرد اختلاف موضع اكتشافها ولغتها وحديثها عن القصة نفسها يعطي لهذه القصة مصداقية تاريخية، سمى الناس هذه المخطوطات «حياة آدم وحواء»، وهي في معظمها مذكرات كتبها آدم وحواء ليَصِفا ما رأياه لأبنائهما.

لدينا هذه المرة ثلاث أوراق.

الورقة الأولى هي ورقة الأمل، وفيها صورة امرأة حزينة يحيط بها كهف مروع.

الورقة الثانية هي ورقة المُحبين، وفيها رجل وامرأة وراءهما ملاك مهيب.

الورقة الثالثة هي ورقة الغبي وفيها مُهرِّج شيطان يقوم برقصة ساخرة.

2

أول سطور في التاريخ

7000 قبل الميلاد - 6800 قبل الميلاد

THE LOVERS
0
THE FOOL
XVII
Star of Hope

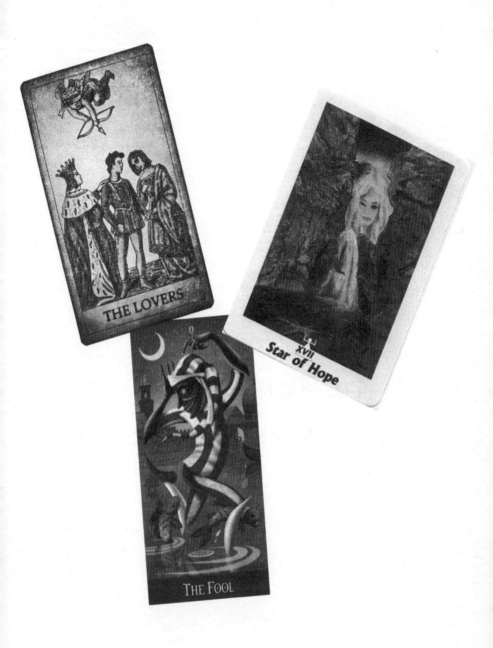

تقول حواء:

«تسألونني وعيونكم لا تقابل عيوني، عشت معكم أتحاشى الحديث عن هذا حتى بدأت أجد في أنظاركم لومًا واتهامًا. كلما شقيتم في الحياة أي شقاء ترمونني بتلك النظرة الصامتة، أيمنعكم الحياء أن تقولوها؟ قولوا يا أمَّنا إن العلَّة فيكِ، أخرجتِ أبانا وأخرجتِنا من النعيم، قولوها وارحموني من هذه النظرات، وإن أجيالًا بعدكم ستلعنني، لكن لا أحد منكم يعلم الحقيقة، أنا وحدي لديَّ الحكاية، فخذ يا ولدي واكتب حديثي هذا ولا تغفل، واحفظ هذه الألواح كما تحفظ روحك، لعل أبنائي يعلمون.

كهف مظلم ضيِّق يا ولدي كالقبر دَفَعَنا فيه ملك الموت ونحن نرجف كالطير بلا حيلة، وننظر إلى وجهه الذي انكشف لأول مرة بين ظلمات ردائه الأسود، وإن مجرد رؤيته هو أشد هولًا من أفزع شيء رأته عينك، ولقد مكثت عشرات السنين أحاول نسيان هذا الوجه الذي رأيته في لمحة واحدة من الزمن، وليس منكم من أحد إلا سيراه حين يأتي ليقبض الروح، فاعملوا يا ولدي لأجل هذا، فإنه لمأمور بعدم الرحمة. حانت منا نظرة أخيرة إلى الجنة وسماء الجنة، لكنه أغلق الحجر على الحجر فأظلمت الدنيا في وجوهنا. وإن ظلمة الروح أشد يا ولدي.

مشينا بحذر نتلمس الصخور، وكنا كلما توغلنا أكثر زادت الظلمة أكثر كأنما كنا نمضي إلى قاع جهنم، نظرتُ إلى آدم فلم يكن يظهر منه في تلك الظلمة شيء حتى شككت أنه بجانبي، مددت ذراعي حولي أبحث عنه فسكنت يدي لمّا مسستُ يدًا دافئة بجواري، ضغطت عليها برفق، فبدت اليد أكثر حرارة عما اعتدتُه؛ ارتجفت يدي وأنا أستدير في الظلام ببطء، فرأيت كهيئة وجه شيطان قريبًا من وجهي، جذبت

يدي وصرخت بما تبقى في روحي من صوت. سمعت صوت آدم ينادي باسمي من موضع غير بعيد، ولم تمضِ لحظات حتى وضعتُ يدي في يده وأنا أرتجف، قلت له بصوت مختنق:

- آدم أنا.. هناك.. شيطان.

سمعتُ حِسَّ آدم الدافئ وهو يقول:

- ليس للشياطين حياة في هذا المكان يا حواء، ولو كانت هنا للاذت بالفرار.

قلتُ له بحزن:

- أهو قبرنا يا آدم؟

قال لي بهدوء:

- كما أبصرت عيوننا الجن والملائكة يا حواء فإنها تبصر كل مخلوقات ربك التي تجوب القبور.

- ما الذي يجوب القبور يا آد...

فجأة اهتزَّ المكان وعلا صوت غضب الأرض المختلط بدقات قلوبنا، فضغط آدم على يدي في قوة ومشينا بحذر حتى اعتادت عيوننا الظلام.. فأصبحنا نرى بعض الشيء، ولم يكن ما رأيناه بأحسن من الظلام، صخور بارزة ذات أشكال شيطانية تدنو من رؤوسنا، حتى إنه لو رفع أحدنا يده سيخبط الصخر، سمعنا صوت صرخات بعيدة ملتاعة متألمة، فقلت لآدم ويدي باردة كلوح الثلج:

- أسنموت هاهنا؟

سكت آدم قليلًا وهو يثبت نظره على نقطة معينة ويقول:

- بل إننا سنتمنى الموت يا حواء.

نظرتُ إلى حيثما ينظر، وعلمتُ أنه يعني كل حرف، فرغم أننا أحياء، فإن أبصارنا لم تكن كأبصاركم، بل كانت ترى كل شيء».

62

****

«المطرودون من رحمة الله لا ترحمهم الأرض إذا نزلوا في جوفها».

****

يقول آدم:

«كنتُ أمسك بيد حواء وأنا أنظر إلى ظلين برزا من اليمين والشمال كأنما خرجا من الجدران وتحركا يقتربان منا، شددت على يد حواء الضعيفة أحتويها وأنا أتراجع معها ببطء خائفًا، في اللحظة التالية كان الظلان أمام وجوهنا كأنما طويت لهما الأرض، وليس من أحد على ظهر الأرض إلا سينظر إليهما في قبره يومًا وهما ينظران إليه، طِوال الشعر، سود الوجوه، شعرت أن سكوت حواء يعني موتها، فحاولت أن أقف أمامها، لكن قدمي كانت تتراجع فطريًّا وأنا أنظر إلى ملامحهما، بدا وكأن جلودهما تلتصق بالوجه فيبدو غائرًا، والوجنتان بارزتان.

استدرتُ بسرعة وشعرتُ بيد حواء في غاية البرودة وهي تلفظ بكلمات غير مفهومة، فأمسكتها ودفعت قدمي مبتعدًا بكل ما يحوي جسدي من عزم، وعلى الجهة الأخرى التي استدرت لها.. وجدتُهما يقفان ترمقنا عيونهما البيضاء اللتان لا بؤبؤ فيهما ولا رحمة. قال أيسرهما بصوت مُروِّع:

- أَفِرارًا من الله يا آدم؟

نزلت دموعي ساخنة على وجنتي وروحي تضرب في جوانب صدري، وقلت:

- بل هو الحياء من ربي.

ولتعلم أجيالكم يا بني آدم أنه لن تَفِرَّ عين واحد منكم حتى يراهما إذا نزل إلى القبر بعد أن يسمع تباعد أصوات نعال قومه، وإن اسم أحدهما المنكر، واسم الآخر النكير.

سمعنا صوت زلزلة تحت أقدامنا، بدأت الأرض ذاتها تضيق والجدران تقترب من بعضها ببطء كأنها ستفتك بنا، سمعتُ صرخة حواء بجواري وهي تفلت يدي، وبدأت حركة الأرض تبعدنا عن بعضنا، رأيتها تمد يدها لي وتصرخ باسمي، فهتفتُ فيها بصوت غطّى عليه صوت الانهيار، بأن تدخل إلى ذلك الشق الذي بجوارها حتى لا تسحقها الجدران، وأصبحتُ أكرر عليها النداء وهي تنظر إليَّ في حزن ورجاء، ثم انتبهتْ لما أقول ونظرت وراءها إلى الشق ولاذت به، أما أنا فقد ظلَّت الجدران تضيق عليَّ حتى أصبحت الصخور تضغط على أضلاعي وليس أحد منكم يا بني آدم إلا سيضمه قبره ضمة حتى تختلف أضلاعه فيه، صالحًا كان أم طالحًا، وإني ظننت أن هذا حقًّا قبرنا.

ارتفع الجزء من الأرض الذي تقف عليه حواء وهبط الجزء الذي أنا فيه إلى الأسفل مع الانهيار، وناديت باسمها فردَّت عليَّ تنادي بصوت ملؤه الأسى، نظرتُ حولي بعد سكوت الانهيار فوجدت أنني هبطت في موضع أوسع قليلًا من الكهف، يمتلئ بالشقوق، ناديت حواء التي لم أعد أراها، فلم ترد النداء، وظللت أنادي حتى اتسعت عيني فجأة في فزع، فخلفي كان صوت لسان مشقوق يستنشق الأجواء، نظرتُ ورائي وكدت أصرع، فمن بين أحد فرجات الكهف برز رأس أفعى رهيبة تنهش القلوب، ما نجت منها روح وقعت في فكها منذ خلق الله الأرض ومن عليها».

****

﴿فَاللَّهُ أَحَقُّ أَن تَخْشَوْهُ إِن كُنتُم مُّؤْمِنِينَ﴾.

****

تقول حواء:

«نفِدت بقايا صوتي من النداء على آدم وحالت بيننا الصخور، كان المكان الذي أنا فيه أشد مهابة من أن أكون فيه وحدي، لكن صدمة

عيني فيما رأيت قبل لحظات تركت قلبي متجمدًا لا يقدر حتى أن يخفق بالخوف، كنت في ممر طويل من تلك الصخور ذات المظهر المفجع، ويظهر في آخر الممر لهيب أحمر خافت يتوهج لا يكاد يبين، يُصدر على الصخور أثرًا مقبضًا، سحبت قدمي وأنا أتوجه ناحية اللهيب الخافت، وإن الخوف قد يجعل الإنسان يتحرك إلى مصدر الخوف إذا عرف أن وقوفه في موضعه يعني هلاكه. مشيت وأنا أتلمس الصخور بحذر ولم يكن ذلك اللهيب يقترب أبدًا مهما توجهتُ إليه، مشيت حتى تورمت قدماي واللهيب يزداد ابتعادًا، لم أكُن أفهم أين نحن وما هذه المكفيلة، أهي القبر أم أنها أشد بشاعة! ولم تمهلني المكفيلة لأتساءل، إذ لاح من ناحية اللهيب رجل يسعى وفي يده سوط كأنه ذيل بعير.

ضرب الرجل على الجدار بالسوط ضربًا لا يوحي بأن في قلبه عقل، تصلبتُ مكاني أمسك بالصخور التي كنت أخاف من الإمساك بها، ظلَّ الرجل يقترب حتى رأيتُ وجهه.

يوجد نوع من الفهم يؤذي النفس، وذلك ما حدث معي: إذ رأيت وجه الرجل الممسوح، لم يكن هذا رجل سيسمع صراخك فيرحمك أو يرى دمعك فيغفر لك».

****

«الكافر تُسلَّط عليه دابة في قبره، معها سوط مثل عرف البعير، تضربه ما شاء الله، صماء لا تسمع صوته فترحمه».

(حديث نبوي صحيح)

****

يقول آدم:

«ما سالَمْنا الأفاعي قط منذ أن وضعنا الله في الأرض، وإن الأفاعي التي تحت الأرض أشد فتكًا. كانت تلك الأفعى تتوجه إلى وجهي مباشرة وفكاها يتباعدان وتضيق عيناها، تثلجتْ أطرافي وأنا أنظر إليها حتى

لم يبقَ شيء بين وجهي ووجهها وشعرتُ بروحها. ووسط ذهول قلبي ودمع عيني الذي تجمد، تجاوزتني الأفعى من جواري كأنما هي تقصد شيئًا خلفي، نظرتُ برقبة متصلبة إلى الأفعى فوجدتُها قد دخلت إلى شق آخر من ممرات الكهف، وللمرة الأولى أنتبه إلى وجود أكثر من عشرة ممرات وتجاويف حولي، وكان هذا يعني التيه.

وقفتُ هنيهة ثم حسمتُ أمري وانطلقتُ إلى آخر مكان يمكن أن ينطلق إليه مثلي في هذا الحال؛ الشق الذي دخلت فيه الأفعى. ثلاثة أيام بلياليها وأنا أجول في المكفيلة من غار إلى غار وأنا أنادي حواء كل ساعة حتى يئِستُ، لم أجد شيئًا يؤكل حتى هزلتُ وجفَّت عروقي من العطش وكدت أهلك، وفي لحظة تَعْدِل عمري كله فرحًا وجدت مخرج الكهف ورأيت الشمس تظهر من خلاله.

خرجتُ من الكهف وطغى النور على بصري، فأصبحتُ أضع ذراعيَّ على عينيَّ، كان ضعف جسدي يؤثر في بصري فلا أكاد أرى، تبين أنني خرجت من المكفيلة إلى أرض قاحلة رهيبة لا أدري ما اسمها، ليس فيها إلا نبات أخضر لزج ملتصق بالأرض لا يؤكل، مشيت فيها يومًا رابعًا بلا زاد، تلفحني الشمس بحرارتها حتى نزلتُ بين جبلين، وهناك سمعت صوت مياه تجري في جدول صغير، توجهتُ لها بثقل كأن الحزن لم يترك لي موضعًا للفرح. شربت لأقيم هذا الجسد، وفجأة رأيته.. لم يكن كما عهدته بل كان أقبح، شعره صار أكثر شعثًا ووجهه أشد ضراوة وعينه أكثر بغضًا، إبليس كما أبلسه الله من رحمته، رأيته ودمعة حمراء تنزل من عينه كأنها الدماء وهو ينظر إليَّ في ثبات وفي وجهه شبح من الشماتة. ولم تمضِ لحظة حتى ارتجَّت الأرض كلها، وتصاعد صوت رهيب لشيء يأتي بسرعة.. بل أشياء. انطلقت عيني لمّا رأتها تبحث يمينًا ويسارًا عن مهرب بين الجبلين، ولم يكن هناك موضع واحد للهرب، وتصاعد الغبار الآتي من بعيد ولم يلبث أن ظهروا، ولم يكن هناك بُدٌّ من الموت».

****

«دواب الأرض السفلى أبصر من دواب الأرض العليا».

****

تقول حواء:

«اكتب يا ولدي بغير زيادة ولا نقصان، في تلك الليلة سقطت أُمكم وانهار فيها كل شيء تحت أرضكم هذه، لم تعُد عيناي تقدران على النظر ولا قدماي على البقاء واقفتين، انهرت بركبتيَّ على الأرض وأذناي تسمعان ضربات سوط طائشة على الجدران، سال الدمع من عيني ساخنًا وأنا أرفع يدي لرب السماوات والأرض وأقول: «اللهم إنني واحدة متوحدة وأنت الأعز الأعلى، إن ابتغيتُ الحيلة عند سواك ذللت، بحقك يا مالك الأرضين وما فيهن، اصرف قلبي عن كل شيء سواك، وعيني عن كل شيء إلاك».

وبقيتُ أدعو وتشهق أنفاسي وأنا أرتجف حتى توقف الصوت، ورفعت عيني في خوف أنظر فلم أجد ذلك الكيان ولا اللهيب الأحمر، فقط مجرد كهف صخري عادي.. ثم رأيت أجمل ما يمكن أن ترى العين في هذا الحال. «سينوي» الملاك الموكل بي، الذي علَّمني كل شيء قبل أن ألقى آدم، رأيته ببهائه يقف ويكاد يضيء روحي ذاتها، هرعت إليه في شدة يأسي، فخرج بي من براثن المكفيلة إلى أرض ذات مروج، ومن بين بكائي ولهفة قلبي سألته عن آدم، فأجابني:

- قد خرج آدم كما خرجتِ يا حواء.
- عسى ألا يكون الأذى قد طاله أو رأى كما رأيتُ في الكهف، مثل ذلك الذي كاد يفتك بي.
- ما كان ذلك ليؤذيكِ يا إيفا، إنما هو خازن أرواح الكفار يطردها إلى بئر «برهوت».

ابتلعتُ ريقي في قلق، ليس بسبب حديثه عن ذلك الخازن، ولكن لأني عرفت أن آدم في لحظته هذه قاب قوسين أو أدنى من الموت، عرفت ذلك من انقباض قلبي».

****

«هبط آدم في أرض «دحنا» بين مكة والطائف وهبطت حواء قرب جدة، فتقدست تلك الأرض إلى يوم القيامة».

****

يقول آدم:

«مئات من دواب الوحش يضربون الأرض بأقدامهم ويهرعون إليَّ، تقلصت روحي من الخوف، مدت دواب الوحش أعناقها الطويلة ورؤوسها التي تشبه رؤوس الحيات، وحركت أعرافها التي تشبه الدِّيَكة في افتراس. ارتطامٌ أول رماني تحت أقدامهم ورؤوسهم التي تنطحني وأسنان أحدهم تطبق على ساقي، فارتخت أطرافي والحيوان يمسك بقدمي ويمزقها، تحاملتُ على نفسي ودفعت جسدي بين صخرتين، لكنني لم أستطع، سحبتني الوحوش إلى الخارج. بقيتُ أقاوم وأضرب بقدمي حتى انتهت صفوف القطيع الحيواني الراكض في الأرض، واستشعرتْ تلك الحيوانات التي تهاجمني أنها بعيدة عن قطيعها فزمجرت وانطلقت لتلحق بالقطيع. استلقى جسدي ينبض من الألم والحزن وزاغت الصورة أمامي وتموهت، وشعرت كأني أرى أحدًا يمسك بقدمي، ضيَّقت عيني وأطلقت ما تبقى من بصري لأميزه، عرفته من حضور روحه الطيبة، رازئيل.. ملاك السر. قلت له بضعف:

- هل كان ذلك قبرنا يا رازئيل؟
- يا آدم إن ربك خلق في جوف الأرض ما لا تعلم، يُقيِّضه ربك للكافرين، أما من آمن فيثبته ربه وينجيه، ولولا صفاء روحك ما رأيت شيئًا.

- خذني إلى حواء يا رازئيل.

- اتبع النهر حتى يوصلك إليها.

- النهر الذي...

وغابت روحي عن الوعي».

****

«الغباء أن تظن أنك الوحيد من نوعك».

****

تقول حواء:

«في أرض جدة، خرجتُ أبحث عن ملجأ آمن أعيش فيه خارج كهف المكفيلة، ورأيت غارًا في أواسط الجبل بعيدًا عن منال الحيوانات المفترسة، بدأت أصعد الجبل بجسدي الضعيف، وبينما أنا أحاول التشبث بصخرة في الجبل وأجاهد حتى أصل إلى قمتها، وبينما أضع يدي عند منتهى الصخرة، إذ رأيت أعلاها شيئًا أفزعني حتى كدت أسقط، فهناك عند حافة الصخرة وبجوار الموضع الذي تتمسك به يدي، رأيت قدم رَجُل، قدمًا بشرية.

صعدت عيوني المرتاعة ناظرة إلى الرجل من أسفله إلى أعلاه، رداء حسن يصل إلى منتصف الساق، جسد قمحي اللون، وجه وسيم وشعر بني، يقف بثقة وهو يُعايِنني ببصره وأنا ساكتة تمامًا لا ألفظ قولًا.

69

لم يكن شاحبًا كبقية الجن الذين رأيناهم في الجنة، كان بشريًّا تمامًا قال لي:

- أنتِ حواء؟ إن صاحبكِ يبحث عنك.

دُهشتُ وقلت بلهفة:

- آدم! أين هو؟ ومن أنت؟ أفي الأرض بشر غيرنا؟

تبسم الرجل وقال:

- نعم، لقد خلقني ربي ووضعني في جنة شمالية، هناك خلف ذلك الجبل.

قلت له في تعجب:

- جنة أخرى؟

قال بثقة:

- نعم في أرض إريدو الواسعة، خلقني ربي فيها وخلق لي زوجي، ثم أنبأني أنه خلق إنسانًا غيري وأنه أخذ اثنين من أضلاعه وخلق منهما امرأتين، ثم طردهم جميعًا من الجنة الجنوبية لما عصوا أمره، وإني حزنت لهذا حزنًا شديدًا، فإني أعلم أن الشيطان لن يدعكما تعيشان يومًا هانئًا.

ابتلعتُ ريقي من الدهشة وقلت:

- هل رأيت آدم؟

- نعم هو هناك، تعالي أصلكِ به قبل أن تصل إليه صاحبتكِ ليليث.

انقبض قلبي لما سمعت اسم ليليث، ولكنني تجاهلت هذا وسألت الرجل:

- ما اسمك؟

نظر إليَّ وقال بعين فيها كثير من القوة:

- اسمي «هام».

وثب الرجل في خفَّة من تلك الصخرة إلى الأرض وقال:

- تعالي خلفي، مِن هناك بعد تلك الصخور سيأخذنا الطريق إلى صاحبك.

مشيت وراءه ولم أدرِ من هو، ولو عرفت بقية اسمه وقتها لفهمت كل شيء، توقف «هام» فجأة واستدار لي وعلى وجهه ابتسامة تثير الريبة، ثم نزل صوت الكارثة على سمعي. نظرتُ خلفي برعب فرأيت صخرة لا أكاد أرى آخرها تسقط من أعلى الجبل بسرعة يستحيل على بشري أن يتفاداها، ولم أرَ عين «هام» وهي تتوهج ناظرة إلى الصخرة التي دكَّت الأرض ودكَّت جسدي تحتها، ولم أرَه وهو يهرع إلى الصخرة ناظرًا ليتأكد حتى اطمأن أنني غبت تحتها وانقرضت من هذا العالم تمامًا. كان اسم ذلك الذي أتاني هو هامة بن الهيم بن لاقيس بن إبليس».

****

«أحبوا أجسادكم فهي ليست ملككم بل ملك من خلقها».

****

تقول حواء:

«لم تروا وجهي يا بَنِيَّ وأنا أنظر في هلع إلى صخرة كبيرة تنقض عليَّ، أسقطها عليَّ الجن، حتى دهستني تحتها، أو هكذا ظننت، كانت رحمة الله أوسع، فالطرف الذي نزل عليَّ من الصخرة كان مجوفًا فحبسني تحته مثل القبة. ظلام دامس، ونقص في الهواء، حاولت دفع الصخرة بكل قوتي، لكن الأمر بدا وكأنك تحاول تحريك جبل، جلست في ذعر ضامة ركبتيَّ إلى صدري أرتجف وصوت الصمت يحيط بأذني، ولا أسمع أي شيء مما يحدث في الخارج. تأتيني ذكريات لا أدري لماذا تزورني الآن، عن تلك الأيام الأولى لمّا لقيت آدم قبل أن ندخل إلى الجنة،

أذكر صفاء وجهه في ذلك اليوم بينما نحن متربعين عند نهر عدن ونجوم السماء فوقنا تتلألأ، إذ نظر آدم إلى نجمة منها وقال:

– أنا سآخذ تلك النجمة وأزين بها شعركِ الجميل يا إيفا.

ضحكتُ من كلامه ونظرت إلى السماء في تدلل وأشرت إلى نجمة أخرى:

– وأنا سأزين بتلك النجمة رداءك، انظر إن نجمتي أكبر.

ضحك آدم كثيرًا، ونظرنا إلى النجوم ثم سألتُه:

– آدم، لماذا سميتَها ليليث؟

سكت آدم قليلًا ثم قال:

– لأني رأيتها أول مرة في الليل، ما الذي دعاكِ لتسألي هذا الآن؟

– أتساءل أين ذهب الله بها؟

– هذه الشيطانة ستدبر أمرها.

نزل دمعي وأنا أتذكر، وعلمت أن موتتي هاهنا وحيدة، ومرَّت الساعات الطوال وبدأ وعيي يغيب عني وأنفاسي تختنق، وكنت أسمع شيئًا يدق كأنه آتٍ من بعيد، وصوتًا آخر كأنه صوت تكسر حجر، ولم يلبث بصري أن بدأ يميز بعض خيوط متسللة من ضوء القمر تبعتها نداءات آتية من بعيد تنادي باسمي، وبدأت أنفاسي تتحسن وكأن الهواء نفذ إلى عقلي، فأصبحت أكثر وعيًا بما حولي، وفتحت عيني بتثاقل، يا رب السماوات! هذا صوت آدم.

ارتفع صوت الدق والنداء فأصبحتُ أتلمس جدران الصخرة في لهفة وأنادي بصوت ضعيف باسم آدم، ولم تمضِ لحظات بعدها حتى بدأت الصخرة تتكسر، وبرز لي جسده المفتول تحت المطر يمسك بفأس من الصُّوان وقد شعث شعره وطالت لحيته كثيرًا وعيونه الحانية تنظر إليَّ في شوق، وفتح ذراعيه حتى ظننتُ أنهما وسِعَتا المشرق والمغرب،

فهرعت إليه وقلبي ينبض برفق، فضمني حتى تحدث القلب للقلب، والتفَّت الروح بالروح، وسمعَتِ النفسُ حسيسَ النفس، ولو أن زلزالًا اندلع تحتنا ما افترقنا بعد هذه الضمة أبدًا. كان الطين يُلطِّخ جسدينا ووجهينا، فمشيت معه ودفء روحه يغمرني، حكيت له ما دار معي وحكى لي، وبقينا نتبع جدولًا من الماء حتى لاح لنا نهر قريب، نزلنا فيه لنغتسل، ولما شقَّ الفجر ستار السماء الأسود، حدث شيء مخجل جدًّا.

فجأة رأينا أجسادًا خارجة من ذلك النهر، نساءً ورجالًا، عراة ليس عليهم أي شيء، خرجت رؤوسهم من النهر وبانت وجوههم ثم كامل أجسادهم، وبلا خجل أخذوا يصبون الماء على أجسادهم وهم يتضاحكون، ثم نظروا إلينا وبدؤوا يمشون في الماء مقتربين منا، كانوا شياطين متمثلين، لم نكن نفهم أمر التمثل حينها، كل ما فعلناه أننا سارعنا هاربين من المكان كله، لم أصدق هذا الذي رأيته ولم أفهمه، كان آدم يضع كفيه على وجهه ويُسبِّح ويستغفر، ثم سمعنا من ورائنا من يقول:

- فُجّار الجن غايتهم التخويف والإغواء، ولا أحد يقدر فيهم على أذيتكما، فلا تفزعا إذا رأيتما أحدًا منهم.

نظرنا وراءنا فإذا هو رازئيل، فرحت قلوبنا برؤياه، وسألته:

- أيها الملاك المعلم، أيوجد جنة شمالية وأخرى جنوبية، وبشر غيرنا؟

- الشيطان يخلط الحق بالكذب يا حواء، إريدو غابة يسكنها بعض الجن، ولا بشر غيركما، إلا ليليث.

ثم نظر الملاك إلينا وقال:

- يا آدم، إن ربك يأمرك بأمر عظيم.

استأذنني الملاك وأمسك بكتف آدم وتنحّى به جانبًا على غير العادة يبلغه رسالة ربه، اتسعت عينا آدم وهو يسمع من الملاك، ونظر آدم إليَّ

بفجع ثم حوَّل بصره، انقبض قلبي وأنا أنظر إليهما، وعرفت من آدم ما كان يقوله له ذلك الملاك حينها. كان يقول له:

- يا آدم إن ربك يأمرك أن تأتي امرأتك.

دُهِش آدم ولم يفهم، فحكى له الملاك أمورًا فاتسعت عيناه، قال له الملاك:

- يا آدم كما ربط الله بين روحيكما بالمودة، فإنه خلق في جسديكما رابطًا يربط بينهما، هذه فطرة الله، لكن الله يأمرك أن تؤتيها صِداقها، ولن تتزوجها إلا بذلك.
- صِداق؟! لكنها عندي أغلى من أي مقدار.
- الأمر ليس كلامًا تتكلمه، فابذل إليها أفضل ما تستطيع مما رزقك الله.
- لكن ليس عندي شيء.
- هناك وراء تلك الجبال أرض غنية بكل نفيس، فاذهب واكتسب لها خير ما تستطيع، فإن ربك كرَّم الإنسان. الحيوان ينال أنثاه بلا شيء، لكن أن تبذل أفضل ما تستطيع لتنال أمرًا ما فهو غالٍ عندك».

****

«عَرَفَ آدمُ حواءَ على الجبل المبارك فسُمّي عرفة».

****

يقول آدم:

«باركنا الله بالحمل، وأمرنا الملاك أن نعود إلى أرض عدن التي خلقنا ربنا عليها، والتي هي أخصب من بقية بقاع الأرض، أما الجنة فقد حُرِّمت علينا إلى ما شاء الله. وفي ذلك اليوم كنا مرتحلين من عرفة إلى الشمال باتجاه أرض عدن، حتى أوقفنا ألم حواء قريبًا من نهر

الأردن، تركتُها في كهف قريب وانطلقتُ أجمع الثمار من المكان، وفي ساعة الغروب، خطوت خطوة في نهر الأردن وقد تشققت قدماي من جمع الثمار، وفكري منشغل بحواء الرقيقة التي تنتظر في الكهف، كم أصابها من أوجاع فيما مضى من الشهور، لم أكن أدري أن الحمل يهُزُّ أرجاء المرأة هزًّا هكذا.

دخلت في نهر الأردن ووقفت والماء يغطي ركبتي، ورفعت ذراعي إلى السماء وناجيت ربي قائلًا: «يا من بثثت الحياة في الأرض بأمرك، وخلقتني منها، اغفر لنا سيئات ما صنعنا، فمن لهذه النفس إلا ربها ومولاها». وأخذت أبكي فتجمعت حولي أسماك وحيوانات البحر في حلقة، فنظرتُ إليها متعجبًا من أمرها و... فجأة انقبض قلبي، وتألمت روحي، ولم أدرِ لهذا سببًا، ثم اتسعت عيناي جزعًا وصرخت:

- حواء.

كان قلبي يشعر بها كأن روحي وروحها مطبوعتان على وجهَيْ قلبي، فأخذت أهرول في النهر خارجًا.. كان الكهف بعيدًا قليلًا عن ذلك النهر، مالت الشمس إلى الغروب، وأنا أغالب وعورة الأرض مسارعًا إلى الكهف، وكلما اقتربتُ منه زاد خفقان قلبي».

****

«إنها القلوب يا علي إذا صَفَت رأت»

عمر الفاروق

****

تقول حواء:

«كنت بداخل كهف صغير أنازع ألمًا مضنيًا وأوجاعًا تهاجمني فأصرخ وأتلوى على الأرض، تمنيت الموت في تلك اللحظة على مصارعة هذا الألم. كان هذا ألم المخاض، وكنت أنازع الطلق وحدي، أظلمت

76

روحي من الألم فلم أعد أشعر ولا أبصر إلا قليلًا كالضباب، ووسط آلامي المضنية لمحت ظلًّا يقترب، فناديت بوهن:

- يا آدم إنني أموت.

تلوى جسدي فجأة إلى الخلف، وبدأ خروج أول طفل في هذا العالم، صرخت فأسمعت كل الكائنات، وشعرت بيد توضع على رقبتي، لكن شدة انتفاضتي أبعدت اليد، وخرج الطفل مني وسمعت بكاءه، ثم لاحظت سكوت الطفل عن البكاء، وظللت أشهق حتى غِبت عن الوعي وهمدتُ على الأرض. لم أرَ حتى ذلك الطفل، ولم أرَ حينما سقط شيئًا من ضوء القمر على صاحب الظل وهو يحمل الطفل، لم يكن ذلك آدم، ولم يكن شيطانًا، بل كان كيانًا ذا شفة حمراء، وشعر أحمر، وروح مملوءة بالمقت، كانت تلك ليليث».

****

تقول حواء:

«في ذلك الكهف كنت أرقد والدماء تلطخ الأرض والجدار من حولي، وتكاد روحي تتشقق من شدة الألم، وكنت أرى رؤيا لم أفهمها.

«رأيت امرأة راقصة بين كثير من الرجال، والملك ينظر إليها في اهتمام، كان الملك يشبه آدم، ظلت ترقص حتى قال لها الملك: «اطلبي أي شيء مني، سأعطيك حتى نصف مملكتي»، فنظرتْ إلى الأرض في خجل وذهبتْ لتسأل أمها زوجة الملك التي تجلس بجواره، ظننتُ أنني -أنا حواء- سأكون الملكة التي تجلس بجوار آدم، لكنها لم تكن أنا، كانت امرأة تشبه ليليث».

ظلت الرؤيا تعبث بعقلي حتى أفقت، أبصرت آدم مقبلًا وقلبه مفجوع، نظر إليَّ ثم إلى الدماء على الأرض، وشعرت في عينه بمصيبة، كان ينظر إلى ما يبدو في الظلام كأنه قطعة لحم ملطخة بالدماء، اقترب منها ومسها بيده مسًّا خفيفًا ثم انتفض متراجعًا في فجع وعيناه

ترتجفان وتحتبسان بالدم، وسقط على الأرض وهو يتراجع، ثم نظر إليَّ وهبَّ من سقطته مسرعًا ناحيتي. أقامني من بين دمائي وهو يربت على شعري وكتفي في هلع، قلت له:

- يا آدم، ائتني بطفلي، لماذا لا أسمع صوت طفلي؟

شعرت بارتعاد يده على كتفي وهو يقول:

- لقد فاضت روحه.

وكأن مطرقة هوت بثقل الجبال على صدري، فقدتُ القدرة على النطق أو البكاء، ودفعت جسدي دفعًا ناحية ولدي، رأيته وفمه مفتوح ورأسه مائل إلى الوراء والدماء تلطخه، لا يتحرك ولا يطرف، وصرخت صرخة هزَّت أرجاء الكهف.

كل شيء بعدها كان متساويًا عندي، أكلت أم جعت، مت أم حييت، أيام تمضي لا حظَّ لي فيها من أي شيء، ورغم أننا دخلنا أرض عدن فإنني كرهت كل شيء حتى الأرض التي أمشي عليها، ومرت الشهور بعد الشهور وحملت مرة ثانية، ولم يجد آدم مكانًا أكثر أمانًا نسكن فيه سوى كهف المكفيلة الذي أفزعنا بين براثنه يومًا، وكان يطمئنني دومًا أن ولادة الطفل الثاني في أرض عدن ستحميه، لأن الحيوانات هنا غير مفترسة. سكنّا بين صخور المكفيلة ولبث آدم بجواري لا يفارقني إلا ليأتي بما يقيم صلبي، وفي هذه المرة ولدت طفلة ضحكتها كانت أحلى ما رأيت في هذه الدنيا.

في اليوم التالي وجدتُ الطفلة مستلقية على وجهها، ففزعت وقمت أقلبها، ورأيت ذلك المنظر الذي ضرب قلبي في كمد، الفم المفتوح، الجسد الساكن بلا حياة، واهتزت أوصالنا ونحن نبكي في ذلك الكهف، كانت الأرض قاسية جدًّا علينا، شعرنا أن أولئك الأطفال شيء هشٌّ جدًّا، يموتون عند أي نقص في الطعام أو حتى الهواء، لكن قلبي لم يرتَح لهذا، حتى أتى ذلك اليوم. كنت قد حملت للمرة الثالثة، ولكن الحمل هذه المرة كان خفيفًا

وليس قاسيًا مثل المرات التي قبله، وألححت على آدم أنني لن أقدر على العيش في كهف المكفيلة هذا يومًا آخر، وأنني أريد ولادة طفلي الثالث عند تلك الصخرة التي احتضنْتَني عندها لمّا سقطت عليَّ، بطريقة ما كنت أشعر بالأمان عندها، ورغم أنها خارج أرض عدن فإن آدم لم يجادلني، ارتحلنا وجعلنا مبيتنا تحت تلك الصخرة، وآدم كل يوم يذهب إلى موضع قريب من الأرض يبحث فيه ويعود سريعًا حتى لا يتركني وحدي، وفي ذلك اليوم وبينما آدم في جولته، دخل عليَّ آخر كائن أود رؤيته أو يود أي أحد رؤيته؛ لوسيفر الشيطان الإبليس بِطلَّته المتعالية، قال لي:

- ماذا ستُسمّين ولدك؟

قلت له بغضب:

- اذهب من هنا.

أمال رأسه وهو يقول:

- ولدكِ القادم، سمِّه عبد الحارث، وإن كانت بنتًا سمِّها أمة الحارث.

كدت أقوم عليه وأمحوه من الوجود، لو يعلم قدر الغضب الذي في نفسي ما أتى هاهنا أمام وجهي، قلت له:

- انصرف يا رجيم، كفاك حومًا حولنا، سمعنا منك مرة فأخرجتنا مما كنا فيه، فاذهب من أمام وجهي، فلو تحدثت بكل طريقة في الأرض لن ننظر إليك.

بدأت عين لوسيفر تتحول من نظرته الخبيثة الأولى إلى نظرة مخيفة، وقال بطريقة أرعبت قلبي:

- لستُ هنا لأغويك، فلقد أغويتك وأخرجتك من المجد، أنا هنا أقول لك: سمِّه عبد الحارث حتى يعيش، فإن لم تفعلي.. سيلحق بإخوته وستشهدين دماءه.

انكتم صوتي وأنا أسمع، هل أطفالي كانوا يُقتلون؟!».

****

«أنت تأكل بأمر الشيطان، تسرق بأمر الشيطان،
حتى إنك تهب أطفالك للشيطان».

****

يقول آدم:

«كان الغضب يسري في عروقي وأنا أقول:

- إذن «هامة بن الهيم» كان من أبنائك يا صاحب الوجه الكريه.

نظر إبليس وراءه، فرآني واقفًا عند مدخل الصخرة وفي يدي رمح خشبي عظيم صنعته من الشجر، همَّ إبليس بالحديث فرفعت رمحي أريد أن أقتله، فقال لي إبليس:

- ألم يُعْلِمك صاحبك الملاك أنك لا تقدر أن تمسَّني بأذى؟ فأنا جن.

احمرَّ وجهي وأنا أصرخ فيه:

- لماذا تبغضنا لهذه الدرجة يا رجيم؟ أتحارب كل مخلوقات الله هكذا، أم أننا الوحيدان اللذان تحاربهما؟

قال إبليس بسرعة:

- ولا أحارب غيركما، إنه العدل، لقد أخرجتكما من السعادة كما أخرجتماني من ملكوت ربي.

- ما رأيناك منذ خلَقَنا ربنا إلا كارهًا حقيرًا.

اقترب إبليس مني ببطء مخيف وهو يقول:

- أنت حتى لا تدري ماذا فعلت بي، ولو علمت لدفنت رأسك في هذا الطين المهين الذي خُلقت منه، أنت أخذت كل شيء مني قبل حتى أن توجد.

صِحت فيه:

- عمَّ تتحدث يا كريه؟!

نظر إبليس إليَّ بكُره وقال:

- لمّا نُفخت الروح في طينتك النتنة، رفضت أنا السجود لك وأنا أمير النور، فأخرجني ربي من الجنة، كأني أقول لك أيها الإنسان اسجد ناحية هذا القرد فإن جنسه سيعمر الأرض معك.

قلت له بحزم:

- لو أمرني الله أن أسجد ناحية قرد فإني سأفعل، وسأضع يدي في يده ونصلح في الأرض بأمر ربنا.

غضب إبليس وظهرت البغضاء في وجهه، وقال:

- كائن مهين مثلك لم يذُق نعمة الملأ الأعلى يجب أن يقول هذا الكلام.

صرخت فيه بغضب:

- انصرف من هنا يا كريه وابحث عن حيلة أخرى غير اسم عبد الحارث هذا.

قال الشيطان بعيون مخيفة:

- نحن نعرف كيف نوسوس للحيوانات والوحوش، ولن يولد لك ولد إلا مزقته الحيوانات إربًا.

وانصرف إبليس تاركًا مشهدًا من الصمت كسرته حواء بأن قالت فجأة:

- سأسميه كما يقول.

اتسعت عيناي بغضب، وعلا صوتنا بالخصومة والخلاف، وخرجت من عند حواء أغلي بالغضب، وذهبتُ إلى نهر قريب لعله يُهدئ من غضبي بطيب منظره، وفجأة برزت أمامي.. نظرتْ إليَّ بوجه مشتاق، والهواء يحرك شعرها وثوبها؛ ليليث، المرأة الأولى، والقاتلة الأولى».

****** تمت ******

أشعل لويب سيجارة رديئة وأمسكها بأصابع ترتجف من التوتر مما سمع، ثم تمالك نفسه ونفث دخانها في وجه بوبي وهو يقول:

- قل لي يا لعين، لماذا يريدون إعدامك لهذه الدرجة؟ لماذا صدر لجميع أعضاء التنظيم أمر بقتلك على الفور فور رؤيتك؟

سكت بوبي وإحدى عينيه ترمش كل ثانيتين، ثم نظر إلى الأرض وقال:

- لقد علمت أمورًا لا ينبغي لأحد معرفتها، فإذا نقلتها إليكما احرصا أن تخفياها في طيات نفسيكما وإلا انتهى بكما الأمر مثلي.

ضيَّق لويب عينيه ونفث دخان سيجارته في تلذذ وقال:

- كلنا آذان مصغية.

بدا على وجه بوبي شيء من التردد، ثم قال:

- إنني على وشك أن أخبركما بشيء ممنوع من السرد ولو على سبيل الكلام العادي، لأنه لو بدا على أي سطح سيقلب كل ظنون الناس التاريخية والجغرافية والدينية، وربما يقلب الناس بعضهم ضد بعض.

قال له لويب بهدوء:

- أتقصد مكان جنة عدن؟

أومأ بوبي برأسه إيجابًا وقال:

- تعلمان أن التوراة وضعت للناس مفتاحًا صغيرًا للبحث عن هذه الجنة لمّا قالت إن أرضها ملتقى أربعة أنهار، الفرات والنيل وسيحون وجيحون، وأنهم كلهم يخرجون من نهر واحد سماه الأحبار نهر الحياة لأن شجرة الحياة تقف على ضفافه، طبعًا الفرات والنيل هما فقط المعروفان، أما النهران الباقيان فغريبان

ولا وجود لهما في عالمنا المعاصر، فبدأ الجميع البحث من نهر النيل والفرات.

قال لويب بسرعة:

- كثيرًا ما أسمع عن صائدي الكنوز وهم يبحثون عن عدن ويحاولون تركيب النهرين الغريبين الأخيرين على أي من الأنهار الموجودة اليوم، لكن جهودهم ذهبت بلا نتيجة.

قال بوبي وهو يحدق إليه:

- جنة عدن طُرد منها أبوانا لأنهما أخطآ خطأً واحدًا، هل من المنطق أن تكون أرضًا نعرفها ونسكن عليها اليوم بكل ذنوبنا وخطايانا؟ طبعًا هذا مستحيل، ورغم هذا خرج كل باحث بنظرية وأصبحت مواضعهم المحتملة لجنة عدن كلها تدور حول العراق والشام وتركيا، يعني منطقة حوض البحر المتوسط، حتى برزت أمام حكماء تنظيمنا نصوص قلبت كل الموازين رأسًا على عقب، وحُلَّت المعضلة حلًّا لم ينتبه إليه أحد.

نظر إليه لويب بتحفز فأكمل بوبي:

- نصوص من سُنَّة محمد نبي الإسلام، كان محمَّد في رحلة المعراج، فوصل بعد السماء السابعة إلى شجرة عظيمة اسمها «سدرة المنتهى»، ورأى من عندها الجنة العظيمة التي سيدخل فيها الصالحون في الآخرة، ما يلفت النظر هو أنه وجد شجرة سدرة المنتهى هذه رابضة على نهر عظيم تخرج منه أربعة أنهار، النيل والفرات وسيحان وجيحان، لاحظ، لدينا هنا أيضًا جنة وشجرة وأربعة أنهار، النيل والفرات وسيحان وجيحان.

قال له ليوبولد بصوته ذي البحة:

- شيء عادي، الأديان تنقل من بعضها بعضًا، بل إن هذا قد يثبت لأهل الإسلام أن جنة آدم التي فيها الشجرة والأنهار الأربعة هي نفسها جنة الآخرة فوق السماء السابعة.

قال له بوبي بسرعة:

- كان هذا ليكون لولا أن محمدًا نفسه قال في حديث صحيح آخر: إن أربعة أنهار تفجرت من الجنة؛ نيل **مصر** والفرات وسيحان وجيحان. فتبين أنه يتحدث عن أنهار في الأرض، لأنه قال نيل **مصر**، وهذا معتاد في كلام محمد، فروضته في حرمه الشريف هي روضة من رياض الجنة، وهذه الأنهار هي أنهار من الجنة، وكان هذا هو المفتاح الذي حل اللغز كله.

نظر إليه الأخوان بعدم فهم، فقال:

- سيحون وجيحون اللذان في التوراة ليسا موجودَين على الخرائط أصلًا، في حين أن (سيحان) و(جيحان) هما نهران كبيران متوازيان معروفان وموجودان في تركيا ينزلان ليصبّا في البحر المتوسط، فكما أن هذه الأنهار الأربعة موجودة في جنة الآخرة فهي أيضًا موجودة على الأرض، وكما أن في الآخرة جنة فعلى الأرض جنة هي جنة آدم.

قال لويب وملامحه تنوء بالتفكير:

- هذا كما كانوا يُلقِّنوننا في التنظيم، «كل ما هو بالأعلى هو بالأسفل»، أنت تريد أن تقول إن الأمر كان سوء ترجمة من التوراة العبرية لكلمة سيحون وجيحون، وأن اسمهما الحقيقي سيحان وجيحان اللذان في تركيا؟ لكن تظل المشكلة، النيل في مصر والفرات في العراق وسيحان وجيحان في تركيا ويستحيل التقاؤهم في أي مكان، فهم يصبون في البحر المتوسط، إلا الفرات يصب قريبًا جدًّا منه.

84

سكت بوبي تمامًا وهو يتمتم وعينه شاردة:

- نعم.. نعم.. هذه هي المشكلة.

قال ليوبولد بعصبية:

- انطق أيها اللعين، أين تلك الجثة بالضبط؟ لقد نفد صبري عليك.

اجتاح الصمت ملامح بوبي وأخذ يرمش بعينه وينظر حوله نظرات غير طبيعية، ولم يرُدَّ، كأنه يستثقل أن يُعلِنَ سِرًّا مثل هذا لشخصين مثلهما، قام ليوبولد من مكانه وقال بغضب:

- هذا اللعين لا يتفاعل معي يا لويب.

فجأة وضع ليوبولد كف يده خلف رقبة بوبي ودفع رأس بوبي بكل قوة إلى الأرض فاصطدم بعنف، فصرخ بوبي في ألم ودارت عيناه في محجريهما، وعلى الفور قفز لويب ودفع ليوبولد بقسوة شديدة وهو يصرخ فيه:

- اهدأ أيها الأحمق، هذا الفتى مصاب بالتوحد.

قال ليوبولد بغضب:

- وما الفارق إن كان حتى مصابًا بالجنون.

دفعه لويب في صدره وهو يقول:

- يعني أن عقله ذا قدرات لا يملكها رأسك اللعين العادي، ورأسه هو الكنز الوحيد الذي نملكه هنا، فافعل فيه أي شيء لكن ابتعد عن الرأس.

توجه لويب إلى بوبي وأقامه برفق وهو يمسح رأسه ليتأكد من عدم وجود دماء، وقال له:

- لا عليك تحدث معي أنا، أعدك.. لن نؤذيك ما دمت تتحدث، وفي النهاية إذا قلت كل شيء سنطلقك إلى الحرية، قل لي.. أين تلك الجثة بالضبط؟

وضع بوبي يده على رأسه متألمًا وسكت دقائق طويلة حتى هدأ احمرار وجهه، وقال بتثاقل:

- الفئة التي عرفت.. حل اللغز.. لم يكونوا علماء دين.. ولا مستكشفين أو مغامرين...

أمسك بوبي رأسه في ألم وسكت قليلًا، فسحب ليوبولد زناد مسدسه فقال بوبي:

- عـ... علماء الجيولوجيا هم الذين كشفوه، هم قالوا إن البحر المتوسط في قديم الزمان كان أرضًا عادية، وأن هذه الأنهار الأربعة كانت تجري في أرضه يومًا، باختصار جنة عدن الغامضة هذه إنما كانت روضة غناء أو حديقة داخل أرض المتوسط القديمة، التي كانت تلتقي فيها الأربعة أنهار.

صمت مطبق ساد بعد جملة بوبي الأخيرة، وهُرع ليوبولد إلى الكمبيوتر المحمول وكتب بعض الأمور بسرعة، وظل لويب صامتًا وبوبي يقول:

- لمّا طُرد آدم وحواء من الجنة.. عاشا هما وأولادهما على أرض المتوسط الشاسعة، التي سموها أرض عدن، وتبعهم بقية الأنبياء حتى نوح، عشرة أنبياء تجهل كل الأديان هوية الأرض التي كانوا فيها، والحقيقة أنها هي أرض المتوسط، ثم غرقت تلك الأرض كلها بفيضان عظيم هو فيضان نوح، وأصبحت بحرًا هو البحر المتوسط.

رفع ليوبولد رأسه عن الكمبيوتر وهو يقول:

- هذا اللعين يتحدث بالحق يا لويب، تأكدت الآن أن مضيق جبل طارق انغلق في زمان قديم فتبخرت مياه المتوسط كلها وتصحرت أرضه ثم جرت الأنهار فيها واخضرَّت وعاشت عليها

86

الكائنات، ثم حدث فيضان عظيم كارثي اسمه فيضان زانكلون أغرق أرض المتوسط فأصبحت بحرًا.

قال لويب بعين متسعة:

- يا إلهي.. إذن فيضان زانكلون هذا هو فيضان نوح، هذا ينير بعض النقاط المظلمة.

قال ليوبولد وهو ينظر إلى الكمبيوتر بتركيز:

- الأخبار ما زالت تجوب الصحف، يا لويب، عن اختفاء هذا اللعين، يوجد خبر بأن أباه يعقوب فرانك أعلن مكافأةً لمن يعثر على ابنه، أرأيت هذا العته يا لويب؟ يعقوب فرانك يطلب في الخفاء قتل ابنه وفي العلن يُعلن مكافأةً لمن يجده.

ابتسم لويب بسخرية في حين تنهَّد بوبي فرانك، وضيَّق عينيه وكأنه يتذكر أمرًا سيئًا، ثم قال دون أن يسأله أحد:

- إني أذكر شيئًا وجدته في صومعة والدي أدار رأسي وأضاف إلى حكاية أرض المتوسط هذه أبعادًا أكثر خطرًا من كل ما قلته.

استدار له الأخوان وهو يقول ببطء:

- توجد أرض أخرى غارقة، عانى المستكشفون في البحث عنها عبر عقود طويلة، ليست مجرد أرض بل قارة كاملة غارقة، أنتما سمعتما عنها وتعرفانها وربما بحثتما عنها أيضًا، قارة كاملة مفقودة، كل المواضع المحتملة لها تدور حول منطقة حوض المتوسط.

- أتلانتيس

قالها لويب بتلقائية وبوبي يكمل:

- نعم.. أفلاطون قال عن أتلانتيس إنها أرض كبيرة تقع عند البحر المتوسط، وإن حجمها ضخم جدًّا كأنها قارة.. وإنه عاش عليها

(**عشرة**) ملوك عظام كلهم أبناء ملك واحد، وإنه كانت فيها (**أربعة**) مجارٍ مائية كبيرة، ثم انتهى عصرها (**بفيضان**) عظيم أغرق أرض أتلانتيس كلها.

نظر بوبي إلى تحفز الأخوين وهو يقول:

- أرض مجهولة عند المتوسط، واحدة اسمها عدن هي أصل البشرية والأخرى اسمها أتلانتيس هي أصل الحضارة، عشرة أنبياء هناك، وعشرة ملوك هنا، أربعة أنهار هناك وأربعة مجارٍ مائية هنا، فيضان نوح هناك وفيضان أتلانتيس هنا، وفيضان زانكلون هنالك، هل بدأتما تفهمان؟

أشعل لويب سيجارة أخرى بعد أن تراكم رماد السيجارة الأولى التي لم يجد الوقت ليشربها، فنظر بوبي إلى الدخان المنبعث من السيجارة وهو يقول:

- في التوراة حدث **فيضان نوح** لأن **الرب** غضب على أبناء الله (**الملائكة**) لمّا تزاوجوا مع بنات الناس (**البشر**)، وفي كلام أفلاطون **فيضان** أتلانتيس حدث لأن **الإله** زيوس غضب على **الآلهة** لمّا تزاوجت مع بنات **البشر**، هل فهمتما الآن؟ إما أن أفلاطون قد سرق من التوراة، وهذا يعني أن أتلانتيس هي نفسها أرض عدن، وإما أن أفلاطون والتوراة كانا يتحدثان عن أرض حقيقية وحضارة حقيقية عاشت يومًا على أرض المتوسط.

قال لويب من وراء دخانه:

- توجد أماكن كان يظنها الناس أساطير ثم تبين أنها حقيقية بالفعل، مثل: طروادة ومتاهة المينوطور، كلها أساطير عاشت عصورًا وسط سطور وخيالات الناس حتى اكتشف الباحثون وجودها بالفعل، وأتلانتيس لقَّنونا في التنظيم أنها حقيقية بالفعل، لكنهم لم يخبرونا أبدًا بمكانها.

قال له بوبي:

- عدن هي أتلانتيس، وهي أرض الأنبياء الأوائل وأصل البشرية وأصل الحضارة، وهي أرض المتوسط، ودعني أخبرك أن البحر المتوسط اليوم تتنازع عليه كل الدول التي حوله لأنهم اكتشفوا فجأة أن أرضه مليئة بالغاز الطبيعي، وهم لا يدرون أن هذا الغاز الوفير اختمر هناك لأن حضارةً عظيمةً من البشر والحيوانات عاشت على أرضه لآلاف السنين، تخيل لو علموا أن أرضه هذه إنما هي أرض مقدسة عند الأديان الثلاثة، وأن فيها أصل البشرية وأن فيها أتلانتيس، سيكون نزاعًا لن تعرف كيف توقفه.

قال ليوبولد ببعض الشك:

- لكن كهف المكفيلة هذا مخرجه موجود بالفعل في إسرائيل، واسمه مغارة البطاركة، وهو مكان مقدس مدفون فيه إبراهيم وإسحق ويعقوب، كيف تقول القصة إنه كان في عدن التي هي أتلانتيس؟

تنهَّد بوبي وأغمض عينيه وفتحهما بلا مبرر وقال:

- بالفعل يوجد مخرج لكهف مكفيلة في فلسطين بالجامع الإبراهيمي، وهو مزار للمسلمين واليهود، لكن مكفيلة ليست كهفًا واحدًا بل شبكة كاملة من الكهوف المتشعبة تبدأ تحت أرض أتلانتيس في المتوسط وتصل حتى أرض الشام، ثم تصل من أرض الشام إلى الجزيرة العربية، وهي مغارات وكهوف تحت الأرض العربية أعظم من متاهة المينوطور، ولا أحد يدري كيف تكونت.

قال ليوبولد:

- لقد حُق لهم أن يبحثوا عنك بكل هذه اللهفة، هلم، ألقِ إلينا بالقصة التالية، وأنت حتى الآن تجاوزت جولتين، أتدري ما المثير في

لعبتنا هذه يا بوب؟ أنك لا تدري شيئًا عن درجتنا في المنظمة، ولو أمسكنا بك تقول شيئًا نعرفه ستكون نهايتك.

أخرج بوبي مجموعة الكروت التالية وبدأ يضعها بسرعة على الطاولة وهو ينظر إلى التسجيل في الكمبيوتر ثم يقول:

- لست أنا من سيتكلم هذه المرة.. بل هو.

اعتدل ليوبولد ونظر ناحية بوبي وقال:

- أي لعبة قذرة تود أن تلعب يا هذا؟

تمتم بوبي ببضع كلمات ويده ترتعش فوق الكروت الجديدة، فقال ليوبولد:

- هذا اللعين يا لويب، إنه يستحضر كيانًا ما.

تحفز لويب، وقال بوبي بتوتر:

- ما سيتلو من أحداث لا يقدر أن يسرده سوى شيطان، وليس أي شيطان، بل هو مولوك.

قال ليوبولد بفزع:

- يا إله السماء.. مولوك الذي...

قاطعه بوبي:

- إنه هو.

فجأة توقفت المروحة في السقف توقفًا مفاجئًا غير طبيعي بالمرة، وانطفأ النور؛ فأظلم المكان كله كأنه الكحل، وتصاعدت دقات القلوب.. حتى حضر مولوك، وأسقط الكمبيوتر المحمول نورًا خافتًا على الكروت التي وضعها بوبي.. وكانت خمسة.

الورقة الأولى تُظهِر رجلًا أسمر وامرأة شقراء يرتديان ثيابًا فاخرة ويبدو أنهما تزوجا، أسفلهما صورة طفلين أحدهما أسود والآخر أبيض،

90

في زوايا الورقة بعض التفاصيل كغراب ينعق وامراتان تحتل كل منهما زاوية، ووسط كل هذا تبرز أيادي شيطان كأنه يحرك الأحداث.

والورقة الثانية هي ورقة الأخ الصامت، وعليها فتى وسيم جالس مستندًا إلى سيفه، ويبدو أنه لا يفكر في أمر خير.

والثالثة هي ورقة الرجل المُعلَّق، وعليها رجل مُعلَّق من قدم واحدة في شجرة بوضع غريب.

الرابعة هي ورقة الحُكم، وعليها صورة ملاك مهيب يهبط من السماء بحكم قاسٍ.

أما الورقة الأخيرة فهي ورقة الموت، وعليها الهيكل الشهير الذي يرتدي عباءة ويحصد الأرواح.

3

عدن تبكي دمًا

6800 قبل الميلاد - 6000 قبل الميلاد

THE SILENT BROTHER.

VI
The Lovers
II

XIII
DEATH

JUDGEMENT

THE HANGED MAN.

حشود من البشر نصبوا الحجر على الحجر وصنعوا معبدًا على شكل رأس عجل، وفي يوم القربان تركوا قريتهم وأتوا صفوفًا يحجّون المعبد، ومن بين فكيه المفتوحين دخلوا يمشون في ذُلٍّ ثم انحنوا، وعلى منصة مرفوعة بالداخل برز الوثن الأعظم، تمثال من نحاس له جناحان مفرودان ورأس بومة، تشتعل بداخله نار مُحرِقة تتوهج بها عينا البومة، كان ذلك الوثن والمعبد منصوبان قربانًا لي، لينالوا رضاي.

إلى جوار الوثن ارتفعت أيادي شيوخهم اليهود يهتفون باسمي ويترنمون بصفتي، وكلما أتى اسمي «مولوك» في الترانيم.. ذلَّت جباه الحشود على الأرض، حتى برزت صرخات لأطفال صغار، يمسك بهم رجال سود ويخلعون عنهم ملابسهم، لم يبالوا بصرخاتهم الصغيرة الفزعة ولا بتلوِّي أجسامهم وضربات أياديهم وأرجلهم حتى انفتح جوف الوثن كأنه باب فرن، وألقى الرجال السود الأطفال في النار، والتهب جوف الوثن واشتعلت عيناه في لذة، وارتفع صدى صرخات البراءة وقد ذبحتها نواميس الجهل، وهتفت الحشود باسمي، يبيعون لي أرواحهم، ويقربون لي أطفالهم.

لم يكن اليهود قد ابتدعوا هذا، بل إن حضارات قبلهم فعلته وحضارات بعدهم فعلته، وسيظلون يفعلونه حتى تقوم القيامة، وكان بدء كل هذا في وادٍ من وديان أرض القدس يُدعى وادي جهنم، هناك كنت أسكن وما زلت، واذكروا هذا الاسم الذي تذللت له رؤوس البشر في كل زمن، مولوك.

****

«رأيت الإثم يفيض من روحها فأعجبتني».

****

منذ أن سمعت بخلق الإنسان وأنا تصيبني غصة مبغضة كلما رأيتهم، حتى دخلتْ أرض ديجور تلك المرأة الحمراء، لم أعلم يقينًا إذا كانت أفعى أم أنها أشد شرًا، نحن نرى هيئات الأرواح، وهيئة روحها بدت كأصلة ذات أنياب، لم تتركها عيني منذ حاولتْ أن تدخل ربوة جان أكويلو حتى دخلتُها ونُفيت منها بعد ثلاث ساعات بعد أن تسببت في طرد الجميع. في ستار من ليل معتم رماها الملائكة في وادي جهنم، وقد كان واديا جافًا ليس فيه شيء ينبت حتى كادت ليليث أن تموت، لولا أن عقلها الشيطاني هداها لاقتناص الحيوانات البرية الصغيرة، فكانت تأكلها حية وتشرب دماءها، وكان وجهها دومًا ملطخًا بالدم هو وثوبها.

هذه المرأة تفوقت على كل أنسال الشيطان في الولع بالإثم، تبعتُها كل أيامها في العراء، رأيتها وهي تنقر الدم كالغربان حتى وصلتْ إلى نهر الأردن بعد شهور عديدة من التيه، وهناك وجدتْ آدم وحواء، وكم كان المقت المتساقط من عينها لما رأت زواجهما وتحابّهما، سكن في حلقها ألم الغيرة فصار كالشوك يعذبها ليلها ونهارها، واحمرَّت عيناها الجميلتان بالحقد، ولا أدري كيف تكون جميلة ومرعبة في الوقت نفسه.

بعض الشياطين يحبون الوسوسة بالأمر، افعل ولا تفعل، أما أنا فمن بين كل بني لاقيس، علمت أن نفس البشري سيئة كفاية، فقط ضع أمامها الحقيقة المجردة من كل شيء وستذهل بما تصنع، وبالنسبة إلى الشيطانة ليليث فقد وجدتني أمامها فجأة بلحيتي الحمراء وهي غارقة في أفكار نفسها الأمّارة بالإجرام، وبلا مقدمات صاحت:

- اغرب عن وجهي أيها الشيطان.
- كم من شيطان كذب عليك؟ الكذب فضيلة إذا حقق لكِ غاية، ألستِ أنتِ كذبتِ على آدم في الجنة؟

تحركتْ ناحيتي ورمقتني بنظرة احتقار وأنا أقول لها:

- أنتِ أذكى منا جميعًا يا ليليث، لكن دومًا تنقصكِ المعلومات، أنتِ ترين حواء تتلوى ألمًا ولا تدرين أنها بعد أيام ستضع طفلها، ثمرة حب آدم لها، الذي سيحمل اسمه واسمها.

نظرت ليليث في الأرض وعينها تُظهر حديث روحها المجرمة، وأصبحت من يومها تراقب حواء ليلًا ونهارًا، وإذا سمعت أصوات آلام حواء في الولادة تطرب لها كأنها النغم، حتى أتى اليوم المنتظر؛ يوم الولادة، كان آدم غائبًا، فبرقت عيون ليليث وانسلَّت في جُنح الليل واختطفت ذلك الطفل، ولم ترمِه في مكان ما، إنما فعلت به أبشع ما يمكن أن تفعل أنثى بطفل، مزَّقته بأسنانها وشربت من دمائه وانتزعت قلبه ثم رمته في الكهف.

****

«غريزة القتل تكون كامنة حتى يوقظها القتل».

****

مشت وفي يدها قلب الطفل الأول يسيل دمًا حتى أتت على وادي جهنم، فأتيتُها وقلبي يتهلل بما صنعت، قلت لها:

- احرقيه كما أحرق قلبك، فإن هذا يُسكن النفس.

نظرت إليَّ بعين لم أجد أكثر منها شرًّا وجمالًا، ثم بدأت تفتش بعينها في الأرض عن حصى تُشعل بها النار، فمددت يدي إليها وقلت:

- دعيني أَهَبُ لك هذه الهبة.

أعطتني القلب الدامي ونظرها لا يغادرني، فأضرمتُ أمامي نارًا بلا حطب وألقيت فيها القلب الصغير وأنا أقول:

- إلى روحكِ أهب زهرة البشرية الأولى.

وجدتُها وقد تحركت ملامحها تشفيًا، ورأيت هيئة روحها تنتظم كالأفعى التي شبعت ثم قالت:

- لعلي لم أكتفِ، ما اسمكَ؟

- مولوك.

- أنتَ من أتباع ذلك الكاذب لوس؟

- بل إنني تركتهم وما يصنعون وتبعت نفسي.

أعجبها حديثي، ولم تدرِ أنني قد أبذل روحي لأجل جدي نجم الصبح لوسيفر.. ولن تدريِ، وظلت الأفعى البشرية ترتحل وراء آدم وحواء اللذَين كانا يمشيان والهَمُّ في عيونهما من فاجعة موت طفلهما حتى دخلا أرض عدن، وهناك وضعت حواء طفلتها الثانية، تحيَّنتْ ليليث فرصة نوم آدم وحواء وبرزت للطفلة في كهف المكفيلة وخنقتها بيدها ثم هربت، لم تُرِق قطرة دماء واحدة هذه المرة لئلا تنكشف، فأرض عدن ليس فيها دواب مفترسة، والحق أن ليليث كانت أول بذرة للإجرام وُلدت على هذه الأرض.

وعلى ظلال جبل المكفيلة أتيتُها وقلت:

- نفسك تتوق لآدم، لكن كبرياءك يمنعك.

قالت بنفس آثمة:

- لا يعنيني حتى يأتيني.

- سيأتيكِ طمعًا في إيمانك بربه.

قالت بغضب أنثوي:

- سيكون قد أتى إلى حتفه.

قلتُ لها وظِلُّ الغيوم يتحرك علينا:

- إذا أردتِ أن تحرقي قلب غريمتك، تزوجي آدم وأنجبي منه أنتِ أولادًا، ولا تتوقفي عن قتل أولادها هي.

ورأيتُ عين الشيطانة تلمع، بأكثر من لمعان عيون إبليس، وإني والله لم أرَ في حياتي جمالًا بهذا المظهر المرعب.

****

«النظر إلى حية سامة تتدلل لبعلها هو شيء يثير لعاب الشيطان».

****

طِرْتُ طيران الشياطين إلى ناحية آدم فوجدته في ذلك اليوم واقفًا عند نهر عدن يفرغ همومه بالنظر إلى صفائه، وفجأة وجدها أمامه، بكل جمالها الذي لم تمحُ منه الظروف أي شيء. قال لها:

- طال الأمد يا ليليث.

نظرت إلى عينيه مباشرة وقالت:

- ألسنا قد خُلِقنا لبعضنا يا آدام؟

قال لها بثبات:

- ألستُ أنا قد أتيتكِ عند الغابة باحثًا عنكِ؟

تصنَّعت الدلال وهي تقول:

- ولماذا اخترتها هي، تلك السمراء؟

قال بحزم:

- إنما منعني ربي أن أنكح مَن تكفر به.

ظهرت الحدة على ملامحها وقالت:

- ألن تكفَّ عن هذا الرب؟ لماذا تؤمن يا آدم أنه يوجد كيان اسمه الرب فَرَض كل تلك الفرائض والموانع؟ نحن أحرار يا آدم.

أعرض عنها بوجهه وقال:

- فرائضه وموانعه هي عين الحرية يا ليل، وإلا تكون النفس عبدة لشيء آخر؛ شهواتها.

اقتربت منه كالأفعى وهي تقول:

- لا تجعل أحدًا يأمرك وينهاك.

التفت لها وقال:

- كيف تكفرين وقد أوجدك ولم تكوني شيئًا يُذكر؟

توقفت مكانها وهي تقول:

- لأني لا أعلم لماذا خلقنا.

قال بخشوع:

- رحمةً بنا يا ليليث.

عقدت حاجبيها في غضب وقالت:

- أي رحمة تلك؟ انظر إلى حالي وحالك.

نظر آدم إلى ثوبها الذي أصبح باليًا ملطخًا، وإلى ثوبه المُحاك من أوراق الشجر وقال لها:

- ألم تكوني ترابًا جامدًا فمنَّ عليكِ وجعلكِ كائنة تسمع وتبصر، ولم يجعلك حيوانًا بل إنسانًا يفكر ويختار ويتكلم؟

- بلى.

قال لها وإصبعه تشير إلى أعلى:

- فتلك رحمته.

مدَّت ليليث يدها لتمس يد آدم وهي تهمس:

- فليكن يا آدم، قل لربك أن ليليث آمنت.

أبعد آدم يده واستدار مُعرضًا عنها وهو يبتعد مغادرًا:

- ربي أعلم بقلوب عباده.

****

«حاسب المنافق بما يظهر ليس بما يبطن».

****

كانت متابعة بني الإنسان شديدة المتعة، كنت أتحين كل فرصة لأوسوس في قلوبهم بما يجب. وجدت آدم يقول لحواء ذات ليلة:

- لقد أرشدني الملاك إلى أن أتزوج ليليث.

لم تَرُدَّ حواء وأشغلت نفسها بما تفعله، وشعرتُ بنفسها تتهيأ للثورة لكنها صمتت، وفجأة قالت متجاهلة كلامه:

- طفلي الذي أحمله سأسميه عبد الحارث يا آدم.

- ليس طفلكِ وحدك يا إيڤا، أتجعلين اسمه لغير الله؟

هنا ثارت حواء وصرخت فيه:

- لستَ أنت من يشعر بطعم الدم في حلقه، ويتمنى الموت ساعة الوضع، ثم بعد كل هذا يموت الطفل، والله إنني لأفعل أي شيء حتى أحميه، وإن كان اسم عبد الحارث سيحفظه فلنسمه به حتى حين، ثم نغيره بعد ذلك، أليس حفظ النفس أولى من أي شيء؟

وغضبت حواء غضبة ما غضبت مثلها في حياتها، لا تدري أهي بسبب اسم الطفل أم بسبب قرار زواجه من ليليث، ولم يعرف آدم أن يهدئ من روعها، فانصرف من المكان وفي وجهه ملامح الغم والهم. ومرت أيام الإنسان وتزوج آدم ليليث، حتى يتزوج أبناء حواء من بنات ليليث وأبناء ليليث من بنات حواء، فقد حرَّم الله على الإنس كما حرَّم علينا -نحن الجن- أن يتزوج الأخ من الأخت الشقيقة.

أظهرت ليليث لآدم الإيمان وكان الله أعلم بما في قلبها من الكبر والنفاق، ولم يترك آدم حواء رغم خلافهما بل كان معها في أشهر الولادة الأخيرة حتى أخرجت إلى العالم أول طفل بشري، ولم ترضَ حواء أن تسميه أي اسم إلا عبد الحارث، خوفًا عليه من بطش الشياطين، وقاطعها آدم، وفرحنا جميعًا بقطيعتهما، وأظهر جدي لوسيفر اهتمامًا كبيرًا بالطفل منذ ولادته، لأنه وُهب إليه منذ اليوم الأول، وُهب إلى الشيطان. وعند تلك الصخرة كان ذلك الطفل يحبو في براءة، ثم توقف لمّا وجد عباءة سوداء أمامه، فنظر إلى الأعلى ورأى جدي لوس ينظر إليه بشيء من الفخر، فضحك الطفل للشيطان، وتبسم الشيطان للطفل، كان هذا

الطفل هو نفسه الذي سيسميه أهله لمّا يكبر اسمًا اشتهر في الدنيا كلها، اسم كين، أو كما قالوا عليه، قابيل.

****

«هذا الطفل نظراته تخيفني أنا شخصيًّا».

****

عاش كين، وكان ألمعيًّا، فتعلَّم الكلام بسرعة، وتعلمتْ حواء الحياكة فصنعت له رداءً ملونًا من صوف الأنعام، وانتقل آدم وحواء وليليث إلى أرض سايرن في أتلانتيس، وكان خيرها كثيرًا وحيواناتها أليفة. كان من المستحيل تقريبًا أن تجمع ليليث وحواء في مكان واحد، كل واحدة منهما تكره الأخرى، ليليث تكره الجميع، وحواء تكرهها لأنها تشُك فيها، كنت أسمعها تقول لآدم في ستر الليالي:

- أطفالنا الذين ماتوا ونزف كبدي عليهم، أولهم كان ممزقًا فقلنا إن حيوانًا مزقه، لكن الطفلة الثانية كانت مقلوبة مخنوقة، وهذا ليس من عمل الحيوانات، لا أحد يمكنه فعل ذلك إلا هذه الشيطانة زوجتك، فالجن لا يقدر أن يقتل أحدًا، زوجتك هي التي قتلت طفليَّ.

كانت ليليث تخطط حقًّا لقتل الطفل الجديد، ولكن حدث أمر عجيب وقفتُ أمامه مذهولًا، فجأة سمعت صوت صراخ، فهُرعت إلى المكان أنظر، فوجدت حواء تمسك بليليث، كان الكمد والغضب في عروق حواء قادريْن على كسر الأرض التي نمشي عليها جميعًا، بدت حواء كالملاك الغاضب وهي تمسك برأس ليليث وتكاد تكسره، وللمرة الأولى رأيت ارتجافة ليليث ورعبها وحواء تقول لها:

- والله إن مسَّ ولدي هذا سوء لصفَّيتُ دماءَك هذه وأحرقت لحمك القذر حتى لا تعرف الوحوش كيف تأكل جثتك.

أصبحتْ ليليث منذ ذلك اليوم لا تفكر حتى بالنظر إلى ناحية حواء، ومرت السنون وعاش الطفل بخير، ولمّا اطمأن عليه قلب حواء غيَّرت اسمه من عبد الحارث إلى كين. ومرَّت أيام الإنسان، وحملت ليليث وولدت فتاة جميلة جدًّا سمَّتها «أكليما»، ثم ولدت حواء فتى وسيمًا حلو الملامح سموه «هابيل»، كان الفارق بين كين وهابيل شاسعًا، كين باهر الذكاء فيه شيء من التعالي، وهابيل طيب القلب ذو روح صافية كصفاء آدم.

وفي كل سنة تمضي من عمرهم كانت حواء تلد طفلًا وليليث تلد طفلًا، وكان مجتمعهم الإنساني يكبر سريعًا ويمتلئ بصيحات الأطفال وبكائهم، وتعلم الإنسان أن الطين إذا تُرِك في الشمس يتصلب، فصنع طوبًا وبدأت البيوت الأولى تظهر على الأرض، وهدأت ليليث قليلًا عن إجرامها، وانشغلت بأطفالها الذين أشعلوا رأسها من الغضب. كانت ابنتها أكليما فتاةً حسناء كأن الحُسن قد خُلِق لها وحدها، بيضاء كالثلج، رمادية العينين، سوداء الشعر، وكانت تلعب مع كين وهابيل منذ صغرها، ودائمًا كان يحدُث بين الأخوين بعض العراكات الطفولية على أكليما.. لكنها كانت تنتهي سريعًا ويضحكان ببراءة الأطفال، وكنت أشعر من مراقبتي ثلاثتَهم أن أكليما أقرب إلى هابيل، حتى مرَّت من السنين مئتان، وأصبح كين وهابيل شابين قويين، كين ذو شعر طويل أسود يربطه خلف رأسه، ملامحه حادة وعيونه سوداء ضيقة، وهابيل قمحي اللون بني الشعر واللحية والعينين، ونضجت أكليما وأصبحت آية في الجمال وبلغت مبلغ الزواج.

وأصبح آدم يرسل كين وهابيل معًا ليراقبا القطعان في أرض ساير ن، لاحظ آدم أن ابنه هابيل لديه شيء مع الحيوانات، يحبها أكثر من البشر، حتى الحيوانات المفترسة لم تكن تهاجمه، في حين أن كين أظهر ذكاءً بارعًا في البناء والزراعة، ففصل آدم بينهما وجعل كل واحد مسؤولًا عن عمل يُشغل فيه إخوته الصغار، هابيل مسؤول عن رعي الحيوانات وكين عن الزراعة. مرت السنون وبدأ الأخوان ينظران إلى أكليما للزواج،

وتلك كانت قصة تطرب نفسي الشيطانية كلما تذكرتها، ذلك لأنني نزلت بنفسي إلى نهر الأحداث أشارك فيها.

****

«إذا دخلت امرأة بين أخوين، ازدحمت الشياطين لتشاهد».

****

جاء هابيل إلى آدم في ليلة لا أنساها، يطلب أكليما الجميلة للزواج. صدِمتُ بآدم وهو يقول له:

- يا هابيل، سبقك أخوك كين بطلبها، وهو أكبر منك فهو أحق.

- يا أبتِ نسألها ولو اختارت أخي كين فإني والله سأكون خير معين له على صِداقها.

وطرت إلى ناحية كين فوجدته عند ليليث، وكانت معجبة به وبدهائه، كان يقول لها:

- إني أطلب الزواج من ابنتك أكليما، وإني سأؤتيها وأؤتيكِ من الذهب ما تشتهيان.

- والله لا أزوجك إياها أبدًا، أخوك هابيل أحق منك، إن نفسها أقرب له هو، إنها تقول لي دومًا إن هابيل أشد قوة من أخيه.

وانصرف كين من عندها وعينه لم تعد تنظر إلى أخيه بالنظرة نفسها.

بعد أيام ذهب آدم إلى أكليما، فقال لها:

- يا أكليما، إن كين يطلبكِ للزواج، وإني أراه صالحًا لكِ.

كان يبدو أن آدم يعرف أبناءه، ويعرف من منهما سيكره أخاه إن لم يتزوجها، لذلك بدأ يقنعها بكين ولم يخبرها بأمر هابيل، وكلما سألها عما ترى في ذلك.. تسكت أكليما ولا ترد. ثم قال لها آدم:

- يا بُنيتي، إن هابيل أيضًا يطلبك للزواج.

تنوَّر وجه أكليما لمّا سمعت اسم هابيل وسكتت حياءً، فقال لها آدم:

- أكليما يا صغيرتي، لا بد أن تختاري، وإن أردتِ واحدًا آخر من أبناء حواء فإن كثيرًا منهم قد بلغ مبلغ الرجال.

- يا أبتِ افعل ما ترى، كين وهابيل عندي في المنزلة نفسها، وإني أرى أن ننتظر أمر الله فيهما، فجميعنا نرضى بأمر الله.

وعاد آدم إلى مسكنه ونام ليلته تلك، ثم لمّا طلع الصباح جمع ولديه كين وهابيل وقال لهما:

- يا بَنِيَّ.. إنني سألت أكليما فخجلت ورضيت بما يختاره لها الله، فاعملا في أرضكما حتى تمر سنة من الزمان ثم قرِّبا لله قربانًا مما رزقكما في هذه السنة، كل منكما يُخرج عُشْر رزقه، فمن يتقبل الله قربانه يتزوجها.

وعمل هابيل في رعي ماشيته فنمت وسمنت سريعًا قبل مرور السنة، وعمل كين في حقله وزرعه لكن تلك السنة كانت جدباء كلها فلم يخرج من زرعه شيء. ورغم أنها كانت فرصة ذهبية لهابيل ليقدم قربانه فإن نفسه كانت طيبة، إذ رفض أن يقدم قربانه وانتظر سنة كاملة أخرى حتى ينمو زرع أخيه. وبعد سنة أخرى من الزمان نما محصول كين نموًّا زاهرًا حتى صار كالجنة، فاختار عُشْر هذه الجنة، وصنع بناءً فاخرًا جدًّا وواسعًا حول هذا الجزء فصار كالحديقة المُسوَّرة؛ فقد كان فنانًا، بل هو أول البنّائين الأحرار الفنانين في تاريخ هذه الدنيا، أنا نفسي أخذت أنظر إلى بنائه وألوان الطوب الذي استخدمه وزخارفه، حقًّا كان بناءً يأخذ العين. أما هابيل فقد اختار من ماشيته العُشْر، وتوجه إلى كين وقال له:

- يا أخي، إنكَ قد صنعت بناءً فاخرًا جميلًا لأجل القربان، فخذ ماشيتي وضعها فيه إلى جوار أشجارك، فنقرب القربان معًا.

نظر إليه كين بقسوة وقال:

- يا أخي، اذهب واصنع مثلها أو أفضل منها إن استطعت، فإني لا آمن أن تأكل ماشيتك من زرعي.

- لكن أشجارك عالية ولن يصلوا إليها.

رفض كين وكان يعلم أن أخاه بسيط لا يعرف في صناعة البناء، فأطرق هابيل وانصرف إلى حقله وفصل العُشر الذي اختاره عن بقية ماشيته فصلًا عاديًّا، ونام في تلك الليلة فرأى ما استغربَتْه نفسه، ونفسي.

«رأى امرأة تشبه أكليما، فرغت من رقصها وتوجهت ناحية أمها الملكة التي تشبه ليليث لتستشيرها، قالت: «يا أمي أي شيء أطلب من الملك؟» وهنا انحنى على أذن الملكة رجل كان وراءها، رجل عظيم البنيان جعد الشعر طويله، وله عين عوراء وملامح كالثعبان، همس في أذن الملكة بشيء، فقالت الأم لابنتها: «اطلبي أن يُقطع رأس الرجل الصالح»». فاستيقظ هابيل فزعًا وهو يُسائل نفسه عما رأى.

****

«لو تقبَّل الله من الرجل فاغترَّ بنفسه فهو ليس رجلًا صالحًا».

****

دون سابق إنذار هبَّت رياح عاتية على أرض سايرن، فاقتلعت أشجار كين من جذورها وبناءاته من أساساتها، ورأيتُ هابيل يُدخل ماشيته إلى كهف وينطلق مسرعًا ليساعد أخاه، ولما وصل إليه كادت عينه تقتلع من المفاجأة لا من العاصفة، رأى جنة أخيه كين قد نُسفت نسفًا، نخل منكسر على الأرض وشجر مُتهتِّك وثمر منسحق، فانطلق داخلها يبحث عن أخيه حتى وجده والذهول يغمره، فقال له:

- يا أخي، تعال إلى الكهف نحتمي.

نظر إليه كين نظرةً من نار ثم ذهب معه مطأطئ الرأس، ثم جاء آدم وقال قولة عجيبة:

- كين يا ولدي.. لا تحزن، إن الله قد قبل قربانك، وإن علامة قبوله أن أخذه الله منك.

فرِحت نفس كين فرحًا عظيمًا، ورأيت أخاه هابيل يقوم ويحتضنه رغم أن قربانه قد رفض، كان هابيل هذا حقًّا من الصالحين. وبهذا عُقد زواج كين على أكليما الجميلة صاحبة العيون الرمادية الفاتنة، وكانت ليلة من أجمل ليالي الإنسان، اجتمع فيها ذلك المجتمع الإنساني الذي بلغ يومها أكثر من أربعمئة شخص بين طفل وصبي وشاب، الكل يرتدي رداءً حسنًا، فكان منظرهم باهرًا في تلك الليلة تحت ضوء القمر.

وكانت أكليما الجميلة في تلك الليلة حزينة لكنها تتظاهر بالسعادة، كان هذا واضحًا في أصول عينيها، فإن قلبها أحب صفاء هابيل ونور روحه. كنت من آنٍ لآخر أتابع كين ببصري، وجدته سعيدًا لكن نظره من حين لآخر كان يركز على عروسه أكليما، وقد رأى فيها ما رأيته من حزن خفي. على الجهة الأخرى ذهبت لأرى حال هابيل، فوجدته جالسًا في رضا لكنه يتنهد من حين لآخر وينظر إلى السماء، ورأيت ليليث تميل عليه وتقول:

- حكاية القربان هذه كانت حجة يا عزيزي، نحن قدَّرناها لكين منذ البداية، هي تحبه هو، هكذا كانت تقول لي دومًا منذ صغرها، لكن لا تحزن، إن لي بنات أخريات، سأزوجك واحدة منهن.

نظر إليها في صمت ولم يجب، فقالت بخبث:

- أو ربما سيأخذها منك أخوك كين أيضًا.

وضحكت ليليث وانصرفت، ومر اليوم واليومان وأنا أتنصَّت على كين وزوجته، سمعت بينهما خلافًا بصوت عالٍ لم أتبين فحوى الحديث لكنه كان عن هابيل بالتأكيد، وخرج كين في تلك الظهيرة من بيت زوجته ووجهه لا يبدو بخير، فاتجه إلى بستانه وأخذ يلملم شجره وبناءه الذي هوى، ثم حصل شيء اتسعت له عينا كين عن آخرهما.

فجأة رآني وسط بستانه، أنا مولوك بن لاقيس بن إبليس، كنت متمثلًا في هيئة مرئية للبشر حتى يراني، لأن أولاد آدم لا يقدرون على رؤية

الجن، فأرواحهم تحتاج إلى تصفية. ولم يرَني وحدي، بل جعلتُ «هامة بن الهيم» أيضًا يتمثل معي، وأجرينا أمامه منظرًا جعله يتراجع فزعًا حتى وقع على الأرض. أمسكتُ أنا برقبة «هام» بعنف شديد ثم ضربت رأسه بحجر ضخم، فسقط الجِّني على الأرض متظاهرًا بالموت، ونظرتُ إلى كين وابتسمت ببطء، ففزع مما رأى ونظر حوله ثم أعاد النظر إلينا، فلم يجد أحدًا هنالك، كنا نوحي له برسالة، رسالة من دم.

****

«لا تثق بأحد ولو وجدته معلقًا من قدمه في صحراء».

****

أسرَّها كين في نفسه، لم يكن قد رأى قتلًا في حياته، لكن جدي لوسيفر راهن أن هذا المنظر سيوافق هوى في نفس كين، وبالفعل وجدناه يختلي بنفسه كثيرًا ويفكر، وكلما نظر إلى هابيل نظر إليه بالشر، لم نكن ندري هل سيلتقط الرسالة حقًّا أم لا، كل ما كنا متأكدين منه أن كين يشعر أن زوجته ما زالت تحب هابيل، وأن هذا يُشعل في نفسه شيئًا، حتى أتى ذلك اليوم، فوجدناه توجه إلى أخيه هابيل وقال:

- يا أخي إنني أعتذر منك عما حدث بيننا في سنة القربان، عندما منعتك من أن تضم ماشيتك إلى بنائي، فتعالَ أعلمك فنون البناء.

فرح هابيل فرحًا شديدًا ورافق أخاه، وفجأة سمعتُ بأذني صرخة حواء، وفي لمحة واحدة كنت بجوارها أسمع وأرى، وجدتها قد هبَّت من نومها فزعة تقول لآدم:

- آدم، شر عظيم يا آدم، رأيت فيما يرى النائم هابيل ابننا مجروح الرأس ينزف، ويمشي في أرض جرداء يلتمس الماء، فوجد أخاه كين عند شجرة معلقًا من قدميه مقلوبًا على رأسه عطشانَ يكاد يموت، فصاح فيه كين: يا هابيل تعال اسقني، ولم يجد هابيل ماءً، فسقاه من دمه، حتى ارتوى كين، وصحوت أنا فزعة.

لم يرتَح آدم لهذه الرؤيا وانطلق يبحث عن أبنائه، وعند كهف المكفيلة البعيد عن أرض سايرن، كان كين وهابيل يتحدثان الحديث الأخير، قال كين:

- يا هابيل تعال نلعب بالأغصان.

- وكيف نلعب بالأغصان؟

- احتضن تلك الشجرة وسأُقيِّدك وتحاول أن تتحرر ثم نكرر اللعبة ونرى من الذي سيتحرر أسرع.

قيَّد كينُ أخاه، وأحسَّ هابيل بالقلق، كان كين يلف الأغصان لفًّا متينًا والشر يتطاير من عينيه، وقبل أن يتفوه هابيل بكلمة نظر إليه كين وقال له بصوت مخيف:

- أنا أعلم كل شيء، عيونها تفضحها، إن أكليما زوجتي تُفضِّلك عليَّ، ولا أدري كيف تُفضِّل شخصًا مثلك آثمًا لم يتقبله ربه، لأقتلنك لتتخلص الدنيا من إثمك.

- يا أخي لا تستمع لنفسك التي تحدثك بالشر، قد تقبَّل الله قربانك، وإنما يتقبل الله من المتقين، والمتقون لا يقتلون النفس التي حرم الله.

لم يرُدَّ كين وضيَّق عينيه في كراهية، وفجأة حدث ما لم يتوقعه أحد؛ انتفض هابيل المربوط وتفتحت كل عضلة في جسده القوي، وتراجع كين قلقًا، وكسر هابيل جميع الأغصان التي عليه وتحرر منها، واقترب من كين وهو يقول له:

- إن بسطت إليَّ يدك لتقتلني يا أخي، ما أنا بباسط يدي إليك لأقتلك، إنني أخاف الله، وإنك لتعلم أن القاتل يبوء بإثم المقتول، فإني أريد أن تبوء أنت بإثمي وإثمك حتى ألقى ربي شهيدًا خاليًا من الذنب، فاقتلني.

وفي غفلة من كل عين انحنى كين إلى الأرض والتقط صخرة كبيرة وهوى بها بكل ما في نفسه من غِل على رأس هابيل حتى شجَّه، فتراجع

هابيل في دهشة من الألم والمفاجأة، فطوعت نفس كين له أن يهوي بضربة أخرى أشد على الموضع نفسه في رأس أخيه الذي تفجرت منه الدماء، ثم ضرب ضربة ثالثة وسقط هابيل بجمود على الأرض، ووقف كين ينظر إلى جثة أخيه وهو يرجف غير مُصدِّق ما فعله.

حاول كين أن يتمالك نفسه ودماء هابيل تسيل على وجهه وملابسه، وجلس على الأرض بجوار الجثة يرتجف، وبعث الله غرابًا من نوع الكاثام القديم، رآه كين يمشي ويحمل في منقاره فأر فلوريس ميتًا، ثم وضع الغرابُ الفأرَ في الحفرة وغطاها ببعض أوراق الأشجار الساقطة. نظر كين إلى المنظر وهو يبتلع ريقه بصعوبة وكان ذكيًّا، فقال:

- يا ويلتا، أعجزت أن أكون مثل هذا الغراب، أهكذا يمكن أن أخفي جريمتي فأواري جسد أخي في التراب؟

وهرع يحفر الأرض في كهف مكفيلة، ولكن الوقت لم يسعفه، ففجأة وصل آدم وحواء وليليث وأكليما، وخرَّت حواء على ركبتيها أول ما رأت ابنها مقتولًا فاغرًا فاه ورأسه إلى الوراء، تمامًا كما رأت أطفالها قبل سنين، لم تقوَ قدماها على حملها فانهارت على الأرض، أما أكليما فمدت يدها إلى هابيل الميت وهي تبكي وقد اختلط دمعها بدمائه الطاهرة وكين ينظر إلى أكليما بعيون حائرة، أما آدم فكان ينظر إلى ابنه المقتول مفجوعًا لا يتكلم.

وجاء لوسيفر والشماتة في عينيه ومعه أمنا واضية وبعض الجن الآخرين الذين تجمهروا للنظر، ثم جاء بقية أولاد حواء وليليث ينظرون إلى أول جريمة مشهودة في التاريخ.

ثم ابتدأ المطر ينزل من السماء ليغسل الأرض ويغسل ذنوب الجميع، وآدم واقف وجهه مظلم ناظرًا إلى الأرض لا يعلم ماذا يفعل، وعند ذلك الموضع وذلك الاجتماع، ووسط كل هذه المشاعر الإنسانية الشيطانية المتضاربة، نزل ملاك الله بأمر الله، نزل الملاك الجليل ميكايل.

****

«نزل حكم السماء، وكان وبالًا على الجميع».

****

لست أملك من الكلمات ما يكفي لوصف ذلك الملاك، فهو كيان لمّا تراه لا يسعك إلا أن تقف وتتجمد، وإنه لا يتنزل إلا لأمر جلل، وكانت كلماته التي نطق بها زلزالًا، قال ميكايل:

- سُفكت دماء ذريتك يا آدم على هذه الأرض ثلاث مرات، وإن لديك قاتلين اثنين.

تجمَّدتُ مكاني لمّا سمعت هذه العبارة، ونظر آدم بدهشة، قال الملاك وهو ينظر إلى كين:

- واحد قتل أخاه بحجر.

ثم نظر إلى ليليث، وسكت لحظةً رأيتُ فيها وجهها قد امتقع وخلا من الدماء، فقال:

- وزوجة كانت تقتل أطفالك.

أكاد أقسم أنني سمعت شهقة كل من كان واقفًا حاضرًا، حتى شهقتي أنا نفسي، نظرت إلى حواء فكان في وجهها مشاعر متضاربة بين إثلاج الصدر وغليان الدم والبكاء، أما ليليث فكانت تنظر إلى آدم بخوف، وأكليما ابنتها تنظر إليها غير مصدقة، وأولادها ينظرون إلى كل هذا بلا كلمة، ثم قال الملاك شيئًا زاد من الزلزال أضعافًا:

- لقد قضت شريعة ربك يا آدم أن من قتل يُقتل، حفظًا للدم والنفس، فمن قتل نفسًا بغير نفس أو فساد في الأرض فكأنما قتل الناس جميعًا، فقضى ربك أن يُقتص منهما فيُقتلا.

نظرتُ إلى آدم، ووالله ما رأيته في مثل تلك الحال من قبل ولا من بعد، كان واقفًا يحدق إلى الملاك وترتجف عيناه، وعلى قميصه دم

112

ولده، ودموعه على وجهه لم تتوقف، ولو أن المشاعر تنقسم في النفس لوصفتها، لكن مشاعره كانت مختلطة وكذلك حواء، بين الخوف على ولدهما كين القاتل والغضب على المجرمة ليليث، وظل الجميع صامتًا حتى قال الملاك الجليل:

- إلا أن تعفُوَا يا آدم ويا حواء، أو يعفوَ أحدكما، فأنتما أولياء الدم، فإن ذلك تخفيف من ربكم ورحمة.

صمت آدم قليلًا ثم قال:

- نعفو عمّن؟

قال الملاك:

- إن عفوتما عن ابنكما كين لقتله هابيل فقد نجا من القصاص، وإن عفوتما عن زوجتك ليليث لقتلها أطفالكما نجت من القصاص.

سارعت حواء وقالت بين دموعها:

- والله لا أرى دماء أحد من أولادي بعد اليوم، وقد عفوت عن كين فهو ولدي، أما تلك المجرمة التي قتلت أطفالي.. فوالله لا أعفو عنها، ولن تبرد نفسي منها وإن قتلتموها ألف مرة أمام عيني.

نظرت ليليث إلى حواء نظرة لم أنسَها، نظرة بغيضة كمثل نفسها البغيضة، وهنا تكلمت أكليما الجميلة وهي تشد من رداء حواء ودمعها يرجوها وتقول:

- يا سيدة النساء.. أرجوكِ اعفِي عن أمي فإنها والله قد صلحت.

نظر آدم إلى أكليما بشيء من الشفقة، ثم حوَّل وجهه ناحية ليليث التي كانت تفكر في الهرب، فقال آدم:

- لقد رضيتُ بالقصاص في ليليث، أما ولدي فإني والله لا أرضى.

وبدأت تحدث حركة بين المتجمعين وليليث تخطو بعض الخطوات متراجعة بحذر حتى ظهر ذلك الذي سيقتص منها بأمر الله ويقتلها.

فزع الجميع من مرآه بردائه الأسود ونظرته الباردة؛ ملك الموت، جاءها من حيث لا تدري، فمد يده إلى عنقها، وقبل أن يمسها تشنجت أطرافها ودارت عيناها في محجريهما وحرَّكت عنقها كمن يقاوم الخنق، ثم أنزل الملاك يده فسقطت على ظهرها وأمسكت صدرها في ألم شديد، فوجدَته واقفًا عند رأسها يمد يده إلى جبهتها، فارتعبت عينها والتفَّت ساقها بساقها الأخرى وجحظت مقلتاها وانفتح فمها ورجعت رقبتها إلى الوراء كما كانت تفعل بأولاد حواء، وكان آخر ما رأت لما أرجعت بصرها للوراء هو وجهي ولحيتي الحمراء الناعمة واقفًا بين الجن، ثم انفتحت عيناها بنظرة الموت، وهُرع أولادها إليها جزعين، ثم انطلق ملك الموت كالنجم بروحها إلى السماء. وهنا تحدث ميكايل بحديث أكمل به سلسلة صدماتنا فقال:

- أما عن القاتل كين، فإنه يُنفى إلى أرض نود يعيش فيها حتى يموت، وزوجوه من ترضى به من بنات ليليث.

ثم نظر إلى حواء نظرة مرعبة وهو يقول:

- ولقد أذنبتْ زوجتك هذه يا آدم وظلمت ظلمًا عظيمًا.

هبطت روح حواء إلى أسفل منها وأطرق آدم منتظرًا المصيبةَ التالية، والملاك يقول:

- لما حمَلَت ذلك الحمل الثالث بعد موت من سبق من ولدكما، جعلتما فيه لله شريكًا، سمَّته زوجتك عبد الحارث ولا يكون العبد إلا لله.

همَّ آدم بالكلام، لكن الملاك المهيب قال موجهًا كلامه للجميع بآخر شيء كنا نتوقعه:

- يا معشر الجن والإنس، قد قضى ربكم بذنبكم جميعًا أن تهبطوا هبوطًا ثانيًا، من أرض عدن المباركة وما حولها إلى أرض أخرى

بعيدة، بعضكم لبعض عدو، وإن الله سيرسل لكم الهدى، فمن تبع هداه فلا خوف عليهم ولا هم يحزنون.

وصمت كل من في المشهد وهم يشاهدون الملاك ميكايل يغادر، ولن ينسى أحدنا هذا اليوم أبدًا.

****

«كراهيتنا لبني آدم حق، ومعنا كل الحق».

****

في اللحظة التي نزل فيها الملاك ميكايل لم يكلم جدي لوسيفر، لأنه كان في حال آخر، مأخوذًا رافعًا رأسه إلى السماء يكلمه ربه قبُلًا. قال لوسيفر لربه:

- يا رب هذا المخلوق الذي كرَّمته عليَّ، لئن أنظرتني إلى يوم القيامة لأُنزلنَّ على ذريته الذل، فأنظرني إلى يوم يبعثون.

فأعطاها له ربه وقال له:

- «فَإِنَّكَ مِنَ الْمُنظَرِينَ، إِلَى يَوْمِ الْوَقْتِ الْمَعْلُومِ».

قال الشيطان وحِقْد الأولين والآخرين قد ملأ كيانه:

- ربِّ فبما أغويتني لأُزيننَّ لهؤلاء في الأرض، وبعزتك لأغوينهم أجمعين.

فكان رده على ربه ووعيده هذا وبالًا عليه فطرده ربه من أرض عدن كما طرده من الجنة وقال له:

- «اخْرُجْ مِنْهَا مَذْءُومًا مَّدْحُورًا لَمَن تَبِعَكَ مِنْهُمْ لَأَمْلَأَنَّ جَهَنَّمَ مِنكُمْ أَجْمَعِينَ».

وخرج أول خلق الله من البشر، آدم وحواء وذريتهما ومن معهما من ذرية ليليث، وإبليس وواضية وذريتهما، خرج الجن من مساكنهم العظيمة في أتلانتيس التي ظلوا قرونًا يصنعونها وساحوا في الأرض

جميعًا. لأجل هذا المشهد وحده كرهنا نحن الجن بني البشر، تلك الشرذمة القليلة التي ظهرت في أرضنا بضع سنين فأخرجتنا كلنا منها. ولم يبقَ في أرض أتلانتيس إلا كين وامرأة من بنات ليليث اسمها إيزيس، كانت نفسها خبيثة تشابه نفس كين فطلَّق أكليما وتزوجها، وعمّرا أرض نود بالبنين والبنيان وعاشوا فيها، وكان لهم قصة عجب ليس هذا موضعها. أما آدم ومن معه فقد هبطوا إلى أرض الهند واستقروا فيها، ولم يهدأ آدم ولم تهدأ دموعه، وانعزل عن أهله، حتى أمره الله بأمر عظيم، فقال له:

- يا آدم إنني مُهبِّط لك حجرًا من الجنة، فاجعله أساس بيت يطوف حوله البشر كما تطوف الملائكة حول عرشي، واجعله في مسجد يُصلَّى عنده كما يُصلَّى عند عرشي، عمِّره يا آدم ما دمتَ حيًّا ثم تُعمره القرون من بعدك.

فارتحل آدم ومعه حواء وابنهما شيث من الهند إلى أرض بكة، وجعل آدم وشيث يحفران في الأرض وحواء تنقل التراب، وبنوا بيت الله الحرام، ونودي يا آدم أنت أول الناس، وهذا أول بيت وُضع للناس ببكة مباركًا وهدى للعالمين. ونزل الملائكة صافّين يطوفون به ويُسبِّحون ربهم ويقدسونه كما كانوا يطوفون عند البيت المعمور، وصلى آدم فيه ورفع يده بالدعاء لربه فقال:

- اللهم أنت تعلم سري وعلانيتي فاقبل معذرتي، يا رب أرأيت إن تبت وأصلحت، أتعيدني إلى الجنة؟

- نعم يا آدم.

وكانت تكفيه تمامًا هذه الكلمة وحدها.

ورغم وجود ذرية آدم في الهند فإنه كان في كل أسبوع يمشي من الهند إلى بكة على رجليه ويترك جميع الدواب، ليدعو ربه عند البيت ويبكي، عشرون سنة كاملة قضاها معتزلًا باكيًا أتى فيها البيت ألف مرة، حتى أكرمه الله وتاب عليه وأمره أن يعود بذريته إلى أرض عدن،

وسمح له أن يدخل الجنة هو ومن صلح فقط من ذريته. وأكرم الله آدم وأنزل عليه الهُدى واصطفاه نبيًّا من بين ذريته، وأنزل عليه الكتاب الأول، فكان يُذكِّرهم بأمر ربهم ويُعلِّمهم.

هل لك أن تتخيل كيف كانت مشاعر الجن وهم ينظرون إلى آدم وذريته عائدين إلى عدن الجميلة بعد عشرين سنة، في حين أن أبانا إبليس لم يتُب ولم يرجع، بل فسد وأفسد، وفسدنا معه.

****

«يحزنني أن تغادرني، لكن ربما تراني حينما تموت».

****

عاش آدم سنينَ طِوالًا في أرض عدن بلغت ألف عام، وبلغت ذريته تسعة ملايين إنسان، حتى مرض آدم مرض الموت واستلقى على فراشه متألمًا بألم الموت، وجمع إليه كبار أبنائه ونظر إلى وجوههم وحواء بينهم تدعو وتقول:

- يا رب أزِل هذا الألم عن آدم واجعله في جسدي أنا.

فتبسم لها آدم فنزلت على وجهه تُقبِّله، ثم قالت له:

- يا آدم لماذا تموت وأعيش أنا؟

- يا حواء إنما يسترد الله أمانته، وإنكِ ستأتين إليَّ قريبًا.

ارتجفت شفتاها وابتسمت من بين مرارتها، ونظر آدم إلى شيث ولده فقال له:

- يا ولدي، إن جنسنا هذا لم يُخلق للأرض، هذه الأرض قد خُلق لها الوحوش والضواري، نحن خُلقنا للجنة السماوية، هذا منتهانا وإنا ماضون إليها إن أصلحنا في الأرض.

ثم نظر إلى بنيه وقال لهم:

- يا بني، كونوا أصفياءَ ولا تميلوا، ولا تختلطوا مع أبناء كين، وإني أحذركم رجلًا يخرج منهم هو الشر المقيم، رجلًا هو شر غائب ينتظر، فإذا رأيتموه فليلزم كل واحد منكم بيته.

ثم صرخ من الألم والوجع الذي لا يطاق فأغشي عليه، ثم صحا فقال لبنيه:

- يا بني، إنني والله أشتهي ثمار الجنة فانطلقوا إليها وائتوني منها بثمر.

ثم نظر إلى حواء وقال لها:

- يا حواء اذهبي إلى شجرة الحياة وسط الجنة، في أصولها تجدين زيت الشفاء فامسحي به عليَّ، عسى أن يخفف عني ألمي ويكون لي نورًا في قبري.

فبكت حواء بكاءً شديدًا، وخرجت مع ابنها الشاب الصغير إدريس مرتحلين إلى الجنة. وفي الطريق اعتدى على إدريس حيوان من دواب الوحش له أسنان ثاقبة، عض إدريس من ذراعه فضربه إدريس بيده الأخرى وأبعده وانثنى على الأرض يتألم، صرخت حواء في الحيوان كأنه عاقل وقالت له:

- أيها الحيوان.. كيف تجرؤ أن تُطبِق فمك على من خلقه الله بيده؟

وهنا أتاهما صوت من ورائهما ليس على الأرض صوت أشد منه شرًّا، فقال:

- ويحُكِ يا حواء، هذا الحيوان يُقلدك، ألستِ أنتِ أول من تجرأ وفتح فمه وأطبقه على شيء محرم عليه؟ أتلومين الحيوان البهيم وأنتِ صاحبة العقل؟

كان ذاك فتى أعور رمادي العين أبيض الشعر ناعمه، يظهر في ملامحه كثير من الحدة، وقف ناظرًا إليها بتهكم، فصاح فيه إدريس وكان شابًّا قويًّا:

- أما فمك هذا فأغلقه وارحل عن هنا قبل أن آتي لأغلقه لك إلى الأبد، هل أنت من أبناء كين؟

تألمت حواء لكلماته واستندت إلى شجرة لتتمالك نفسها. وأعان إدريس أمه على القيام وهمَّ بأن يبطش بالفتى لكن حواء أوقفته وقالت:

- يا ولدي، والله إنني لأجزم بأن هذا هو الذي حذركم منه أبوكم، تعال نبتعد عن هنا.

نظر إدريس إلى الفتى نظرة أخيرة ثم استدار فصاح الفتى:

- جينون، ستذكر يا إدريس اسمي هذا، وسأذكرك.

تجاهله إدريس ومشى مع أمه حتى وصلا إلى الجنة، فقابلتهم الملائكة متمثلين في صورة رجال حسان الوجه وقالوا لهما:

- عودا من حيث أتيتما فإن لكل داء دواء إلا الموت.

شهقت حواء وقد غصَّت بكلمة الموت، وعادت إلى آدم تهرع وتبكي. ثم أتى أمر الله، ودخل ملك الموت ومعه أولئك الملائكة الحسان يحملون مباخر، فذُعرت حواء وجعلت تدنو إلى آدم وتلتصق به، فقال لها آدم:

- يا حواء إليكِ عني، خلّي بيني وبين ملائكة ربي.

ونزلت حواء على ركبتيها ووضعت وجهها في الأرض تبكي، أما الملائكة فقد قبضوا روح آدم أمام بنيه وغسَّلوه بماء الجنة ووضعوا عليه حنوطًا من الجنة من الزعفران والناردين، ومسحوا عليه بزيت شجرة الزيتون وكفنوه بأقمشة من الكتان، وحواء واضعة وجهها في الأرض لا تريد أن ترى، فأتاها ملك الموت وقال:

- يا حواء قومي، إن زوجك قد قضى.

وحمله الملائكة ودفنوه في كهف المكفيلة بجوار ابنه هابيل ونظروا إلى أبناء آدم المجتمعين وقالوا:

- يا بني آدم هذه سُنتكم في موتاكم فكذاكم فافعلوا.

وهكذا انتهت أوراقنا، وانتهى السفر البادئ لحياة بني آدم، على أن فصولًا أخرى بعده قد جرت، فصْولًا تختلف.

**** تمت ****

فجأة اشتعلت النيران كالجحيم وتسلق اللهب على الجدران وبدأت مقابس الكهرباء تنفجر، وفُجع لويبولد وأخوه وهما ينظران حولهما برعب.. النار برزت من اللامكان وبدأت تزحف وتأكل الأرض متجهة لهما ببطء، نظرت عيونهما بفزع إلى بوبي الذي كان في حال أخرى مغمِضًا عينيه ورأسه مائل للوراء ويهذي بكلمات غير واضحة، ثم فتح عينيه اللتين اختفى منهما البؤبؤ.. فصارت بيضاء كعيون الشياطين، نفضه ليوبولد شاتمًا إياه في عنف، لكنه لم يفُق ولم يبدُ أنه يشعر بشيء.

كان وعي بوبي منفصلًا تمامًا عن الواقع وهو يرى فيما وراء بصره مشهدًا لا يحب أن يذكره أبدًا، «رأى أنه يجلس مع الجالسين أمام مسرح في مبنى للتنظيم من مباني نيويورك يسمونه كهف ليليث Lilith Grotto، وعلى المسرح انتصب تمثال امرأة عارية تمامًا تلتفُّ عليها حية، وعيون المرأة أشد شرًّا من الحية، ثم برز على المسرح رجل طويل الشعر يرتدي بذلة سوداء ومعه طفل مكمم وعلى رأسه كيس، وضع الرجل الطفل عند أقدام التمثال، وجاءت امرأة ذات ملابس لا تمت للعصر الحديث بصلة، هي الكاهنة العظمى لهذا الكهف و...».

صفعة نزلت على وجه بوبي من يد لويب الغليظة فلم تزد بوبي إلا انفصالًا عن الوعي واستغراقًا في ذلك المشهد، «كان يرى الحاضرين في ذلك المسرح ومنهم أناس يبدو عليهم الوقار مثل ذلك الرجل العجوز وزوجته والكل يتطلع في ترقب، ومن حيث لا يدري أحد، خرج نصل من

يد الرجل ذي الشعر الطويل وضعه على رقبة الطفل فذبحه في حركة واحدة قربانًا لليليث، كان كل شيء في جسد بوبي يرتجف، لكن يد أبيه الجالس بجواره شدت على يده تطمئنه.

أخذت الرؤيا بوبي إلى مشاهد أخرى تُذكره بأن ما يفعله الصفوة من رجال الأعمال والبنوك والسياسيين والفنانين بأطفال الشوارع هو شيء لا يعلمه أحد، قتل واغتصاب وألعاب سادية يلعبونها ويتقامرون عليها».

صحا بوبي فجأة من رؤياه بشهقة عنيفة وعيناه تطالعان النيران التي اندلعت في كل مكان فصاح:

– اللعنة.. إنها نــ.... نيرانه.

انتفض بوبي من موضعه وبحث حوله سريعًا ثم انقضَّ على جهاز الكمبيوتر انقضاضًا مريبًا يبعده عن النيران، فصاح ليوبولد في ثورة:

– لعنة الشيطان عليك أنت وجهازك، أخرجنا من هنا.

قال بوبي بسرعة:

– اللعين مولوك.. الشيطان صاحب القصة.. هذه النيران تعني أنه قرر أن يبيدنا ويميت السر هاهنا.

نظر إليه الأخوان في توتر فقال بوبي بصوت عالٍ:

– افتحوا ذاك الدُرج هناك.

هرع لويب إلى الدُرج يفتحه فوجد فيه طفاية حريق، أخرجها بسرعة وكسر زمام أمانها فانطلقت وحدها ناثرة رذاذها الأبيض في كل مكان بلا هدى، وتراجعت النيران في غضب ولويب يوجه الرذاذ هنا وهناك حتى انطفأت تمامًا. ولم تلبث أن مرَّت بعض الثواني حتى انبعثت النيران فجأة كأنها تخرج من الجدران نفسها، فمد لويب يده وأطلق الرذاذ حتى خبت، فصاح بوبي:

– ليوبولد، انزع معي قماش هذه الأرائك ودسها تحت كل باب، لا تدع لذلك الشيطان فُرجة.

أسرع ليوبولد ينزع القماش وبوبي يعاونه وهما يهرعان لوضعه في كل مكان يمكن أن يكون منفرجًا وكأنهم يسدون الطريق على حية، دقائق مرت بلا حركة ثم بدأ الباب يهتز كأن أحدًا سيكسره فصاح بوبي:

– ثـ... ثبت تلك الأقمشة بيدك يا ليوبولد.

زاد ليوبولد من تثبيت الأقمشة تحت الباب وأسند ظهره إلى الحائط مرهقًا وبوبي ينظر إلى الأرض وعينه ترمش بقوة، ومرت دقائق طويلة صامتة. قال لويب وهو ينظر حوله بحذر:

– أيها الأخرق اللعين، أين غاب وعيك؟

قال بوبي وصوته يلهث:

– ذاك الشيطان كان يريني أمورًا لا أريد أن أتذكرها.

– لقد هدأ اهتزاز الباب، هل ذهب؟

– نعم ذهب ما دامت الأصوات والنيران قد سكتت، فمولوك ليس من النوع الذي يهدأ.

استرخى لويب وتنهد وقام بوبي يتمالك نفسه و... سمعتْ أذن بوبي صوت زمام المسدس ينسحب، فنظر إلى ليوبولد الذي مد يده المرهقة بالمسدس إلى بوبي وهو يقول:

– إن غاب الشيطان فأنا فوق رأسك يا بوبي، أم أنك نسيت لعبتنا الصغيرة؟

قال له بوبي بإرهاق:

– ألا تكفيك هذه النيران لتصمت قليلًا يا ليوبولد؟

رفع ليوبولد صمام أمان المسدس وقال:

- ذهبت نيران شياطينك ولم تبقَ سوى نيران مسدسي، وذاك لن تقدر على الفرار منه قط يا بوبي، شيطانك اللعين تحدث عن ليليث مثلما تحدثت أنت عنها، وأنت أعلنت قبلًا أنه توجد أدلة ثانية على أن تلك الشيطانة حق، فأين تلك الأدلة اللعينة؟

تنهد بوبي وهو يقول ضامًّا قدميه:

- الأمر يا ليوبولد هو عقيدة تسبح بين عقول أهل الأديان في حين أنه ليس لديهم في كتبهم ما يثبتها؛ أن الله خلق حواء فقط ولم يخلق غيرها، وأن أولادها كانوا يتزوجون بعضهم، أي إن البشرية كلها أتت من زواج المحارم، أنت وأنا يا ليوبولد، كلنا من نسل زواج مُحرم، أصحاب الأديان يقولون إن ربهم سمح بهذا للضرورة ثم حرَّمه بعد ذلك لأن البشرية لم يكن لديها حل آخر، أي إنهم يضعون ربهم في ورطة من اختراع عقولهم، فقط لأن عقلهم الجمعي يظن أن ربهم لم يخلق إلا حواء فقط في البداية، كان أيسر حل لهذه الورطة التخيلية.. أن يخلق الله امرأة ثانية تتزوج آدم.

قال لويب:

- أو يخلق رجلًا آخر غير آدم.

قال بوبي بحسم:

- لا.. آدم هو الأب الوحيد باجتماع نصوص الأديان الثلاثة.

قال ليوبولد بغضب:

- دعك من الفلسفة يا هذا وألقِ بالدليل.

قال بوبي بنظرة عتاب:

- لو أنك تقرأ يا ليوبولد كتابك المقدس ستعلم الدليل حينما تجد تناقضًا بين سِفْر التكوين الأول والتكوين الثاني في قصة الخلق،

123

ففي التكوين الأول آدم (**وامرأته**) خُلقا معًا من الطين، في حين أن في التكوين الثاني آدم كان وحيدًا ثم خُلقت حواء من ضلعه، ولما شرح علماء اليهود هذا التناقض قالوا إن التكوين الأول كان يتحدث عن امرأة أخرى غير حواء اسمها ليليث، وإنها اختلفت مع آدم سريعًا وهربت منه، وأنها كانت مجرمة تقتل أولاد حواء، ولكن معظم علماء اليهود والمسيحيين يعدّون هذه القصة أسطورة لا أساس لها.

قال له لويب:

- وماذا عن كتب الأديان الأخرى؟

قال بوبي بتركيز:

- في القرآن بعد أن ذكر الله النساء اللاتي لا يحل للرجل الزواج منهن كالأم والأخت والابنة وغيرهن وبعد أن ذكر أحكام الزواج كاملة قال: "يريد الله أن يتوب عليكم ويهديكم سنن الذين من قبلكم" أي أن هذه السنن في الزواج كانت مفروضة على كل من كان قبل أمة محمد منذ عهد آدم، فزواج الأخت الشقيقة كان محرمًا في عهد آدم وكل العهود التي تليه بنص القرآن، فما الحل للتكاثر إذا كان الزواج من الأخت محرَّمًا ولا يوجد سوى رجل واحد ابتدأ به كل الناس بنص القرآن "يا أيها الناس اتقوا ربكم الذي خلقكم من نفس واحدة"

قال لويب:

- أن يخلق امرأة ثانية لا يوجد حل آخر.

قال بوبي وحاجباه مرفوعان:

- «لا دليل على هذا في الإسلام لكنّ هناك شيئًا يقرب المسافة بين الأديان بشأن ليليث، ففي حديث صحيح من سنة محمد»، كان أولاد حواء في أول أمرها يموتون موتًا غامضًا ولم يذكر محمد كيف كانوا يموتون، قال محمَّد إن الشيطان جاء إلى حواء وأخبرها

أنها لو سمَّت ابنها عبد الحارث سيعيش أولادها، فلمّا سمَّته مثلما قال الشيطان عاش ابنها، ويُصدِّق القرآن على هذه القصة بآية تتحدث عن أن آدم وحواء جعلا لله شركاء في ولدهما، طبعًا الشيطان في سُنّة محمَّد لا يعلم الغيب ولا يقدر أن يقتل بشرا فليس له أي سلطان على ابن آدم إلا الوسوسة، فكيف يقول لحواء هذا ويحدث كما قال إلا إن كان يعلم يقينًا كيف يموت أولادها بل ويعلم كيف يمنع الضرر، وبالفعل لمّا سمَّته عبد الحارث.. منع الشيطان الضرر فعاش ولدها، هل بدأت ترى الرابط بين الحكايات؟ الشيطان كان يعلم أن قاتلة الأطفال وقرينة الشيطان التي اسمها في كتب اليهود ليليث هي من تقتل أولاد حواء، ولما أطاعت حواء الشيطان وسمت ولدها عبد الحارث، أمر الشيطان ليليث أن تتوقف عن قتل الأولاد فامتنع الضرر عنهم وعاش الولد.

قام ليوبولد وقد أنزل مسدسه:

- كفاك ثرثرة، إلينا بالتالي في قائمتك اللعينة، وفي المرة القادمة التي تفاجئنا بها هكذا سأفجر رأسك بلا نقاش.

ذهب لويب للطاولة وأخرج المجموعة الرابعة من الكروت، التي اندهش أن فيها ورقتين فقط، قال بوبي:

- انسيا كل ما عرفتما قبل الآن؛ فالمجموعة التالية ستنقلنا من زمن آدم إلى زمن آخر، فقط تذكرا ما نبهتكما أن تتذكراه من قبل؛ سِفْر رازئيل.

قال ليوبولد:

- الكتاب الذي أنزله الملاك على آدم؟ ما به؟

قال بوبي وهو يكشف الورقتين:

- ذلك الكتاب أورثه الأنبياء الأوائل بعضهم إلى بعض، وكلما نزلت على نبي صحائف ربانية زِيدت إلى الكتاب فأضافت إليه علومًا وحكمة.

وضع بوبي الورقتين كل منهما عند واحد من الأخوين، وكانت الورقتان هما ورقة العِلم وورقة المُلك، قال بوبي:

- تطورت علوم الإنسان بفعل هذه الكتب الأولى، وبدأت الحضارة تظهر وتُشِعُّ حتى أتى زمن خرجت منه كل العلوم الخفية التي تتغذى عليها جميع التنظيمات السرية اليوم.

قال لويب:

- تقصد علوم المُعلم الأعظم تيوبالكين في زمن نوح؟

هزَّ بوبي رأسه نافيًا وقال:

- بل قبل هذا بكثير، ولم يكن هناك مُعلمٌ أعظمُ واحدٌ، بل اثنان، ولقد تواجها في زمانهما، وكانت مواجهتهما كارثية.

قال لويب باستنكار:

- وأين كُتبت هذه المواجهة بالضبط؟

قال بوبي:

- في ألواح الزمرد.

قال ليوبولد:

- وأين تلك الألواح؟

أجابه بوبي:

- غير متاح للعامة منها سوى لوحة واحدة كُتبت فيها جمل قصيرة تبدو مثل أمثال وحكم تخاطب العقل الباطن.

قال لويب بِشك:

- وكيف عرفنا ما كتب في البقية؟

أطرق بوبي برأسه إلى الأرض ولم يجب فتحرك مسدس ليوبولد تلقائيًّا وهو يقول:

- مَن الذي استخرجها، وأين بقية الألواح؟

قال بوبي:

- المشكلة تكمن في الذي استخرجها.

قال لويب بسرعة:

- من هو؟

قال بوبي وعينه لا ترمش:

- أقذر ساحر سفلي في تاريخ هذا العالم، حتى إن الحظرد بالنسبة إليه تلميذ.

نظر إليه الأخوان بتساؤل، فقال بوبي:

- اللعين، صاحب شمس المعار...

فجأة أحدث جهاز داخل جيب ليوبولد رنينًا مميزًا فأخرجه وعيناه تتسعان في دهشة، ثم تحولت الدهشة إلى غضب وهو ينظر إلى أخيه ويقول:

- لويب، توجد رسالة استغاثة أُرسلت للشرطة قبل قليل من مكان ما في هذه الغرفة، ومُرسلها لديه جهاز من أجهزة التنظيم السرية مثل هذا.

نظر الاثنان إلى بوبي الذي أخذ يتراجع ويتلعثم ولا يقدر أن يتفوه بكلمة، فهجم عليه ليوبولد يفتشه في حين بحث لويب في الأغراض بالغرفة حتى أخرج جهازًا يماثل تمامًا جهاز ليوبولد. قال بوبي مدافعًا عن نفسه:

- هذه رسالة مُفعَّلة تلقائيًّا، إذا لم أغلق الجهاز بنفسي قبل ساعة معينة يرسل رسالة استغاثة، فعلت هذا لتأمين نفسي في أثناء اختفائي.

ضغط لويب على أسنانه في غضب وقال:

- ولماذا لم تخبرنا منذ البداية أيها اللعين المخادع؟

وبضربة مركزة، هوى ليوبولد بكعب المسدس على رأس بوبي ففقد وعيه على الفور، وأخذ الاثنان بقية مجموعات أوراق التاروت ووضعاها في حقيبتهما الخاصة وهرعا يفتحان كل درج وخزانة بسرعة بحثًا عن أي شيء خاص ببوبي يمكن أن يؤخذ، وفي حين كان ليوبولد يبحث.. إذ اصطدمت قدمه بانبعاج على الأرض الخشبية أحدثه الحريق، أطلق ليوبولد سبَّةً وهو ينظر إلى الأرض وكاد أن يرفع بصره ساخطًا لكن عينيه اتسعتا فجأة وانحنى إلى الأرض ومد يده يسحب شيئًا ما بقوة.

- هذا اللعين.

نظر إليه لويب متسائلًا من بين انشغاله في البحث، كان ليوبولد منحنيًا على ما يشبه الفجوة في الأرض ويقول:

- هذا اللعين.. هذا اللعين.

فتح لويب عينيه دهشة وغضبًا بدوره لمّا رأى ما وجد صاحبه الذي أخرج من الفجوة مصفوفات من الصحائف القديمة وهو يقول:

- اللعين.. هذه أصول مخطوطات حقيقية.. بعضها من المخطوطات النادرة التي تحدث عنها.. وهناك كثير غيرها.

قال لويب في ثورة:

- يبدو أن اللعين سرقها من مكنوزات والده، هل عرفت الآن لماذا أقام التنظيم الدنيا ولم يقعدها للوصول إليه وقطع رأسه؟

وضع ليوبولد جميع المخطوطات في الحقيبة في حين سحب لويب جسد بوبي بعنف عن الأرض وحمله، وخرج الاثنان بأحمالهما خارج المكان كله.

سِفْر العمالقة

فجأة تحطم الباب بضربة عاتية ودخل رجال الشرطة بملامح متحفزة جدًّا، وانتشروا في المكان، ودخل بعدهم رجل ضخم يرتدي معطفًا طويلًا، نظر إلى المكان بعين خبيرة وأشعل سيجاره ببطء ثم أتاه أحد رجال الشرطة من الداخل وقال:

- سيدي المفتش ريكس واتسون، لا يوجد أحد هنا، ولا أثر لأي جثث متفحمة.

نفث ريكس دخان سيجاره وهو يقول:

- آثار الحريق تبدو حديثة جدًّا، لقد غادر أصحاب هذا المكان قبل يوم على الأقل، ما يثير شغفي أنها أول رسالة استغاثة من ذلك الصبي بوبي فرانك بعد سنة كاملة من اختفائه.

وفي بلاد بعيدة في الجهة الأخرى من المحيط ظهر ثلاثة فتية أمريكيين يعتريهم التوتر جميعًا ويتقدمهم شاب عربي الملامح، دخلوا إلى شارع مكتوب على ناصيته في لوحة زرقاء قديمة «شارع الموارديّ»، كانت نظرات العامة تتابع مظهرهم الأجنبي باستغراب، قال لهم الشاب العربي:

- معذرة فالناس في هذا الشارع غير معتادين دخول الأجانب، لكنهم سرعان ما يعتادون، وإنهم لو علموا ما أنتم هنا لفعله لذبحوكم على قارعة الطريق.

قال له ليوبولد:

– هل أنت متأكد من أنك ذاهب بنا إلى البيت الذي كان يعيش فيه هذا الساحر البوني أو أيًّا كان اسمه؟

– نعم لقد عاش ذلك الساحر المنحط هنا في مصر مدة طويلة.

دخل بهم الشاب إلى عمارة متهالكة وسط الأزقة، وأشار لهم إلى الشقة وغادر المكان سريعًا وتركهم وحدهم، دخل الثلاثة إلى الشقة، حوائط مشققة وأثاث صدئ ليس عليه غبار؛ ما يوحي بوجود من يستخدم هذا البيت بطريقة ما، دفع ليوبولد بيده ظهر بوبي إلى منتصف المكان وقال:

– هيا يا لعين، نحن بالانتظار، إن مسدسي قد ملَّ من عدم الاستخدام، ويتوق أن يسمعك تكذب حتى يزين رأسك بقبلة حمراء.

قال له لويب:

– لقد خبأتَ عنا أمر المخطوطات واستحضرت شيطانًا لعينًا كاد أن يفتك بنا، ورغم هذا أتينا معك هاهنا لأن القصة التالية لا يمكن أن يرويها غير اللعين الساحر البوني الذي مات منذ قرون، دعك من مسدس ليوبولد قليلًا، فالكذب أو الخداع أو المفاجآت ستعني قطع عضو من أعضائك الحقيرة بهذه المدية.

قال بوبي وهو يرمش بالعين اليمنى:

– لست أكذب، إنما أتينا هنا لأن هذه من الطرائق النادرة الصحيحة لاستحضار الأرواح وسط كل الدجل الدائر، والحقيقة أننا لن نستحضر الروح بل سنذهب بأنفسنا إليها.

اقترب منه ليوبولد بوجهه وقال:

– أشم رائحة دجل يا بوبي الصغير.

تجاهله بوبي وهو يقول:

– لو أن لدينا منظارًا حراريًا حساسًا نظرنا منه إلى غرفة مغلقة خرج منها بعض الأشخاص لشاهدنا في المنظار كيانات حمراء تتحرك في الغرفة الخالية بالطريقة نفسها التي كان يتحرك بداخلها أولئك الأشخاص، الطاقة الحرارية لا تفنى بل تبقى في الأماكن، ولكل مكان ذاكرة حرارية خاصة به مسجل فيها كل من عاش عليه يومًا.

بدأ ليوبولد يهتم وهو يقول:

– أنت تتحدث عن تقنية سرية تستخدمها المخابرات الأمريكية.

قال بوبي:

– المخابرات الأمريكية تستخدم الفكرة نفسها، استرجاع الموجودات الحرارية، أما طريقتنا فهي من السحر الذي يتيح لنا استحضار الموجودات الحرارية والتواصل معها أيضًا، باختصار نحن سنستحضر البوني نفسه الذي كان يعيش هنا، ولكن...

سكت بوبي قليلًا ثم قال ببطء:

– ستحتاجون إلى أن تمكثوا أربعين يومًا بلا طعام إلا الحبوب التي لا يبقى منها شيء بالمعدة؛ فالفتح الروحي لا يكون لمن في معدته مثقال ذرة من طعام.

سمع بوبي صوت مزلاج المسدس وهو يسحب ولويب يقول:

– كلمة حمقاء زائدة وأعلقك أربعين يومًا على سطح هذا البيت.

زفر بوبي وقال:

– فليكن، توجد طريقة أخرى لكنني لست مسؤولًا عما سيكون؛ سيتعين علينا استحضار شيطان يهودي رجيم يستحضر ذاكرة المكان الحرارية ويحولها إلى صور تراها أعينكم الفاسدة.

قال له لويب بغضب:

- شيطان آخر أيها الشيطان.

قال بوبي بحسم:

- لا توجد طريقة أخرى، أو تصومون أربعين يومًا.

سأله لويب:

- أي شيطان هذا؟

قال بوبي وعينه تضيق:

- ديبوك.

قال ليوبولد بصوت تغمره الدهشة:

- ديبوك أيها اللعين دومًا يطرده الناس، لا أحد يستحضر ديبوك أبدًا.

كان الأخوان يتعاملان في التنظيم مع الشياطين ويعلمان أن الشيطان لا يقدر أن يؤذي بشرًا، إلا أن بعض الشياطين تقدر في حالات معينة ونادرة على بدء الحرائق، لكن ديبوك صنف آخر من الشياطين، فقال ليوبولد:

- فليكن، لكن احذر على رأسك مني يا بوبي، سأفتح هذا الكمبيوتر المحمول اللعين حتى نُصوِّر ما يدور هنا.

فتح ليوبولد الكمبيوتر وشغل الكاميرا التي بدأت تلتقط ما يدور والثلاثة يقفون متحلقين وبوبي يتلو نصًّا بلغة عبرية قديمة، لم يكن هناك شيء يحدث مطلقًا إلا أن الحرارة في المكان بدأت تزيد تدريجيًّا حتى برزت قطرات العرق على جبين الثلاثة وليوبولد ينظر إلى شاشة الكمبيوتر الذي يعرض المشهد بجودة ضعيفة، وفجأة بدأت الصورة تهتز في الكاميرا.

قال بوبي بصوت خافت:

- لقد حضر.

رأى ليوبولد في البث شيئًا ما وسط تشوش الصورة ففزع ونظر حوله، كانت الحرارة تكاد تذهب بعقله، حتى إنه بدأ يرى الأثاث يتلاشى كأنه يتبخر بالحرارة، وتموهت الصورة في عينيه ثم تبدلت الأرض غير الأرض، كل شيء كان متهالكًا في المنزل تغير حاله لمظهر أفضل، ولم يعد ليوبولد يرى في تلك الصالة إلا رجالًا بملابس عربية وعمائم يزدحمون جالسين، فلا تكاد تجد لنفسك موضعًا، وبحث عن بوبي ولويب فلم يجد منهما أحدًا، نظر ليوبولد إلى ازدحام العرب الجالسين الذين يُخفون وراءهم رجلًا أبيض اللحية والوجه يجلس بهيبة، أحمد بن علي البوني، الساحر الأشد وطأة على الأرض في زمانه، كان يقول لجلسائه:

- وإن ما بحوزتنا من العلم هو الذي أحيا به عيسى الموتى وشق به موسى البحر وتعلمه الخضر، ولا يحوزه إلا السادة الأولياء، هو علم التصرف في الوجود، العلم الذي ينكشف به الغيب.

قال أحد الرجال شيئًا ما فنظر إليه البوني وقال:

- ماذا يقول هذا الفاني؟

قال أحدهم:

- يقول إنه لا يعلم الغيب إلا الله.

قال البوني بلهجة العليم:

- نعم لا يعلم الغيب إلا الله، أما المستقبل فقد يعلمه كل أحد، والغيب ليس هو المستقبل، اعلم يا هذا أن كل شيء في علم الله حدث، فالله ليس عنده مستقبل، بل كل مستقبل عنده هو ماضٍ حدث بالفعل. فعندما يقول ربك إنه يعلم الغيب لا يعني أنه يعلم المستقبل بل الغيب هو جوهر الله وصفته وسر العوالم العلوية الإلهية التي لا يقدر البشر الفانون حقًّا على معرفتها.

تشوشت الصورة في عين ليوبولد ثم عادت بعد قليل فوجد المجلس قد انفض والبوني في تلك الصالة يعلق عباءته، وفجأة رأى ليوبولد رفاقه؛ بوبي ولويب، حوله ككيانات حمراء، تجمد البوني في مكانه قليلًا واستدار ناحية الثلاثة وقال:

- جئتم فتشرفتْ بكم الأجواء، وإن بينكم كيانًا أعرفه.

نظر البوني تحديدًا إلى بوبي فرانك، الذي تحدث فجأة بطلاقة بلغة عربية صحيحة فأفزع رفاقه، كان يقول للبوني:

- أتيناك لتنبئنا عن أصحَاب السر الأول، الاثنين الذين تواجها يومًا ووجدتهما مكتوبين عندك في ألواح الزمرد التي خصك الله بكشفها، فاتلُ علينا منهما ذكرًا.

كان البوني يعلم معنى هذه الكيانات الحمراء بالضبط، فهو الذي ابتدع هذه الطريقة في الاستحضار أول مرة، اتكأ البوني على عصاه وجلس وهو يقول:

- كل شيء في الوجود خلق بحروف ويتحرك بحروف، حروف نورانية وحروف ظلمانية، أحدهما يكتب الخير والآخر يكتب الشر، أما ألواح الزمرد فقد كُتبت فيها حروف نورانية تتلو نصوصًا حكيمة فيها سر قاطع يعلو فوق قوانين الوجود، وكُتبت فيها سيرة الاثنين الذين حازا العلوم الخفية، وقد كانت مواجهتهما ملحمة لم تكتبها الأقلام، حرروا لي أرواحكم، فسندخل إلى عالم الزمرد.

وبدأ البوني يسرد الملحمة سردًا عجبًا.

4

ألواح الزمرد

6000 قبل الميلاد - 5600 قبل الميلاد

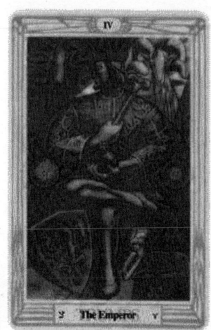

IV
The Emperor

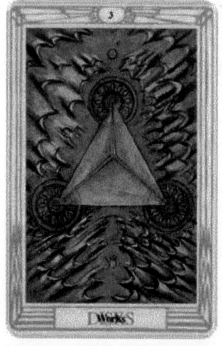

3
Works

«لا بد لكل ملك جبار من صارم بتار».

كنا نطير كالحمائم البيضاء ننظر حولنا بترقب، صحراء شاسعة لا حياة فيها، كثبان تتشابه، كل ما في اليمين هو ما في اليسار، حتى بدا لنا وسط كل هذا شيء باهر، شيء يستحيل وجوده بأي حال في صحراء؛ حلقة دائرية من الأرض مبنية عليها مدائن فاخرة، بداخلها حلقات أخرى عليها مبانٍ أكثر فخامة، كل حلقة عليها بنيان أفخم من الحلقة التي خارجها، وبين كل حلقة وحلقة نهر أزرق صافٍ، شيء لا تكاد تصدق أنه مبني في ذلك الزمان القديم، لأن هذا حقًّا مستحيل، كانت تلك هينار، قلب أتلانتيس، وأجمل مدينة رصدتها عيون التاريخ.

نزل بنا التصوير الطائر بميلٍ لأسفل كأنه يريد أن يهبط بنا في منتصف المدينة، أطلقنا عيوننا في المدينة وتفاصيلها، أهرام وقصور وأنهار وحدائق معلقة، ثم أتينا إلى المركز حيث انتصب قصر عالٍ كأنه اللؤلؤ، انقضَّ بنا التصوير على القصر كأننا سنصطدم به، ثم بدأ يميل بنا إلى نافذة عملاقة مفتوحة في القصر، وفي غمضة عين مررنا منها ووجدنا أنفسنا بالداخل. كل شيء فاخر، سمعنا ضحكات رجال ونساء يتحدثون بلغة سريانية غريبة، تهادى بنا التصوير حتى دخلنا ووقفنا فوق شرفة تطل على ساحة عظيمة في القصر فرأينا الرجال والنساء، ملابسهم عجيبة لم نرَ مثلها، إحداهن كانت تلبس تاجًا ثمينًا عبارة عن جناحي صقر فاردًا جناحيه، لكن مهلًا، يوجد رجل نعرفه جيدًا وسط كل هذا الجمع، عجوزًا كان لكن ملامحه لم تتغير كثيرًا.

كين، المجرم الأول، كان يقهقه بهيبة وسعادة، يبدو أنني نسيت أن أخبرك، هينار هي المدينة التي بناها كين بمعجزة معمارية لا تصدق وسط صحراء أرض نود التي لم يكن فيها زرع ولا ماء. وتلك الفاتنة التي ترتدي التاج هي إيزيس، زوجته، نعم هي إيزيس التي في بالك بردائها الأحمر والمرسومة على جدران المعابد التي تعرفها.

- كين يا أخي الحبيب ألن تكفَّ عن عادتك هذه؟ أنا لم أرَ في حياتي شخصًا يحتفل بيوم مولده في كل عام.

كان صوتًا كالفحيح ذا بحة عجيبة يأتي من مكان ما، نظرنا إلى صاحب الصوت فاتسعت عيوننا من غرابة شكله، طويل القامة ذو شعر أحمر ثائر طويل، بغيض الوجه مشعر الجسد والرقبة واليدين، حتى لون الشعر على جسده أحمر؛ ما أعطاه مظهرًا مقلقًا، كان ذلك «ست»، أحد إخوة كين وأبناء آدم الكبار وملك مدينة شيلون الواقعة جنوب عدن. ابتسم له كين وقال:

- أنا أول مولود في هذا العالم، إن لم أكن سأحتفل بهذا فمن؟

قال «ست» بصوته المقيت وهو يبتسم:

- فإني قد أتيتك بمفاجأة هذه السنة يا أول مولود.

نظر إليه كين متسائلًا، فصفَّق «ست» بيده بقوة فجاء رجال شداد يحملون على أكتافهم شيئًا فاخرًا طويلًا لا تدري أهو صندوق أم تابوت ووضعوه على الأرض، فدهش كين لمّا رآه، وكان يحب الصُنع المتقن، جدران ملونة قوية من الخشب المذهب منقوش عليه رسم عين مُكحلة، فتح «ست» التابوت بيده فكان ما بداخله أروع مما بخارجه. دخل «ست» إلى التابوت القائم وهو يبتسم بفخر ثم خرج وقال لكين:

- تعال يا كين ادخل وألقِ نظرة بالداخل وأخبرني بمعنى الرسوم.

تقدم كين خطوات منبهرة ودخل إلى التابوت الذي كان حجمه مطابقًا لحجم كين بالضبط، في حين كان «ست» أقصر، أخذ كين

ينظر إلى الرسوم الداخلية بإعجاب، ولمّا قرأها وفهم معناها فتح عينيه فجأة بذعر، وفجأة ودون مقدمات انغلق التابوت على نفسه بعنف عبر ميكانيكية معقدة صنعها «ست». تحفَّز كلٌّ من كان في القاعة ولم تكد تسمع صوتًا حتى صفَّق «ست» مرة أخرى فتحرك رجاله، كل واحد منهم أخرج خنجرًا وأمضاه في قلب من كان بجواره من رجال كين وذويه، نعم كان ذلك أول إسقاط للحكم في التاريخ، وقد كان نظيفًا وسريعًا، بضربة واحدة انتهى مُلك كين على مدينة هينار الساحرة وبدأ عهد جديد من الشر، عهد «ست».

****

«قبور الملوك هي أكبر موعظة في هذا العالم».

****

تابوت مزخرف رآه أهل هينار يجري في أنهارهم يسيح يمينًا وشمالًا، وإيزيس ملكتهم وأمهم تجري وراءه دون تاجها باكيةً، وقد انفطر قلبها وهي تنظر إلى التابوت ينتقل من حلقة نهرية إلى الحلقة التي خارجها بسرعة مع المجرى، قال أحد الرجال لـ «ست» الذي كان ينظر من شرفة القصر:

- لماذا لم نقتلها يا مالك(1)؟

- حتى يراها أبناؤها تركض مذلولة دون تاجها ويعلموا أن ملكها قد زال.

نعم كانت إيزيس ملكتهم وأمهم، فرغم أن كين المطرود لأرض نود لم تكن معه سوى زوجته إيزيس، لكنه لمّا أنجب ابنًا وبنتًا زوَّجهما ببعضهما مخالفًا فطرة الله، وظل يزوج بنيه من بناته وفعل أبناؤه المثل مع أولادهم حتى بلغوا ثلاثة ملايين إنسان في تسعمئة سنة كلهم أبناء محارم، وسكنوا جميعًا مدينة هينار، قال الرجل لـ «ست»:

---

(1) مالك بالسريانية تعني ملك.

- يا مالك إنهم قد يفتحون ذلك التابوت.

- ولا بكل أداة على هذه الأرض يقدرون على فتحه، لقد صنعته بنفسي.

جرى التابوت وجرى حتى وصل إلى النهر الخارجي ثم إلى النقطة التي تلتقي فيها كل الأنهار الدائرية، التي تتصل بنهر طويل جدًّا يمشي في أرض المتوسط ليصب في المحيط الأطلنطي.

لم تكن أي من تلك الأنهار الجارية في هينار موجودة، كين وأبناؤه حفروها ليجلبوا مياه المحيط، ووضعوا بين كل حلقة نهرية والتي تليها فتحة بنوا فيها جدارًا شمعيًّا، فلا تدخل مياه المحيط المالحة من الحلقة إلى التي تليها إلا عبر الجدار الشمعي الذي يرشح الملح من الماء فتصبح المياه في الأنهار الداخلية كلها عذبة، كان كين يملك عقلًا جبارًا، لكنه اليوم ظل يجري في ذلك النهر تحركه الرياح متجهًا إلى المحيط، وكل شعبه الذين هم أولاده يجرون خلف التابوت بفجع وقد شُل تفكيرهم وكلهم خوف أن يصل التابوت إلى المحيط فيضيع إلى الأبد.

كاد التابوت أن يصل إلى ما يعرف اليوم بمضيق جبل طارق الذي كان صحراءً في ذلك الزمان يجري فيه نهر كين الصناعي، لكن الله أراد أن يرسو التابوت تمامًا عند أعمدة هرقل، المرتفعات الصخرية الشهيرة عند بوابة المحيط، هناك توقف التابوت وتجمع عنده الناس وإيزيس معهم منهارة لا تدري ما تفعل، والحق يقال.. إنهم حاولوا بكل طريقة أن يفتحوه، بالقوة والحيلة لكن بلا نتيجة، وكانوا ينادون كين ويضعون آذانهم على التابوت فلا يسمعون له حِسًّا.

مضى اليوم ثم الذي يليه وتناقص الناس عند التابوت، ولم تبقَ سوى إيزيس الباكية التي صار جفناها سوداوان من الدمع المختلط بالكحل، لكنها لم تيئس، ظلت تحاول، حتى أتاها خاطر بأن تستعين برجل ماهر

142

شهير يعيش في المدينة المجاورة، وقد أتاها الرجل، وفي نهاية اليوم الثالث، نجح الرجل الماهر في فتح التابوت.

****

«أيًّا مَن كنتَ تتربع فوق العروش أنبئنا عن طعم التراب في مدفنك».

****

كان كين ينظر من داخل التابوت، فقط ينظر، لا يحرك طرفًا واحدًا من أطرافه، انهالت عليه إيزيس بالدمع والصراخ وهو يحدق إليها وعينه حمراء ترتجف ولا يحرك حتى رأسه، مدت يدها إليه ومد الرجال أيديهم يخرجونه، ولم تمضِ ثوانٍ حتى عرفوا الفاجعة، لقد شُل جسد كين بأكمله. وحكم «ست» وطغى وظلم، وقتل الجيل الأول من أبناء كين كبارًا وصغارًا في أول مذبحة بشرية في التاريخ، ذبحهم جميعًا حتى لا ينقلبوا على الحكم ولم يترك إلا الأحفاد، وترك كين وإيزيس فقط ليستمتع برؤية الذل في وجهيهما.

حدث كل هذا في آخر قرون من حياة آدم وحواء، لكن هينار كانت معزولة عنهما وعن أولادهما بسبب تحذير آدم ذريتَه من الاختلاط بذلك النسل الممتلئ بزواج المحارم. ومرَّ الزمان الدامي بعد وصول «ست» إلى حكم هينار، عشرات الأيام تتلوها عشرات، وعاشت إيزيس مع زوجها المشلول المذلول يختبئان من نظرات الشفقة في عيون أبنائهما الصغار، ثم ولدت إيزيس طفلًا كانت قد حملت به بعد أن شُلَّ كين، وكان هو آخر طفل من نسله المباشر، وأصبحت إيزيس تنظر إليه على أنه الأمل الذي سيسترد الحكم من الطاغية الأحمر «ست».

كان الطفل ذا مظهر غير معتاد، رمادي الشعر، يختلط في شعره البياض مع السواد الفاحم، رمادي العينين أبيض البشرة، سمَّته أمه جينون، لكن جينون هذا كانت طباعه مختلفة كاختلاف مظهره؛ صامت لا يتكلم إلا قليلًا، بارد المشاعر كأن البياض الذي في رأسه هو جليد

يجمد روحه. مئتا عام من الذل انقضت ثم قرر «ست» أخيرًا أن يقتل كين وإيزيس، ونزل رجاله كالذئاب إلى البيت المتهالك الذي تعيش فيه إيزيس مع زوجها، وعند ساحة البيت الخارجية كان كين مستندًا إلى شجرة والشيب والشلل قد زادا من البؤس المطبوع في وجهه أضعافًا، نظر إليهم برعب وهم يقتربون منه ويتضاحكون، وبدأت حياته تمر أمام عينيه، تذكر هابيل، ونزل الدمع من عينيه وهو ينظر إلى الرجال وقد أخذ أحدهم حجرًا كبيرًا ومشى إليه، خفق قلب كين وبحثت عيناه عن زوجته أو ابنه لكنه لم يجد أحدًا، فأغمض عينيه بألم، وسمع أحد الرجال يقول:

- كما قتل أخاه بحجر، اليوم يموت بحجر.

ومن بين ظلال الشجر كان جينون الشاب واقفًا ينظر إلى مشهد الرجال وهم يسخرون من أبيه ويَتْفلون عليه ويتظاهرون بضربه بالحجر ثم يمتنعون إمعانًا في تخويفه وإذلاله، لم يتحرك جينون، ولم يطرف، فقط كان واقفًا كلوح ثلجي، وهوى الرجال على رأس كين بالأحجار التي في أيديهم واحدًا بعد الآخر ووجه كين ينسحق وتفور منه الدماء، حتى انتهوا، وجينون ساكن كأن الطير سيهبط فوق رأسه، وبدأ الرجال يبحثون عن إيزيس، حتى وجدوها آتية لا تدري ما حصل، ولم يكن العمر قد نال من جمالها شيئًا.

قال أحد الرجال:

- الملكة ذات القوام المتفجر، تُرى كيف يبدو جسد ملكة؟

وهجموا عليها هجمة رجل واحد، أو ذئب واحد، يخلعون عنها لباسها ويستلقون عليها واحدًا تلو الآخر ويرمونها لبعضهم، ولم تنجح صرخاتها في تحريك شعرة واحدة في رأس ابنها جينون، نظرت إليه بأمل وهي تقاوم مغتصبيها فقابلها بعيون شاردة باردة، ثم استدار

وغادر المكان كله، ولم تمضِ دقائق إلا وقد تجمع الناس ينظرون إلى مأساة من دم وعار.

****

«من يحجز مقعده أولًا في لعبة يفُز بها».

****

كانوا جماعة سائرين في صحراء قاحلة في ظلمة الليل الأسود، يتبع بعضهم بعضًا، مسافرين من أرض بكة إلى أتلانتيس، عائدين من زيارة البيت المقدس، وهم يومها خيرة البشر على الأرض، معهم نبيهم العجوز يارد، يسمون أنفسهم أبناء الله، ولقد وعدهم ربهم بعد سفرهم هذا بالدخول إلى جنة أرض عدن التي لا يدخلها إلا الصديقون والأنبياء، ولم يكن في الدنيا مَن هو أسعد منهم، فكنت ترى في وجوههم رضا وبهجة رغم وعثاء وغبار السفر.

لكن فجأة توقف أبناء الله عن السير، وبدأت أصواتهم تعلو بالجدال وهم ينظرون حولهم إلى الصحراء في بحيرة، لا شيء في مرمى النظر إلا أكوام من الرمال يعلوها ظلام لا نهاية له، الفاجعة أنهم لم يعودوا يعلمون أين اتجاه أتلانتيس، تحولت سعادتهم إلى خوف، فإن هم ضلوا الطريق هنا فقد يموتوا في هذه الصحراء المترامية. بدؤوا جميعًا ينظرون إلى شاب كان بينهم، أبيض البشرة أسود الشعر وسيم الملامح، لم يلد التاريخ عقلًا مثل عقله، فتى ألمعي أوتي كل العلوم، اسمه إدريس، وكان له وجه تطمئن بمجرد أن تنظر إليه. إدريس هو أول من تعلم علم النجوم وعرف الأبراج وقواعد سير الكواكب، نظر إلى السماء نظرة واحدة ثم قال لهم:

- كنت أنا دليلكم في المجيء إلى هنا ولم أعلمكم، أفإن مت أنا، تاهت أنسالكم في الصحراء؟

قال له النبي يارد العجوز:

- يا إدريس لا تكتم علمًا، فلا يكتم العلم إلا الشيطان.

نظر إدريس إليهم وقال:

- يا أبناء الله إنا لو مشينا باتجاه الشمال سنجد نهر الفرات الذي يخرج من أرضنا أتلانتيس.

قال له أحدهم:

- وما الشمال؟

قال إدريس:

- انظروا أعلاكم إلى النجوم وابحثوا عن سبع نجمات متجاورات يُشبهن مغرفة الطعام.

نظر الناس أعلاهم ودققوا حتى صاح أحدهم أنه وجدها، قال إدريس:

- أترون ذلك النجم الساطع المقابل للمغرفة؟ ذاك هو نجم الشمال، إن مشينا باتجاهه وجدنا نهر الفرات.

علت الأصوات التي تمدح إدريس وعلمه ومشى الناس وراءه أيامًا، حتى أوقفهم شيء آخر في وسط الصحراء، شيء جعل نفوسهم ترتعد، صوت يعرفونه جيدًا أشبه بالزئير والصراخ، صوت الجيجان، أكثر كائنات ذلك الزمان توحشًا وبشاعة. صاح فيهم إدريس أن يصمتوا جميعًا ويكتموا أنينهم، وحذَّرهم أن يعطي أحدهم ظهره للوحش، ثم تقدم بنفسه بلا خوف إلى الكائن ذي الأنياب القاطعة، أطال إدريس من جسده بالوقوف على أطراف قدميه ورفع رقبته ونظر في عين الوحش، كان يعرف طباع الوحوش جيدًا، لو استدرت لها أشعلت في نفسها غريزة الهجوم، ولو استطلت أمامها خافت منك، ولو نظرت في عينها أقلقتها، بدأ إدريس يصدر أصواتًا صارخة بفمه ويصفق بشدة بيده ويتقدم خطوة خاطفة بسرعة بقدمه ثم يرجع، وفعلًا خاف المفترس، وأخذ يتراجع حتى ابتعد.

146

قال لهم إدريس أن يسرعوا الخطى، فوجود حيوان كهذا يعني وجود نهر قريب، ومشوا تتسارع خطاهم حتى برزت أمامهم زُرقة نهر الفرات عند مطلع الفجر، فتوقفوا عنده وحمدوا الله ربهم، لكنهم نظروا إلى بعضهم بعضًا فجأة، هل يجب أن يتحركوا يمينًا أم يسارًا في النهر ليصلوا إلى أرضهم؟ ولم ينطق أحدهم بجواب، وكالعادة نظروا إليه، إدريس.

****

«صاحب العلم يعيش إلى الأبد، لكن ليس أي علم».

****

تحت ضوء القمر كان يجلس والنور يلمع فوق شعره الأبيض ليصنع منظرًا عجيبًا، جينون العجوز الصغير كما يطلق عليه بعض العامة تهكمًا على مظهره، لم يكن يؤثر فيه شيء ولم يرَه أحد يبتسم أو يبكي ولو مرة، لكن ما أجمع عليه الكل أنه صاحب أذكى عقل في هينار، فقد رأوا منه عجبًا، لقد كان يبتكر، ولا يبتكر إلا شرًّا، إن كان في هذا العالم شخص واحد يمكن أن يُعزى إليه اختراع الأسلحة، فهو جينون، تلك الخناجر التي قتلوا بها أباه وأمه كان هو الذي صنعها، كانت الناس تتحاشاه ولم يكن له يومًا صديق، صموت تهُبُّ في روحه رياح باردة طيلة الوقت.

نظر جينون في تلك الليلة إلى ذلك القمر المكتمل، وفجأة ولأول مرة منذ خُلق جينون على هذه الأرض تتسع عيناه بذهول حقيقي ويشعر أن كل شعرة في جسده قد وقفت ترتعد، كان يسمع صوتًا لم يكن قد سمعه بشر يومًا، صوتًا بدا له أنه آت من كل مكان، هبَّ جينون واقفًا وعيونه تكاد تغادر المحاجر وهو ينظر يمينًا وشمالًا بذعر. بدأ الصوت يؤثر في روحه، يلعب في أوصاله حتى شعر بارتجاف يده وكأنه تُرك عاريًا في عاصفة جليد، وتغلغل الصوت داخل كيانه حتى خرج منه الدمع،

وكانت هذه سابقة لو رآها أحد من أهل هينار لما صدَّق نظره، جينون ذلك الصخرة البيضاء الزمهرير يبكي، ولو أن أحدًا سمع ما كان يسمعه جينون في تلك اللحظة لخرَّ مغشيًّا عليه، كان الفتى الإنسان ولأول مرة في تاريخ بني آدم، يسمع صوت الموسيقى.

مشى جينون واللحن يهُزُّ روحه من جوانبها وهو يحاول معرفة مصدره، يأتي الصوت من كل مكان، كاد أن يُجن، حتى لمح فجأة ظلًّا يتحرك بسرعة الريح ثم يختفي، ابتلع جينون لعابه والعزف يعلو، وفجأة هوى على الأرض كيان سقط من بين الأشجار كالكارثة، كيان رجل يراه جينون من ظهره، وضوء القمر نازل عليه فلا ترى إلا سوادًا، وصوت اللحن يبدو أنه ينبعث من جسده، أدار صاحب الكيان رأسه لينظر خلفه، فرأى جينون لمحة من وجهه، ثم استدار بجسده فرآه كله. طويل الشعر يرتدي سوادًا فاخرًا، وجه أبيض يميل إلى الرمادي وملامح حادة بعيون تخترق الروح، كان يمسك في يده بعود عجيب ذي فجوات، إذا وضعه في فمه صدر ذلك الصوت الذي يزلزل كيان جينون، وإذا أبعده عن فمه توقف الصوت، قال له جينون بصوت وجل:

- من.. من أنت؟

قال له الرجل بصوته ذي البحة:

- أنت تعرفني.. لكنك ما رأيتني، وما رآني أحد من قبلك من ذرية الفاني.

ابتلع جينون ريقه بصعوبة متصنعًا الثبات، لكن العزف كان قد دمَّر رباطة جأشه، وكان يتوق لسماع المزيد، ولم يستطع أن يُخرج كلمة ولم يدرِ ما يقول، فظل ينظر إلى الرجل ويحاول أن يتمالك نفسه، بدأ الرجل يقترب منه ببطء حتى قال له كلمة زادت الخوف في قلبه أضعافًا، قال له:

- إبليس.

قالها وحدها وسكت، ولم يكن يحتاج إلى أن يقول كلمة غيرها تفسرها.

****

«من ذا الذي لا ينحني إذا برز له الشيطان؟».

****

تعلَّم جينون من الشيطان أمورًا لا يعرفها بنو الإنسان، تعلم منه العزف بالمزمار وبدأ يصنعه بنفسه، ولكنه لم يستخدمه قط أمام أحد، وتعلم من وحي الشيطان صُنع أشربة تذهب بالعقول وسمّاها خمرًا، وكان الناس في السابق يعرفون السُكْر (ذهاب العقل) الذي يحصل من تناول نبات جوز الطيب، لكنه كان ذا طعم مُر يُتعِب البطون وذا منظر مقزز، أما التخمير والخمر ذو المذاق الجميل فلم يعرفوه مطلقًا من قبل. علم جينون أن الشيطان لا يعطيه تلك العلوم بعضها وراء بعض هكذا بلا مقابل، فقال له جينون مرة:

- أليس الفساد يرضيك يا إبليس؟ أرض هينار اليوم تعيش أفسد أيامها وأكثرها دموية في عصر «ست»، ما حاجتك إليَّ؟

جاوبه الجني القديم بعقلية شيطان:

- فساد الحاكم الظالم يُعظِّم في نفوس الشعب المسكين المظلوم الرغبة في الحق، أما الذي يرضيني أن يكون الكل فاسدًا.

نظر إليه جينون بشيء من التفكير فأكمل الشيطان:

- نحن نعلم ما في نفسك يا جينون، أنت صنعت الأسلحة لأن عينك تحب رؤية الناس يقتلون بعضهم وتحب رؤية تناثر الدماء، لذا يجب أن تكون أنت ولا أحد غيرك على رأس أتلانتيس كلها، وإن وعدي لك لا أخذله، لك عندي علوم ستوصلك إلى الطيران في السماء.

فكر جينون لحظات ثم قال فجأة بحزم:

- غدًا أكون أنا على عرش «ست».

نظر إليه الشيطان بدهشة، ذلك الصبي الذي بلغ الحلم حديثًا، يتحدث بكل تلك الثقة، هل أخطأ لمّا اختاره في هذا العمر الصغير؟ انصرف جينون بصمته المقبض، وفي اليوم التالي فعل شيئًا عجيبًا؛ أشاع جينون بين الناس خبر وجود ابن مباشر من سلالة كين، ابنٍ أخير، وأن هذا الابن هو نفسه صانع الأسلحة في المدينة، بعض الناس كانوا يعلمون ويُخفون، أما الآن فقد جرى الخبر على الألسنة وانتشر كالطاعون، خصوصًا بعد قتل كين وإيزيس، وخلال ساعات وصل الخبر إلى «ست» وجنوده، وكما هو متوقع، نزلوا كالضباع يبحثون عن جينون ليقطعوا رأسه الأبيض، ولم يجدوه في أي مكان، فعادوا إلى مكامنهم لمّا انتهى النهار وقد بلغ التعب منهم ما بلغ ليجدوا الساقي الجديد للقصر قد جهَّز لهم شرابهم وطعامهم.

وقبل غروب الشمس بقليل وعند القصر الملكي، سمع «ست» صوتًا كأنه يأتي من الجنة فخرج إلى ساحة القصر وخرجت حاشيته ينظرون، فلم يجدوا إلا فتى يرتدي عباءة سوداء تغطي رأسه وجسده، كان يقترب منهم وينبعث منه الصوت الفاتن، وقف «ست» يستمع وصوت المزمار يداعب طبيعته المتوحشة، والرجال حوله أصابهم ذهول وطرب، نفض «ست» رأسه وقال بقسوة:

- من أنت أيها الغريب؟ وما هذا الصوت؟

نظر إليه جينون من خلف العباءة وقال:

- إنها هدية لأجل سيدي.

أخذ «ست» المزمار ينظر إليه وإلى فجواته، فقال جينون:

- ضعه بين شفتيك واسحب الهواء الذي فيه يخرج لك سحره.

أخذ «ست» المزمار وقد امتلك كل تفكيره وحاول سحب الهواء فلم يحدث شيء، تبسم جينون ابتسامة أخفتها العباءة وقال:

- اسحب بقوة بكل ما أوتيت.

سحب «ست» بكل قوته، وفجأة فغر فاه وابيضت عيناه وترنح، لم يكن المزمار بريئًا، كان جينون قد وضع فيه نصلًا دقيقًا مسمومًا انطلق فور السحب ليطعن «ست» في حلقه. تراجع «ست» بألم ونادى حاشيته ورجاله بما تبقى في داخله من صوت، فجاؤوا من كل صوب ولكنهم كانوا مخمورين يترنحون، فقد دس لهم جينون المادة المسكرة في أشربتهم لمّا غابوا ليبحثوا عنه، فصرخ فيهم «ست» بعنف، وبدأ الشعب يتجمعون عند القصر ينظرون إلى ما كان. كان جينون يعزف كأجود ما يكون العزف، ولم يكن الناس يدرون أين ينظرون، حاكم ظالم يموت أمام عيونهم أم حاشية مترنحون يتحكم بهم صبي صغير في عباءة، أم هذا الصوت الجميل الذي يخرج من المزمار؟ كان مشهدًا عجيبًا حتى خلع الصبي جينون عباءته فرآه الناس وعرفوه مباشرة من شعره الأبيض وهو يقول:

- اليوم يعود عرش كين إلى نسل كين.

صرخ «ست» صرخة أخيرة وأخرج خنجرًا ماضيًا وهجم بما تبقى في نفسه من وعي على جينون الذي حاول التراجع وتفادي ضربة الخنجر لكنه لم يقدر، أصاب الخنجر عين جينون اليُسرى، ثم سقط «ست» ميتًا، ومن تلك اللحظة انتهى عصر الطاغوت الأحمر وبدأ عصر جينون، الأعور.

****

«معركة العقول بدأت في أتلانتيس».

****

عند نهر الفرات كانوا ينظرون إلى أرض مخضرَّة، لكنها ليست كأرضهم، وأي شيء مثل أرضهم؟! قال لهم العليم إدريس:

- أرضنا في الغرب يا رجال.

وقبل أن يتكلم أحدهم ويسأل أين الغرب تحرك إدريس وأحضر عصًا رفيعة غرزها في الرمل تحت الشمس فصنعت خطًّا من الظل، وضع إدريس حجرًا على هذا الظل، ثم قال لهم:

- انتظروا بعض الوقت ثم تعالوا إلى العصا، ستجدون ظلها قد تحرك، ضعوا حجرًا ثانيًا عند موضع الظل الجديد، الحجر الأول سيكون الغرب، والحجر الثاني هو الشرق.

كان إدريس قد تعلم ذلك بالفطنة وقراءة كتاب آدم الأول، كان يؤمن أن العلم يجعلك إنسانًا، وسيدًا في الأرض، راقبهم إدريس وهم يضعون الحجر الثاني ويأتونه فرحين، وإن من يتعلم يسعد. توجه الركب من أبناء الله ناحية الغرب حتى دخلوا أرضهم أتلانتيس، وعرفوها من جبالها الخضراء وسهولها ودوابها الملونة الأليفة، ثم دخلوا مدينتهم عدن، أكبر مدينة في أتلانتيس أنشئت على تلك الأرض التي تجري فيها ثلاثة أنهار متوازية خارجة من الجنة كل واحد أصفى من الذي قبله، خرج أهل المدينة يستقبلون نبيهم وحاكمهم يارد العجوز الذي حكم بعد وفاة آدم مباشرة، وكان عائدًا من رحلته الأولى من أرض بكة.

ولم يرتح الركب ساعة واحدة في المدينة، إذ تحركوا إلى جبل ماتاريمون يعتكفون فوقه حتى يأتيهم إذن ربهم بدخول جنة عدن، وكان عددهم ثلاثمئة أو يزيدون، وجبل ماتاريمون الكبير هو الفاصل بين مدينة عدن وأرض نود، ولمّا أصبحوا على قمته نظروا إلى أرض نود، وبانت أمام وجوههم مدينة هينار العجيبة، أرض أصحاب الدم الملوث بزواج المحارم، ولم يكونوا يعلمون أن هينار لم تعد لـ «كين» ولا لـ «ست»، بل طُويت تلك الصفحة وفُتحت صفحة أكثر سوادًا، صفحة جينون. مشى بينهم العجوز يارد وهو يقول لهم بصوت واهن:

- يا بَنيَّ، إنني قد عاهدت أبانا آدم عهدًا، وإني اليوم أعاهدكم أمام الله ألا تختلطوا بأبناء كين فقد فسدوا وفسدت أنسابهم.

كانت مدينة هينار قريبة يُرى أهلها من بعيد جدًّا يأتون ويروحون، نظر أبناء الله من فوق الجبل إلى المدينة وقد تعاهدوا ألا يأتوا هذه المدينة أبدًا، ونظروا بعيدًا إلى الجنة الظاهرة بأشجارها وطيورها وشلالاتها فوق الجبل. ولمّا غربت الشمس تسلل إلى آذانهم صوت يلعب بنياط القلوب، صوت حلو تهفو إليه الروح، فتجمعوا على حافة الجبل ينظرون إلى الأسفل، واتسعت قلوبهم قبل أن تتسع عيونهم، فهناك بالأسفل كان أبناء وبنات كين يقيمون لهوًا فاحشًا، وفتى في منتصفهم اسمه جينون يعزف بصوت يشعل النفوس ويتابعه آخرون يعزفون بآلاتهم ومعازفهم، وفتيات غانيات حولهم يرقصن على قلوب الجميع.

لم يكن أحد ممن كان على الجبل إلا فتح فمه بذهول وشعر أن روحه تتسلل من داخله، كان إدريس خلفهم ينظر إلى المشهد بالأسفل ويسمع صوت الألحان وكل ذرة في كيانه تنبض بالقلق وهو ينظر إلى هيئة أبناء الله وهم يستمعون، ثم نظر إلى الأسفل للفتى الذي يقود ذلك المشهد، ورفع جينون رأسه ونظر إلى إدريس، وابتسم ابتسامة شيطان، وبدأت المواجهة.

****

«نار الشهوة تحرق خلايا العقل».

****

ما زال أصحاب العَوَر منذ قديم الزمان يقفون ويحركون أيديهم فيلعبون بعقول ونفوس الغافلين، وها هو أعور هينار تحت الجبل يعزف نوعًا من الموسيقى يشعل قلوب النساء والرجال حوله ويشتعل الشيطان معهم، يتمايلون في خدر وعيونهم مفتوحة شرهة تنظر إلى كل مكان، رجالًا ونساءً علَّمهم الزنا والخمر واللهو، فانتشرت بينهم الفاحشة التي تزيد مع الخمر، فأصبح الواحد منهم يقع على أمه وابنته، لم يعودوا

يعرفون معنى كلمة إثم، ولم يعد الواحد منهم يعرف أطفاله من أطفال الآخرين.

جمعهم جينون عند سفح ذلك الجبل متعمدًا، وكلمة الشيطان ترن في عقله، «إن أردت مُلك أتلانتيس فيجب أن تملك أبناء الله»، كان قد جمع حوله في تلك الليلة أفسد من فسد من مجتمعه، لو نظرت إلى ما ترتدي النساء حوله ستجد ألبسة عارية ملونة، وما كانت البشرية قبل ذلك تعرف إلا لبس الجلود، لكن الشيطان علَّم جينون فن الصباغة فوضع الألوان على وجوه النساء وألبستهن وعيونهن، وعلَّمه الوشم، فكنتَ ترى الوشوم على أفخاذهن، وجعلهم جينون يمارسون الفحش في أثناء لهوهم تحت أنغام مزمار الشيطان. وفي أعلى الجبل كان أبناء الله قد تركوا صلاتهم واعتكافهم وأصبحوا يتجمعون عند حافة الجبل في كل ليلة حتى مطلع الفجر، ثم ينصرفون إلى صوامعهم تملؤهم الشهوة مما رأوا، شعر إدريس بقلة الحيلة، فانطلق إلى النبي يارد وقال له:

- يا أبي، يجب أن نغادر هذا الجبل، إن أبناء الله لا يقدرون على الصلاة.

قال له يارد:

- يا بُني إنما هذا أمر الله، ولعله يبتليهم ليصبروا.

خرج فيهم إدريس الشاب يقول:

- يا أبناء الله هلّا نظرتم إلى جنة الله، لا يفتتنكم الشيطان كما فتن أبويكم آدم وحواء، فأخرجهما من الجنة.

نظروا إليه بغير اكتراث وقد أعمتهم الشهوات، نظروا أسفل الجبل فوجدوا جينون وعرائسه يتمايلون بهيام وفحش، وصوت اللحن يضرب في القلوب، كان إدريس ينظر إلى جينون ويكاد عقله ينفجر، هذا هو الفتى نفسه الأعور الذي رآه في رحلته مع حواء، لكن من هو بالضبط؟ ولماذا ينظر إليه هكذا؟ اشتعل عقل إدريس الألمعي بالتفكير: كيف

يمكن أن يحمي أبناء الله من هذه الكارثة؟ لكنه لم يجد حتى وقتًا للتفكير. فجأة رفعت بنات كين أياديهن يلوحن لأبناء الله ويبتسمن، ورفع جينون يده كذلك وهو يصنع بيده إشارة تقول لهم تعالوا، وهنا انفجر كل شيء، تجرأ فريق من أبناء الله وقالوا:

- إنا نازلون إلى بنات كين ولتبقوا أنتم مع جنتكم ونجومكم وعلومكم.

مشى يارد العجوز يتكئ على عصا قديمة ويقول:

- يا أبنائي، عهد آدم وعهد الله، الله وعدكم الجنة، الشيطان يعدكم النار.

تضاحكوا من هيئته واستداروا جميعًا وابتدؤوا ينزلون أفواجًا وإدريس ينظر إليهم بحزن، لم يجد عقله أي فكرة، نظر إدريس إليهم نظرة أخيرة ثم خفض رأسه إلى الأرض واستدار، لقد فتنهم الشيطان وقُضي الأمر، أما هو فلم يخسر فقط جولة، بل خسر كل شيء، فلا أحد بقي معه على الجبل إلا أبوه يارد الذي نزل على الأرض يبكي، وكم هي الدموع تقتل لمّا تخرج من عين عجوز نبي، تقدم إليه إدريس بعطف ثم انتفض متراجعًا، كان يارد العجوز قد مات وسط دموعه.

****

«في التاريخ كل مَن سمَّوا أنفسهم أبناء الله فسدوا».

****

فرغ إدريس من دفن يارد ووقف على الجبل ينظر إلى السماء، لم يعد أحد غيره، لقد رحل الجميع، شعر بألم يعتصر قلبه ثم سمع صوتًا فقرر أن...

- إدريس.

التفت إدريس فزعًا ليرى المنادي، كان رجلًا بهي المظهر أسود الشعر أزرق العينين ينظر إليه بهدوء، قال إدريس:

- من أنت؟

- سمعت عن علمك وأردت أن أصحبك.

استبشر إدريس وشعر أنه سيكون له رفيق في ليالي الجبل التي لا يدري متى تنتهي ويأتي أمر الله ويأذن له في دخول الجنة، وبقي الرجلان في حضن الجبل يصليان لله، ومرت ساعات وساعات، وبدأ إدريس يشعر بالتعب، لكنه عندما ينظر إلى الرجل بجواره يجده نشيطًا لم يُصِبه فتور ولا سأم، وصلى إدريس في تلك الليلة ضعف ما كان يصلي، ولمّا شعر بالتعب استأذن بالانصراف بعض الوقت، ثم عاد بعد حين وقد جاء للرجل بشيء يأكلانه، نظر الرجل إلى الطعام وقال:

- لا والذي جعلك بشرًا ما أشتهيه.

وأصر عليه إدريس، فأصر الرجل ألا يأكل، فأكل إدريس من رزق الله وحضَّر للرجل موضعًا لينام فيه ثم انصرف إلى فراشه.

في منامه رأى إدريس رؤيا عجبًا: «رأى رجلًا صالحًا في سجن، دخل عليه رجلان يرتديان ثياب الجندية فأخرجا سيوفهما وانقضّا عليه بلا رحمة، وتطايرت دماء الرجل الصالح، وفصلوا رأسه عن جسده، وفي مشهد آخر رأى إنسانًا أعور يشبه جينون يحمل طبقًا من فضة عليه رأس مقطوع يمشي بالطبق ليقدمه للملك، وكان الرأس رأس نبي».

فُجِع إدريس مما رأى واستيقظ في نصف الليل ونظر إلى الرجل رفيقه فوجده قائمًا يصلي كأنه لا يشعر بشيء من متاعب البشر، فعاد إدريس إلى نومه، ومر يوم ويومان، وفي كل مرة يزيد إدريس ساعات صلاته ولا يفتر الرجل ولا يتعب ولا يأكل، وفجأة قال له إدريس:

- يا رجل، إنك معي منذ ثلاثة أيام لا تطعم ولا تفتر، أخبرني من أنت أو يكون فراق بيني وبينك.

نظر الرجل إلى الأرض قليلًا ثم رفع رأسه وقال:

- والذي جعلك بشرًا.. إن ذكرك في السماء عظيم، وإني أحببت أن أصحبك لله.

- أخبرني من أنت؟

قال الرجل البهي:

- أنا رازئيل، ملاك من عند ربك، وإنه قد وجدك صدِّيقًا في الأرض وصدِّيقًا في السماء فاصطفاك نبيًّا.

أصابت إدريس دهشة الفرح والفجأة، ونزلت دموعه على خديه وهو يقول:

- طبت والله وطاب ما جئت به، أنت رازئيل صاحب كتاب آدم المقدس؟

أومأ رازئيل برأسه إيجابًا وقال:

- يا إدريس إن ربك مُنزِلٌ عليك ألواحًا من زمرُّدٍ، فيها من العلم والوحي ما لم يؤتِه إنسانًا.

خشع قلب إدريس لربه وبكى بكاءً شديدًا، فتحولت ملامح رازئيل إلى الصرامة وهو يقول:

- لستَ مثل من سبقك من النبيين يا إدريس، إن ربك سيبعثك هناك.

وأشار الملاك بإصبعه، نظر إدريس إلى حيثما يشير الملاك، وارتجف قلبه لمّا رأى المكان، كان الملاك يشير إلى هينار، أرض الإباحية.

****

«عقل يقوده شيطان أهون من شيطان يقوده عقل».

****

أنهار دائرية مزخرفة الأسوار ينام على ضفافها رجال ونساء عراة، يسبحون تارة ويستلقون تارة، تماثيل وأصنام في كل مكان لكنها لم تكن تُعبَد، ولم تكن البشرية تعرف التماثيل قبل هذا، وإدريس رسول الله يمشي وسط ذلك حزين القلب وعقله يعمل بجهد ألف عقل، كيف يبدأ ومن أين. توجه إلى السوق لينظر في أمر الناس فتوقف يتابع

مشهدًا عجبًا؛ امرأة فاتنة ترتدي زيًّا بنفسجيًّا تمشي في الناس وتقول بصوت عالٍ:

- يا أهل هينار، إلى ربكم توبوا، فوالله إنْ غَضِب عليكم ربكم سيخسف بكم هذه الأرض ولن يعود لكم مُلك ولا أنهار.

ضحك بعض الشبان عليها وبدؤوا يغازلونها وهي تصدهم بقسوة، وانصرفوا فنظرت إلى الأرض وبدت في وجهها ملامح من يكتم البكاء، توجه إليها إدريس وجبر خاطرها بأنَّ ربها راضٍ عنها، وأعلمها أنه رسول الله، فكانت تنظر إليه كمسكين وجد في الصحراء ماءً، ونزلت دموعها ساخنة، قالت له إن اسمها هو «زيلدا»، سألها عن قصر جينون ففجعت لحظة ثم قالت:

- لا تذهب إليه يا نبي الله؛ فإن ذاك شيطان مجنون، القتل عنده كالتحية.

أصرَّ إدريس على المواجهة المباشرة، ولم يسمع لقولها، فسألته:

- أنت إدريس من مدينة عدن؟ أنت الماهر العليم؟

أجابها بأن نعم، فتحولت ملامحها إلى الجد ومالت عليه وقالت:

- فإن عندي في نفسي لك سر قد يعينك، وإني والله ما أخبرت به أحدًا قبلك.

ولمّا أخبرته السر بهت وجهه لحظات، ثم استغفر ربه، وتوجه مباشرة إلى عرين الأعور. ورغم أن العرش كان أكبر من جينون الذي كان لا يزال فتى، فإن مظهره وهو جالس عليه وكل من حوله يرتجفون، إذا طرف طرفة واحدة كانت لا توحي بخير، فلمّا دخل عليه إدريس البهي النبي، ذو القوام الطويل والوجه الأبيض كأنه البدر، ضيَّق جينون عينه الرمادية العوراء بدهشة أخفاها في ثوانٍ وتحوَّل وجهه إلى ابتسامة كالحية وهو يقول:

– ألم أقل لك إن لنا موعدًا يا إدريس؟

قال له إدريس:

– فإني رسول الله إليك يا جينون، وإن ربي قد سخط على ما أنتم فيه، خمر وزنا، ولقد حرمها عليكم.

– وأنا رسول الله أيضًا، ولقد علَّمتُ هذا الشعب من كنوز العلوم ما لم يعرفه إنسان، ما حجتك في أنك رسول مثلي؟

– أنت رسول شيطان اسمه إبليس، وإن الأنبياء يرون الجن، وإنه جالس بجوارك هاهنا وأنت لا تراه، وإن أردتُ أن أُظهره مربوطًا في يدي هذه لِتراه حاشيتك ويعلموا ما أنت عليه فسأفعل.

قطَّب جينون حاجبيه كالصقر واشتعل عقله بالتفكير، والحاشية الذين يظنون أنه عليم من عند الله ينظرون إليه بدهشة، ثم قال جينون:

– إن أظهرتَ لي الشيطان فأنت عابد شيطان، أفكل من يأتينا ويظهر لنا الشياطين قلنا عنه نبيًّا؟

بدت نظرات الاطمئنان في عيون الحاضرين، فقال إدريس:

– فإني سأقيم في مدينتك، وسأحدث شعبك، وأخاطب فطرتهم التي أفسدتَها، فإن منعتني كان ذلك يعني أنك جبان تخاف من الحق.

– أقِم ما شئت، فلن تقدر على تغيير إنسان واحد منا، فالرجل في هينار يتعلم ما لم تُعلموه في بلادكم.

وانصرف إدريس من عند جينون، الذي شرد قليلًا فأتاه صوت من جواره يقول له:

– فلتأمر بقتله، قد ينقلب عليك كل شيء.

نظر جينون إلى يساره فرأى لوسيفر في ردائه الفاخر وهدوئه المقلق، فقال جينون:

– بل سأدعه، عقلي في مواجهة عقله.

وتبسم إبليس وسكت.

****

«إذا صعد الطبيب إلى قلوب الناس لم يقدر أن ينزله شيء».

****

إن أردت كسب آذان شعب، فلتنَل ثقتهم، لذلك أول من بدأ بهم إدريس كانوا أبناء الله، ففيهم بذرة الخير لا تزال نابضة. لكن الشيطان أغواهم، وإنَّ كثيرًا منهم لمّا رأى إدريس بكى وقال إن نفسه كانت تحدثه بالتوبة، لكن جزءًا آخر يقول له ألا يحاول العودة، فمن ترك الجنة ونزل إلى فروج النساء لا يغفر له الله أبدًا، حدثهم إدريس عن رحمة ربهم وأنه فَرِح بتوبتهم، ثم توجه إلى أتباع زيلدا، الصالحة التي كانت تُحدِّث النساء وحدها قبل مجيء إدريس، فأصلحت قليلًا منهن، ثم تحول إدريس إلى شعب هينار.

في البداية كان يجول على البيوت كطبيب، ولقد رأى فيهم أوباء لم تظهر في غيرهم، من زواج المحارم ومن فحشهم وزناهم، ولم يكن إدريس يقف عنده مرض ولا وجع، كان قد أوتي علوم الطب قبل النبوة، فارتاح الناس له وأحبوه، وكان إذا شفى أحدهم حذَّره زواج المحارم، لأنه ينتج ذرية مشوهة ممسوخة، ويحذرهم الزنا، لأنه أفشى في الناس تلك الأوجاع والأمراض، وشاع ذلك بين الناس وذاع صيت إدريس الطبيب الحكيم. قال الشيطان لجينون:

- إن إدريس يصعد كالنجم.

قال جينون:

- أعدك أن يطالبوني جميعًا بقطع رأسه.

ولعب جينون لعبة قذرة، بدأ جنده يمرون على الناس في البيوت ويعطونهم أسلحة بحجة الدفاع عن أنفسهم إذا حدث حادث، ولم يكن الناس معتادين السلاح، وفجأة صحا أهل هينار على فاجعة.

«سيميون»، شاب من أهم عائلة في هينار، اختفى عن وجه الأرض، ولم يجدوا له إلا قميصًا ملطخًا بالدم في مساكن عائلة «شين»، العائلة الثانية من حيث الحجم في هينار، وكان هذا ليس له إلا معنى واحد، أنه توجد مذبحة قادمة إن لم يتدخل أحد، فالعائلتان كانتا على عداء قديم.

ولم يجد أحد الوقت للتدخل، فشعور حمل الأسلحة جديد على نفوس الناس ولقد اجتمع مع الشعور بالغضب والثأر فأخرج كارثة، طغت العائلتان على بعضهما، وشوهدت الدماء تجري في أنهار هينار حتى تلونت، وكان بعض الناس يصيحون بالعظات لكن لا فائدة، فإذا وصلت رائحة الدم إلى الأنوف، فلا مُسكِّن لها إلا مزيدًا من الدماء.

وقف الشيطان بجوار جينون في تلك الشرفة والقمر ينير على رأسيهما، والشيطان يقول:

- متى تنوي؟

قال جينون:

- سأنتظر خطوته التالية.

****

«رائحة الدماء تُسْكِر أنوف الشياطين».

****

ساحت الدماء في هينار فلونت كل شيء حتى عيون الناس، البعض كمنوا في البيوت من الرعب، والبقية انتشروا في الطرقات كالذئاب، وكانت الطرقات تزدحم أكثر كلما توجهت إلى برج هينار الكبير، هنالك تجمهر أكثر من ثلثي الشعب بضجة أسمعت أهل السماوات، أسلحة في الأيدي ودماء تلطخ الملابس وشرر في الأعين، ووسط هذا بدأ التجمهر ينفتح من أحد الجهات والكل ينظر إلى نقطة واحدة، إدريس.

ماشيًا ببهاء الأنبياء وقد ملك قلوب الشعب وعقولهم، كان قد مكث بينهم كثيرًا يبني ثقتهم به، ولم يكن دخوله شيئًا عاديًّا في ذلك اليوم الأحمر، ففرقوا له الصفوف وهو يخترقها ناظرًا إليهم في أَبَوية حانية، حتى وصل إلى البرج، وصعد إدريس عليه والطير ترتمي محلقة في السماء من فوقه، فقال لهم بصوت قوي وبلهجة حازمة:

- أنا إدريس بن يارد، وإن الله قد بعثني إليكم نبيًّا، الله الذي بعثني هو ربكم رب السماوات والأرض، ربكم الذي هجرتموه وانغمستم في هذا الذي أنتم فيه.. يا أبناء الظلام، أنتم متجهون إلى هلاككم جميعًا بأفعالكم الشنيعة التي ترتكبونها، اختلطت أنسابكم ووقعتم على أخواتكم وأمهاتكم والآن تقتلون أنفسكم، سيدوس الزمان على نسلكم وتلعنكم جميع الشعوب، أما إذا صلحتم فستكونون وجهاء في الدنيا والآخرة.

قال الشيطان بحزم:

- نفِّذ يا جينون، لا تدعه يكمل.

وفي غفلة من الجميع، نزل جند جينون إلى الساحة وهو يتقدمهم بثقة، نظر المجتمعون بذهول حقيقي ومدوا أعناقهم أمامهم، لم يكونوا ينظرون إلى جينون ولا إلى جند جينون، بل إلى ما أمام جينون، «سيميون»، الشاب المختطف أو المختفي، كان يبكي وكأن الشيطان يطارده والجروح في كل مكان في جسده، ثم أشار سيميون فجأة إلى إدريس وقال:

- يا أهل هينار، احذروا هذا الرجل الخبيث، لقد اختطفني هذا الرجل يا هينار، وظن أنه قتلني، لكنني هربت وتحررت.

ووقع على الأرض بحركة مدروسة وهو ينتحب ثم رفع رأسه يصرخ ويقول:

- كل ما بينكم من دماء حدث بعد أن دخل هذا الرجل وسطنا، كل من ماتوا هم من أولادنا، القصاص يا هينار.

وانقلبت الطاولة، بل انقلبت هينار كلها.

❋❋❋❋❋❋❋❋

«صيحة وسط رجال غاضبين تشعل ثورة».

❋❋❋❋❋❋❋❋

تعالت الأيادي وارتفع الصوت وبدأت حركة من الناس تتوجه ناحية البرج، لكن إدريس أمسك بسور البرج الذي أمامه بغضب وهو يقول:

- لا تكونوا أغنامًا تسوقها الكلمات.. اذكروا يومًا كان منذ مئة سنة، كان ملككم الأول وأبوكم يرقد في تابوت محكم، ولم يكن أحد منكم ولا من أهل الأرض كلها قادرًا على إخراجه، فسافرت أمكم وملكتكم إلى عدن، وأحضرت رجلًا ماهرًا فتح التابوت وأنقذ حياة الملك من الموت.

ثم صاح إدريس:

- لقد كنت أنا ذلك الرجل الماهر.

سَرَت همهمات من المشاعر المختلطة بين الناس وتصايح بعضهم أنه يذكر قدوم إدريس وفتحه التابوت بالفعل، فقد كان حدثًا مهمًا مشهودًا، ونظر إدريس إلى الفتاة زيلدا التي كانت تبتسم، لقد كان هذا هو السر الذي أخبرته به، في الحقيقة إدريس هو الذي أنقذ حياة كين، لكنه لم يكن يدري أن جينون هذا هو ابن كين الأخير الذي أنجبه بعد أن أنقذه من التابوت، قال إدريس:

- لو كنتُ أود أن أفسد أي إفساد في مملكتكم لكنت سأخبئ ما أوتيت من العلم والطب ولم أكن لأفتح التابوت، ولَتَرَكتُ مَلككم يموت ذلك اليوم.

بدأت عصبية الناس تهدأ قليلًا حتى صاح الشيطان جينون:

164

- هذا الرجل بارع وشهير في كل البلاد، لكنه اليوم اغترَّ بنفسه، ولمّا سمع بوجود علوم روحية ممتعة في هينار لم يصل إليها عقله، غار قلبه الأسود وأتانا هاهنا ودخل وسطنا وعادى تلك العلوم ووصفها بالشر، وقمة غروره قد ظهرت اليوم، لمّا اجتمعنا كلنا وفينا ما فينا من الألم من قتل أبنائنا، وهو يأتي ليحدثنا عن نبوته، وذلك الشاب المسكين مَرْمِيٌّ في دمائه.

قام الشاب وصاح:

- القصاص من الكذاب يا هينار، قبل أن تجدوا أنفسكم كلكم قتلى، القصاص من الكذاب.

رفع جينون يده وأمر جنوده بالانقضاض على إدريس وقتله، وتصايح الناس تشجيعًا وغضبًا وبدؤوا يشتمون إدريس الذي نظر إلى جينون بعزم فوجده ينظر إليه بسخرية، تنهد إدريس وأغمض عينيه ورفع رأسه إلى السماء، كان جفناه يرتجفان كأنه يتلقى وحيًا ثقيلًا، ووصل الجنود إلى باب البرج بالأسفل ففتحوه عنوة وبدؤوا يصعدون.

ظهر على عيون إدريس المغمضة شيء من الدهشة فجأة، ثم زاد من إغلاق عينيه بخشوع، وانفتح الباب العلوي للبرج وبرز جند الشيطان أمام إدريس، وأصوات شتيمة الناس ترتفع بالأسفل وهم يلوحون بأسلحتهم، لكن الجنود الذين في الأعلى كانوا قد تجمدوا مكانهم وعيونهم أصبحت كدوائر واسعة من الخوف، فقد كان ما يرونه أمامهم شيء لم يشهده إنس ولا جن في تاريخ هذه الأرض كلها.

وجدوا أقدام إدريس ترتفع يسيرًا عن الأرض كأنه يطفو، وهو يغمض عينيه ورأسه مرفوع إلى السماء، ثم زاد ارتفاعه أمام عيونهم المذهولة حتى بدأ الناس بالأسفل يلاحظون، رأوه يرتفع عن شرفة البرج ببطء، ولو أنني أفرغت جميع الحبر الذي معي لأصف هذا المشهد وحده لما استطعت، كانت أول آية من آيات الله يريها للبشر في نبي من أنبيائه،

165

كنت تقدر أن تسمع نبض قلوب الناس وحيرة أرواحهم، وإدريس يرتفع في السماء أمام عيونهم، ولم يكن جينون أقل دهشة، بل إنه تراجع وتعثر وسقط على الأرض، فتح إدريس عينيه وقال لهم:

- توبوا إلى ربكم، واعلموا أن لله في هذه الأرض أنبياء من الإنس، وشياطين من الإنس.

قال كلمته الأخيرة وهو ينظر ناحية جينون الذي انقبض على نفسه برعب، فأكمل إدريس:

- واعلموا أنه سيخرج من نسل هذا الأعور رجل هو أصل الشرور كلها، فلا يغرنكم كما غركم أبوه الأعور.

ولم ينسَ أحد من أهل هينار ولا أتلانتيس هذا اليوم، يوم رُفع النبي إدريس إلى السماء.

**** تمت ****

يقول البوني:

- ورث تلاميذ إدريس الألواح الزمردية بكل ما فيها من الفَلَك والطب وعلم الحروف والفتوحات النورانية، وعادوا إلى مدينتهم الكبيرة عدن، وأصبحوا يُلقَّبون بأبناء الزمرد، وحافظت أجيالهم على تلك العلوم، وظل خاصتهم يتوارثونها جيلًا بعد جيل. كل الأديان والحضارات الكبرى مجَّدت إدريس، فهو في التوراة أخنوخ، الرجل الذي أوتي كل العلوم، وله ثلاثة أسفار سرية عند اليهود، وعندنا في الإسلام هو نبي عظيم نزلت عليه ثلاثون صحيفة مقدسة، أما المصريون القدماء فاتخذوه إلها وسموه «تحوت»، وقالوا إنه كتب العلوم كلها في ثلاثين كتابًا لا يطَّلع عليها إلا كبار الكهنة، وكانوا يضعونها في قدس الأقداس في المعابد وعدّوها كتب علوم خفية عالية تجعل صاحبها أعظم كاهن متمكن في دولة الفرعون.

166

اليونانيون كذلك اتخذوه إلها وسموه هرمس الهرامسة العظيم، وقالوا إنه كتب فلسفته الهرمسية في ثلاثين صحيفة منها الكيباليون وألواح الزمرد التي اشتهرت بأن فيها عبارات قصيرة تخاطب العقل اللاواعي ولا يفهمها إلا الصفوة الصافية من البشر، والغالب أنها تخاطب الروح فيفهمها كل شخص فهمًا مختلفًا عن الآخر و...

قاطعه لويب قائلًا:

- هذه الحكاية التي ذكرتها عن إيزيس وابنها الأعور هي نفسها أسطورة إيزيس وزوجها أوزيريس وابنهما الأعور حورس، والكل يعلم أنها حكاية خرافية.

نظر إليه البوني بعيون مرعبة وقال:

- أنت إذا كنت في مجلس العلم لا تحرك لسانك قبل أن آذن لك.

لم يدرِ لويب بماذا يرد على هذا الطيف الذي يحدثه، واستمر البوني ينظر إليه وعينه تقطر بالغضب ثم قال:

- لمّا فكَّ الفقيه الصوفي ذو النون المصري رموز لغة المصريين القدماء التي يكتبون بها على جدران معابدهم.. عرفنا حكاية حورس وأمه، ولو سألتك يا عديم الأدب من أين أتى المصريون بهذه الحكاية لسكتَ لسانك جهلًا.

ظلَّ البوني ينظر بالشر إلى صمت لويب، ثم قال:

- كتب المصريون أن الإلهين «جيب» إله الأرض و«نوت» إلهة السماء بعد أن غضب عليهما الإله الأكبر رع وفرقهما، تزوجا وأنجبا ابنهما الأكبر أوزيريس الذي اشتُهر بالزراعة، وأنجبا بعد ذلك أخته الجميلة إيزيس ثم أنجبا أخاه «ست». تزوج أوزيريس أخته إيزيس، ثم كان شخص اسمه تحوت يعيش في عصرهم، استعانت به لأنه أوتي كل العلوم والحكمة. هذه في الحقيقة هي قصة آدم نفسها في التوراة التي تقول إن آدم «جيب» وحواء «نوت» تزوجا وأنجبا

ابنهما الأكبر كين «أوزيريس» الذي كان بارعًا في الزراعة، وتزوج أخته «إيزيس»، وأن هناك حفيدًا له أوتي كل العلوم والحكمة عاش في عصرهم اسمه إخنوخ «تحوت».

قال له لويب:

- وأين «ست» الذي حارب أوزيريس وأين حورس الأعور، لا أراهما في حكاية التوراة؟

قال البوني:

- رغم أن الكتب المقدسة الرسمية لم تذكر شيئًا عن أي أخ حارب كين يومًا.. فإن مخطوطات اليهود غير الرسمية تحكي عن ابنٍ آخر لآدم اسمه تيمنور، شنَّ حربًا بأسلحة ثقيلة على كين وبنيه، بل إنه هزمهم وسيطر على بلادهم، هذا هو «ست»، وقالت المخطوطات إن إدريس «تحوت» كان يعيش في زمن تلك الحرب بين الأخوين.

قال لويب وقد بدأ يقتنع:

- وحورس؟

ابتسم البوني وقال:

- إذا كان أوزيريس هو نفسه كين فابنه الأعور حورس هو ابن كين الأعور جينون، وقد كُتبت قصة جينون بالكامل مفصلة في مخطوطة وجدت مكتوبة باللغة العربية قبل بعثة النبي محمد اسمها «صراع آدم وحواء والشيطان»، وجينون الأعور هذا أخطر من الشيطان، ورث عن أبيه كين أسرار علوم البناء والزراعة، ورغم الدماء التي نالت من هينار في عهده فإن العلم فيها قد ازدهر، ولمّا مات جينون ورث تلامذته تلك العلوم كلها.

قال ليوبولد باهتمام بالغ:

- وأين ذهبت علوم إدريس التي ورثها تلامذته وعلوم جينون التي ورثها تلامذته؟

سكت البوني ونظر إلى الأرض طويلًا وقال دون أن يرفع رأسه:

- خرج جنس وحشي من البشر لم تشهد الأرض يومًا غزوا مدينة هينار بعد أعوام من موت جينون وورثوا علومه ثم أبادوا البشر في مدينة شيلون وفي النهاية عقدوا العزم على أن يحصلوا على علوم إدريس من قلب مدينة عدن ولو دهسوا كل إنسان يمشي على أرضها، جنس من عمالقة أوغاد نُزعت الرحمة من قلوبهم وأرواحهم.

قال لويب:

- هل قلت عمالقة؟

قال البوني:

- المذبحة التي قام بها هؤلاء العمالقة الرعاع للحصول على تلك العلوم وُجِدت مدونةً في كتابات أبناء الزمرد، وهي تحكي ملحمةً أبطالُها أَشخاصٌ تنسيهم الزمان، رغم أنهم كانوا السبب في وجودنا نحن البشر.

أخرج ليوبولد خلسة من جيبه المجموعة التالية من الأوراق ونظر إليها سريعًا، رسوماتها وحدها قبضت قلبه.

الورقة الأولى كانت ورقة الاختيار، وفيها رجل أسود وآخر أبيض يظهر وجهاهما عند شجرة كبيرة تحتها ثلاثة قبور.

الورقة الثانية فيها فارس مرعب المنظر يتهيأ لاقتحام قلعة ما.

الثالثة تمثل رجلًا راميًا يرمي سهمًا بيأس وهناك قذائف كثيرة تحيط به.

الورقة الأخيرة هي ورقة النسر وفيها نسر رهيب ينقضُّ على شيء ما بافتراس.

5

أصحاب الظل الطويل

5500 قبل الميلاد

KNIGHT OF SWORDS
EAGLE

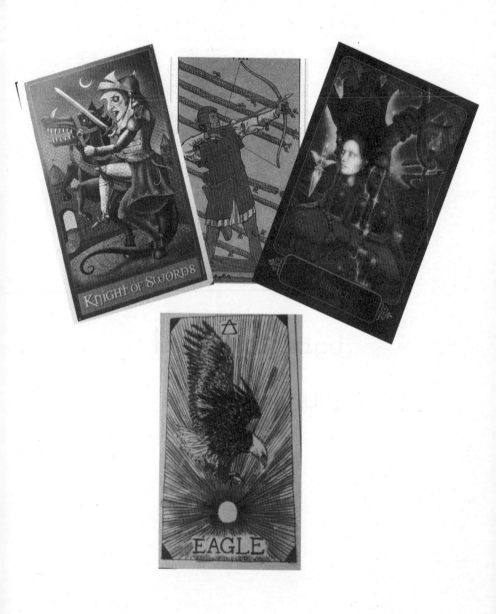

صوت كارثة يقترب من المدينة، ولا أحد منهم يسمع..

خرجت الحيوانات من جحورها ونظرت لأعلى ثم هرعت لتدفن نفسها في الجحور بذعر.. ذرات التراب تهتز فوق الأرض، ولا أحد منهم يحس..

ظلال ذات رؤوس وأجساد طلعت على بيوت مدينة شيلون جنوب أتلانتيس، ولا أحد منهم يشعر..

ذلك البيت في أطراف شيلون كانت تعيش فيه تلك العائلة، ولا أحد منهم يهتم..

خارج نافذة ذلك البيت ظهرت عين، حجمها يقترب من حجم النافذة، عين تنظر في شهوة، عين بشرية..

لا أحد منهم يرى، متكئين على أرائكهم منشغلين في شؤونهم، حتى اهتز البيت، تجمدوا أماكنهم ونظروا إلى السقف فوق رؤوسهم في قلق، ونزلت الكارثة..

وفي غفلة من أبصارهم، ارتفعت نوافذهم، وارتفعت جدرانهم، بل ارتفع بيتهم كله، هو اقتلعه من تحت الأرض، وهو نكس البيت رأسًا على عقب كأنه يقلب صندوقًا، ثم أنزله فوق رؤوسهم فسحقهم قبل أن يخرجوا صرخة واحدة..

رفع رأسه إلى السماء، وصرخ صرخة هائجة، كانت نذير الكارثة، كل من حوله صرخوا لصرخته كأنهم ضباع، لكنهم كانوا مثله على نفس هيئته، بشر، بعيون مخمورة، وطول عملاق لا يمكن أن يصدق، حتى أن بيوت البشر العاديين لا تصل منهم حتى إلى الركبة.

173

كنت أنا وسط كل هذا أنظر وأرى كل شيء بوضوح، لو أنه يوجد شيء على الأرض يمكن أن يسمى كارثة فهذا هو، عمالقة جبابرة، قد بلغوا الجبال طولًا، كل شيء فيهم بشري، تجتاحهم شهوة الدم، يضربون الأرض بأرجلهم فتهتز، نصف عراة، كلما نظرت في جهة أجدها قد سُدَّت تمامًا بوجوههم.

طلع أهل شيلون يركضون في كل مكان بلا هدى، يصطدم بعضهم في بعض، وبدأت رائحة الدم تزكم أنفي. مشاهد رأيتها ولم تُمحَ من داخلي، جثث من البشر تُسحق على الأرض ثم تُرمى في السماء، يرمونها إلى بعضهم كأنها دُمى، ودماء الجثث تمطر على الرؤوس، أصابتني بقعة من الدماء في وجهي فمسحتُها بتقزز وأنا أتراجع، أنا أعرف عددهم، ولو أخبرتك لفُجع قلبك، لم يكن هذا هجومًا عاديًّا بل مُدبرًا، كانت صفوف العمالقة لا تنتهي إلى مد بصرك.

في وسط مدينة شيلون سالت الدماء من كل شيء على كل شيء وصبت في نهر النيل الكبير، فاصطبغت مياهه باللون الأحمر، ما زلت أذكر تلك المرأة التي حملها أحد العمالقة وعينه تقطر قذارة، ويا إلهي! حتى الذكرى لا يمكن أن أذكرها، لكنه هرس عظامها في النهاية. وذلك الرجل الضعيف الذي كان يتراجع على الأرض وهو ينظر بيأس، ثم أخذ سكينًا وطعن نفسه في رقبته، لئلا يرى ما رآه غيره. وذلك الطفل، الذي ابتسم له ذلك العملاق وهو ينحني بطوله الرهيب ويمد يده ليدغدغ الطفل ثم حمله، والطفل قلق لا يدري أيسعد أم يخاف، وأمه تصرخ ولا يسمعها أحد، فتحولت ملامح العملاق لشكل مُختلّ، ثم أخذ الطفل وأسقطه في النهر.

صرخات ظلت تهز أوتار السماء وتبكي لها عيون الأرض حتى خمدت شيئًا فشيئًا ثم سكتت ولم يبقَ إلا غبار عجَّج في الأجواء وظلال عمالقة تهيم في الطرقات. لقد فرغوا من شيلون، مئة ألف إنسان فُتك

بهم وتمددوا في دمائهم، ونظر العمالقة إلى جهة المدينة الأهم والأكبر، مدينة عدن.

****

«الكوابيس يبدأ منها كل شر».

****

تحت ضوء القمر رأيتُ وجوههم، كانوا زمرة من العمالقة تحت جبل آريان يلفُّهم جو من السواد، اجتمعوا لأمر كبير.. لكنني لا أعلم ما هو، فظللت أراقب، أحدهم ذو وجه نحيل وشعر طويل واسمه «ناريمان»، سمعته يقول:

- أتعلمون.. لقد رأيت اليوم رؤيا عجبًا، لوحًا مغموسًا في الماء يصعد إلى السطح ومكتوب عليه بعض الأسماء، لم ألحظ منها إلا سام وحام ويافث.

انتفض عملاق آخر أصلع بجواره كأنما أصابته صاعقة وقال:

- أنا رأيت هذه الرؤيا نفسها، أقسم أنني رأيت هذه الرؤيا نفسها.

نظر إليه ناريمان وقال:

- «باراكا» أيها القميء لا تقلدني.

قال له زميله باراكا:

- أقسم أن...

قاطعهم عملاق آخر أتى من وراء الشجر، كان ذاك كبيرهم «ماهواي»، أسود البشرة جدًّا، بشع الملامح، ذو شعر مفرود أسود طويل، قال لهم:

- أما أنا فرأيت أعجب مما تصفون، رأيت نفسي على قمة جبل يعلوه السحاب، وبينما أنا أنظر إذ نزل لي من بين السحاب إدريس، النبي القديم، مددت يدي إليه لكنه أعرض عني.

ثم نظر إلى القمر وقال:

175

- كلها أضغاث أحلام حمقاء، لو علم إدريس أنّا ذاهبون لنأخذ ميراثه من أرض عدن لوضع يده في يدي حقنًا لدماء أحفاده، دعكم من كل شيء وتذكروا شيئًا واحدًا؛ موعد التنفيذ.

أما أنا فبقيت أرتجف وراء الشجر ولم أُظهِر نفسي لئلا يفتكوا بي، هذا الملعون يتحدث عن النبي إدريس بالسوء، أنا أيضًا رأيت رؤيا لنبي.. لكنني لم أعرف من هو.

«رأيت إنسانًا ذا شعر ذهبي مبلل طويل، ورداء حسن، ووجه كأن نوره أجمل من القمر، والناس حوله وهو ينحني على جثة رجل ميت، وما إن مسَّ البهيُّ جسدَ الرجل الميت، قام من الموت».

لم أكن أفهم شيئًا في تعبير الرؤى، ولم أعتنِ بهذا كثيرًا، إلا بكلمة واحدة قالها ماهواي، موعد التنفيذ، هؤلاء يخططون لمجزرة أكبر من مجزرة شيلون، مجزرة تتعلق بميراث إدريس.. إن مدينة عدن ستتنزل عليها الجائحة كما نزلت على شيلون.. جائحة العمالقة.

****

«انثر الزهر الجميل قبل أن يذبل كل شيء».

****

كل شيء في كياني يركض، لم يعد لديَّ وقت، إنهم سيبيدون عدن على بكرة أبيها كما أبادوا شيلون، لا بد أن أُنذر أهل عدن، هل تريد أن تعرف من أنا؟ لكن أرجوك لا تكرهني، أنا العملاق «سهم»، من جنس العمالقة، لكنني وكثيرًا غيري لا يرضون عما يفعله بنو جنسي بزعامة ماهواي الأسود، لا أدري ماذا ستفعل عدن لرد اجتياح آلاف العمالقة، كل ما استطعت أن أفعله هو أنني أقنعت العمالقة ألا يغادروا مدينة شيلون حتى يدفنوا جميع الجثث، فإنها إن بقيت على الأرض استحالت المعيشة في المدينة، وكذلك إذا رُميت في النهر ستفسده، هذا سيؤخرهم أسبوعين

على الأقل، فلديهم عشرات الآلاف من الجثث، ابتلعت ريقي بصعوبة وأنا أذكر هذه النقطة.

نظرت إلى نهر النيل الذي كنت أركض بجواره متجهًا إلى عدن، يا للسماء! إنه لا يزال أحمر، هذا يعني أن القوم مذعورون هناك في عدن؛ فسيعرفون بسهولة أنه لون دماء. بدت أمامي مدينة عدن الجميلة فدخلتُها وسط فزع أهلها ووقفت في منتصفها وكانت جميع بيوتها قصيرة جدًّا بالنسبة إليَّ، خرج إليَّ أكابرهم وأصاغرهم يمشون وأمامهم ملكهم «ود» العظيم الأشيب ذو الجسد المفتول واللحية البيضاء الطويلة.

أخبرتهم بكل شيء والدموع تتساقط من عيني بلا حساب، أخبرتهم أن يهربوا ويتركوا المدينة، لكن ردة فعل ملكهم أدهشتني، كان رجلًا قويًّا حازمًا، رفض أن يغادر أرضه، بل قال إنه سيُدفن فيها، ووجدت كثيرًا من الناس حوله يشدون من أزره، ما هؤلاء بالضبط؟ هل هم حمقى؟ حاولت أن أشرح لهم ما رأيته بأم عيني من دماء، لكن كان همهم هو الوقت.

- كم بقي أمامنا من الوقت، وكم عدد العمالقة؟

قلت للملك إن عشرين ألف عملاق على الأقل سيجتاحون هذه المدينة ويشربون دماء أهلها، وإن أمامه أسبوعان على الأكثر، وإن عليه أن يُخفي ميراث إدريس وعلومه في مكان لا يصل إليه شيطان، صاح أحد رجال الملك:

- فلنبنِ سورًا عاليًا طويلًا حول المدينة كلها، فإذا أتوا لم يقدروا على تجاوزه، وإننا في عدن كثيرون جدًّا، لو جعلنا الرجال منا يعملون معًا ليل نهار سنبني ذلك السور في عدة أيام فقط.

نظر الملك وملامحه تقطر حكمة وقال:

- جيد، لكننا لن نبني سورًا، فالسور يمكن أن يكسره العمالقة ويَنْفُذوا منه.

177

- وماذا سنبني إذن؟

- حفرة، عمقها يزيد على خمسين مترًا، إذا نزل فيها العمالقة حُبسوا فيها.

جاء صوت أنثوي عالٍ من مكان ما، فنظرتُ فوجدت امرأة تمتلئ بهاءً وشبابًا تقول للملك:

- سيدخلون من النهر يا أبي شئنا أم أبينا، فنهر عدن يخترق أرضنا وهو قادم من شيلون، سيسبحون فيه وسنجدهم أمام وجوهنا.

كانت تلك الأميرة «سواع»، ابنة الملك «ود» ووجيهة القوم، وعلى الرغم من دهشتي من إصرارهم على المواجهة، فإنني أُعجبت حقًّا بعقولهم. قال «يغوث» وهو شاب شديد الوسامة والقوة في الجسد وكل شيء فيه يقول إنه محارب:

- يمكننا أن نصنع سهامًا كبيرة ذات قوس عظيم يشدها ويرميها راميان أو أكثر فنضربهم بها إذا سبحوا في النهر.

قال «يعوق» وهو أمير المياه في مدينة عدن، أصلع الرأس أزرق العينين:

- سيغوصون في النهر وسيخرجون لنا من كل مكان، سيدي لا يوجد إلا حل واحد، أن نسد النهر كله.

نظر إليه الملك بتعجب، فقال «يعوق»:

- نعم سيدي، لنجعل فريقًا من ألف شخص على الأقل يأتي بصخور من الجبل ويلقيها بانتظام هاهنا في النهر حتى نسده، ثم نبني فوق تلك الصخور سدًّا عاليًا.

جاء صوت ساخر هازئ يتحدث ببحة غريبة، كان رجلًا أسمرَ مشعرًا عليه سمات اللهو، قال بلامبالاة:

178

- سيرفعون أحجار السد حجرًا حجرًا، حتى يعود سريان النهر ويخرجون علينا كأفراس النهر ويلتهموننا كلنا.

وتجرع بعدها زجاجة خمر كانت معه ومسح فمه بلا اكتراث، كان ذلك هو «نسر»، لا أدري ما وضعه بالضبط، لكنه من عائلة الملك بطريقة ما، قال له يغوث بغضب:

- لم يبقَ إلا المخمور حتى يفتينا في أمرنا.

قال «نسر» وهو يرفع زجاجته:

- هذا الخمر الذي تستهزئ به، هو الذي سيخلصكم من هاته الوحوش الطوال.. وإلى الأبد.

نظر إليه الجميع نظرة من يريدون ضربه على رأسه ليصمت، لكن لمّا سمعوا ما لديه، وجِلت قلوبهم وعيونهم، لقد كان «نسر» هذا يملك عقل شيطان.

****

«بأي سيف ضربتَ الأعمى فلن يلحظه».

****

- ما شأنك يا سهم؟

وقفتُ أمام البغيض ماهاواي وقلت له:

- سيدي لقد ذهبتُ لأستطلع أمر عدن، إن مياه النيل قد أصبحت حمراء من دماء شيلون، وقد وصل إليهم احمرارها، أخشى أنهم يستعدون لقدومنا بطريقة ما.

قال العملاق باراكا بأسنانه القذرة:

- يا لغباء هؤلاء القصار، يبدو أن عقولهم تصغر كلما صغروا.

ابتسمتُ مجاراة لسذاجته وتجاهلتُه وقلت للزعيم الأسود:

- سيدي، إن أردنا أن نقضي عليهم في غارة واحدة علينا أن نوزع أنفسنا وندخلها من كل شبر من أرجائها من شرقها إلى غربها، أما إن دخلنا من مكان واحد فقد يكونون جهزوا شيئًا لا ندريه، وعدن كما تعلم مدينة كبيرة جدًّا وليست صغيرة مثل شيلون.

أومأ القبيح بوجهه بتفهم، وأمر عمالقته أن يُنفِّذوا، ولم تمضِ أيام حتى انطلقت قوافل عمالقة «النيفيلوم» لاستئصال كل بشري باقٍ على صفحة الأرض، و«نيفيلوم» كلمة في لغتنا تعني «القاهرون»، ووزعوا أنفسهم بالفعل وتوجهوا إلى عدن من كل أرجائها، فكانوا صفَّين طويلين جدًّا من العمالقة يقتربون من حدود عدن بخطوات تهز الأرض. خطوة وراءها خطوة يمشون رافعي رؤوسهم تغمرهم الشهوة، لا تدري أهي دماء بشرية التي تجري في عروقهم أم ماذا، ولمّا وصلت أقدامهم إلى نقطة معينة، لم يدرِ أصغرهم ولا أكبرهم إلا وقد حلت بهم الفاجعة، لم تأتهم من أمامهم ولا من خلفهم، بل أتتهم من تحتهم، فجأة ودون مقدمات، ابتلعتهم الأرض.

فكرة أضافتها الأميرة سواع على خطة حفرة الملك «ود» وفكرة «نسر» الشيطانية، وهي أن الحفرة العميقة التي حفرها أهل عدن بسواعدهم حول عدن تُغطَّى بتمويه يشبه العشب والأرض، حتى إذا خطا فوقها العمالقة سقطوا بثقلهم في الحفرة، كنت أنظر إلى وجوه النيفيليوم في تلك اللحظة، كيف غلب العقل شهوتكم؟ رأيتهم يتقلبون متكومين بعضهم فوق بعض داخل الحفرة، ثم جاءت فكرة الشيطان، «نسر». وجد العمالقة الساقطون في الحفرة أن الأرض التي سقطوا عليها يغمرها سائل عجيب له رائحة، ثم رأوا الكارثة تأتي من فوقهم، آلاف من المشاعل ترمى عليهم من الأعلى، انتفضت حدقات عيونهم برعب ولم يفهموا، كان السائل الذي أسفلهم هو خمر.

لقد جُنَّ «نسر»، ففي الأيام السابقة جمع كل العنب الذي في عدن والتين والرمان وصنع أطنانًا من الخمر، وأمر الناس بصب آلاف البراميل داخل الحفرة حتى صنعوا جدولًا من خمر يسيل في الحفرة تجهيزًا

للعمالقة، وفور أن سقط العمالقة في الحفرة وألقى عليهم أهل عدن المشاعل، اشتعل الأخدود كله بعمالقته. صاح «نسر» بسخريته المريرة:

- عسى أن خمري أعجبكم، لقد صنعت أطنانًا منه، فقد علمت أن بطونكم القذرة كبيرة جدًّا.

صرخات شخص يحترق هي حقًّا شيء مؤلم سماعه، فما بالك لو آلاف؟ بلغ من صوت صرخاتهم أن الحيوانات هربت، وانتصر أبناء عدن، فقط في تلك الجولة، فلم يسقط كل العمالقة في الحفرة، بل نحو نصفهم، ومن بقي لم تشتعل النار في أجسادهم بل في قلوبهم، وكان هذا يعني انتقامًا أليمًا لا يُبقي ولا يذر. ولما خمدت نار الأخدود وانقشع الدخان الأسود، سمعنا فجأة خطوات سريعة تركض بقوة على الأرض، فنظرتُ فإذا العملاق الأسود ماهاواي يركض بكل ما في نفسه من غِلٍّ حتى حافة الحفرة ثم قفز كالظل، واتسعت عيناي، قطع ماهاواي بقفزته القوية الحفرة كلها وسقط على جانبها الآخر في أرض عدن، وصرخ بكل ما فيه من غضب وحنق، فركض مئات من العمالقة وراءه، بل آلاف، يقفزون القفزة الطويلة نفسها، نعم لقد حسب أبناء عدن كل شيء، لكن كان المفترض أن يجعلوا الحفرة أعرض من هذا، لئلا يقطعها قافز ذو جسد قوي جدًّا مثل هؤلاء، لم تكن غلطة عادية، بل كانت هي الموت.

****

«أينما توجهتم، فثمَّ وجه الموت».

****

عمالقة يهبطون كالشُّهب على الجهة الأخرى من الحفرة، وعمالقة لم يقدروا لعدم لياقة أجسادهم، وآخرون أوصلتهم قفزاتهم إلى أن يتعلقوا بحافة الحفرة بأياديهم الضخمة ويحاولون الصعود. وعلى الحافة كانت تحدث ملحمة من غضب وبطولة ودم، عمالقة جبارون أعماهم الغضب أخذوا يسحقون كل من اصطف من البشر قرب الحافة، والبشر اليائسون يضربونهم بسيوف صغيرة كانوا يحملونها سرعان ما تكسرت على

سيقان العمالقة، فتركوا أغمادها وأصبحوا يركضون فزعًا في كل اتجاه، وانطلق بشر آخرون بشجاعة نادرة يحاولون ضرب أيدي العمالقة الذين يحاولون التعلق على الحافة، لكن هؤلاء دفعهم العمالقة من خلفهم في الحفرة فسحقهم الذين بالأسفل. رأيت العملاق باراكا الأصلع القبيح يمد يده وسط الملحمة ويلتقط البطل «نسر»، ليتك نظرت إلى وجه باراكا الغاضب ووجه «نسر» الساخر رغم أنه في قبضة مميتة، صاح «نسر»:

- مرحى يا ذا الأسنان القبيحة، خذني وتنزه بي قليلًا.

بدأ باراكا يضغط بقبضته على «نسر» ليسحقه، فبدأتُ أنا أتحرك لإنقاذ «نسر»، لكنني فوجئت بـ «نسر» يُخرج من ملابسه زجاجة خمر ويُشعل مشعلًا صغيرًا في يده ويضعه في الزجاجة، ثم يرميها في فم باراكا القذر، الذي رمى «نسر»، وفقد توازنه وصرخ بألم والنار تشتعل في فمه، سقط «نسر» على ظهره، ونطق بعض السُّباب الذي لم أسمعه. نجح نصف العمالقة الناجين من الاحتراق في تجاوز الحفرة ونزلوا إلى أرض عدن ليسيحوا فيها فسادًا، والتفتَ العملاق الأسود ماهاواي إلى من لم يستطع العبور وقال:

- لا تتحركوا من مواضعكم أنتم وترهلاتكم الحقيرة، اصنعوا جسورًا والحقوا بنا، أمامكم نصف يوم، لأنه لن يأتي الليل إلا وقد محونا جنسهم من فوق الأرض.

واستدار لينضم إلى العمالقة، أول ما لاحظه هو عدم وجود أي أحد من أرض عدن بالجوار. وعلى غفلة رأى العمالقة سهامًا صغيرة تنطلق إليهم من مكان ما، فنظروا بغضب ليجدوا مجموعة ضخمة من البشر داخل مجرى نهر النيل داخل عدن، الذي صار جافًا بعد صنع السد. قفزت لهم في المجرى مجموعة كبيرة من العمالقة الغاضبين فجرى البشر منهم والعمالقة يجرون خلفهم، وبالطبع سرعة العملاق خمسة أضعاف سرعة البشري، فلم يكن اللحاق بهم مشكلة، لكن اتضح أن هناك حفرة طويلة بعرض مجرى النهر سقط فيها البشر الراكضون جميعًا، قطَّب ماهاواي جبينه وكأنه قد لاحظ أمرًا فصاح فجأة:

– أيها الحمقى عودوا.

لكن الوقت كان قد فات، لمعت صلعة «يعوق» وبرقت عيناه الزرقاوان وهو يصرخ:

– الآن يا سهم.

هنا كان دوري قد أتى، أخذت أسحب حبلًا طويلًا ويسحبه معي مئات من البشر، أتدري ما كان ذلك الحبل؟

«يعوق» أمير الماء، لمّا صنع السد.. جعل طبقة من طبقاته الداخلية قابلة للتحريك حتى إذا سُحِبت بالحبال ينهار السد كله، وهذا ما حدث، ففي غفلة من العمالقة جميعًا انهار السد على نفسه وهجمت مياه النهر في فيضان رهيب على المجرى. كانت الحفرة الطولية التي صنعها أهل عدن في وسط المجرى ضيقة، يمكن أن يخرج البشر منها إلى أطراف النهر، فنجوا من الفيضان، في حين أن مئات من العمالقة ضربتهم مياه نهر النيل في وجوههم فقلبتهم على أعقابهم وأصبحوا ينحدرون مع النهر الطويل بعيدًا، ولم يتوقف بهم إلا بعد عشرات الأميال، وقد تركهم غرقى تطفو أجسادهم وتتكوم على بعضها.

كانت عقول البشر تنتصر، عقول تشربت بعلوم إدريس فصنعت باستخدام تلك العلوم حصونًا لا قِبل لأحد بها ولو كان طوله كالبرج، ومع كل انتصار يحرزونه، كانت ثورة العمالقة تزداد، حتى وصلت أشُدها، وأخرج العمالقة من ظهورهم سيوفًا، وبعضهم أخرج أسواطًا، وأصبحوا يفتشون عن البشر بقسوة ووحشية في كل مكان ويقلبون ويهدمون كل بيت، وأقسموا إن وجدوهم ليكوننَّ انتقامهم مريعًا.

****
«إذا نزل العذاب، لم يفرق بين شقي وسعيد».

****

ما زال آلاف العمالقة من جنس النيفيليوم البغيض يمشون في أرض عدن عازمين إعدام الجميع، ومن طرف بعيد أتى إلى الأسماع صوت

نسور التيراتورن الضخمة، نظر العمالقة فإذا سرب عظيم من النسور قادم، وليس هذا ما جعلهم يفغرون أفواههم من الدهشة، فهم يعرفون نسور التيراتورن، لكن تلك النسور كان فوقها بشر، بعضهم يقف على ظهورها وبعضهم يمتطيها، تقودهم جميعًا الأميرة سواع التي كانت واقفة بتحدٍّ على ظهر نسر في أول السرب.

كان من رحمة ربك بالبشر أنهم كلما صغروا في الحجم، صغرت معظم أجيال الحيوانات التي تعاصرهم، وتبقى بعض الكائنات على حجمها، مثل نسور التيراتورن التي بقيت عملاقة منذ أيام آدم، لكن البشر تعلموا من ميراث إدريس كيفية ترويضها وامتطائها، طار السرب فوق رؤوس العمالقة وتجاوزهم كأنهم غير موجودين، أو كأنهم يريدون موضعًا آخر، استدار بعض العمالقة ليلحقوا بالسرب فصاح فيهم ماهواي:

- قفوا أماكنكم، إنها خدعة جديدة.

وضرب بسوطه في الهواء بغضب وهو يقول:

- لا تتبعوهم، استمروا في البحث عن ذلك الجنس السافل، أينما اختبؤوا أخرجوهم، ثم قطعوهم إربًا.

قادت الأميرة سواع سربها من النسور إلى موضع آخر، الحفرة الطويلة، حيث كان يصنع العمالقة المترهلون تلك الجسور بسرعة ليلحقوا بأصحابهم، ثم توقفوا بعد انهيار السد وبدؤوا يخرجون من الحفرة استعدادًا للاقتحام من النهر، لكنهم من بين عرقهم نظروا إلى الأعلى فوجدوا أسرابًا من النسور فوق رؤوسهم، وقبل أن يتساءلوا، أصدرت سواع إشارتها ففرد البشر الذين على ظهور النسور شباكًا ضخمة وأسقطوها على رؤوس العمالقة الذين ما زالوا داخل الحفرة، كانت شباكًا ضخمة الحبال صنعتها نساء عدن، أخذ العمالقة يضربون بأيديهم ليتخلصوا منها، وكلما تحركوا تعقَّدت عليهم أكثر، وفي تلك اللحظة، عمل «يعوق» حيلته الأخيرة.

كان قد فتح وصلة بين مجرى النهر والحفرة الطويلة، وأغلق الوصلة بسد صغير، ولمّا نزلت الشِّباك على العمالقة، حان الوقت، ففرقع بإصبعيه ففتح الرجال الوصلة، فانهالت مياه النهر على الحفرة يمينًا وشمالًا، وصرخ العمالقة بأصوات مقهورة وحبستهم الشباك ومنعتهم عن السباحة وعن التفكير. غرق كل العمالقة الذين كانوا في الحفرة ولم يبقَ إلا من كانوا فوق الحفرة، لكن هؤلاء لمّا رأوا المصيبة فجعوا وهربوا من الخوف. وفي الداخل كان العمالقة المسلحون يجوبون أنحاء المدينة بتوعد، ساعات طويلة مضت وهم يبحثون هنا وهناك، وينتقلون من حي إلى حي، حتى وصلوا إلى حي ماتاريمون قرب الجبل، وهناك وجدوا البشر، وكان القصاص.

****

«ملاذك الأخير سلاحك الذي صنعته بيدك».

****

اعتاد البشر منذ جيل آدم أن أجيالهم التالية تنقص في الطول، فكانت المدن تُبنى فيها بيوت عملاقة، ثم يأتي الجيل التالي فيهدمها ويبني بيوتًا أقصر، حدث هذا في هينار وشيلون وفي عدن أيضًا، لكن أهل عدن تركوا مساكن القدامى؛ آدم والأنبياء من بعده حتى إدريس، لأنها بالنسبة إليهم مساكن مقدسة، وكلها كانت في حي ماتاريمون، وكان حجم تلك المساكن عملاقًا مثل حجم مساكن العمالقة. والحقيقة أن جميع أهل عدن بلا استثناء دخلوا في تلك المساكن وتكدسوا، لأنها أصعب في الهدم على العمالقة من المساكن الصغيرة الأخرى. وصل العمالقة إلى حي ماتاريمون، البيوت كبيرة وكلها مغلقة وأبوابها مدعمة بالحديد، فعرفوا أن أهل عدن يختبئون بالداخل، وما هي إلا صرخة واحدة من ماهاواي وانطلق العمالقة بقوة الغضب والثورة. لكن البشر كانت لديهم عقلية عسكرية فذة اسمها «يغوث»، شاب صنعت هذه الأيام أسطورته، وسمَّته الحضارات التالية أبولو، فجأة انفتحت نوافذ المساكن وبدا ما بداخلها.

كنت ترى خمسة رجال، في كل نافذة يمسكون بأداة كأنها قوس ضخم وسهم عملاق يمكن توجيهه، ثلاثة منهم يشدون القوس، وواحد يضع السهم الضخم، وواحد يوجه السلاح، كانت مفاجأة أن تنفتح النوافذ كلها ويظهر هؤلاء ثم ينطلق وابل من السهام العملاقة القاتلة فتخترق أجساد الصف الأول من العمالقة، ولم يكن وابل السهام ينقطع لحظة، فصاح ماهاواي:

- التفوا من خلف المباني، حطموا الجدران.

وعلى الفور التفَّ العمالقة إلى وراء المباني وأخذوا حجارة ثقيلة من الجِّوار وبدؤوا يضربون بها الجدران بقسوة، وظهرت من فوق سطح المباني صفوف من الرماة البشر، يحملون سهامًا عادية صغيرة، أطلقوها كلها دفعة واحدة، ولم تكن سهامًا بريئة بل كانت مسمومة، وكانت بالنسبة إلى العمالقة كأنها إبر مسمومة اخترقت لحومهم وشلت أعصابهم، كان هذا هو المعقل الأخير لأهل عدن، فإن استطاع العمالقة اختراقه، ستحدث إبادة عرقية حقيقية، صاح ماهاواي بسرعة:

- تراجعوا، تراجعوا فورًا.

ورجع العمالقة إلى الوراء بسرعة وهم ينظرون إلى البشر المصطفين بسهامهم في النوافذ والأسطح، أي عقلية يملكها هؤلاء بالضبط! جاء أحد العمالقة إلى ماهاواي وقال:

- سيدي، لقد غرق أغلب العمالقة الذين كانوا يبنون الجسور، وهرب بقيتهم.

اشتعلت عين ماهاواي بغضب في وجهه الأسود وقال:

- كيف غرقوا؟

همَّ العملاق أن يشرح، لكن ماهاواي أوقفه بإشارة حازمة وأخذ يعض على شفتيه، ثم قال:

- هؤلاء قد استعدوا لكل شيء كأنهم يعلمون تمامًا بقدومنا، في حين لم نكن نحن مستعدين، هذه نقطة تفوقهم الوحيدة.

ثم صرخ فجأة:

- لكن ليس بعد الآن.

ونظر إلى بيوت مدينة ماتاريمون وظهر في عينه كثير من الدهاء والكراهية، فأمر مجموعة من العمالقة وقال:

- عودوا إلى مدينتنا، وأحضروا قذائف النار الصخرية.

ثم قال وقد صارت ملامحه مخيفة جدًّا من بشاعتها:

- ستكون ليلتهم الأخيرة جحيمًا.

****

«إذا نزل الذكاء على وحش فقل على الأرض السلام».

****

إذا فكَّر الإنسان إما أن يكون تفكيره تدميرا وإما سلامًا، ولقد حاول الإنسان في عدن جميع الحيل حتى يبقى حيًّا ويحفظ نفسه وأهله، لكن في تلك الليلة، وبعد هدوء شديد من العمالقة حتى ظن أهل عدن أنهم قد انصرفوا، تشوش منظر السماء الصافي بوابل من صخر عظيم مشتعل نارًا كالحمم. صخور نارية حطَّمت الجدران وألهبت البيوت بالنار وحصدت أرواح الناس، عشرات الآلاف من أهل عدن خرجوا من مخابئهم والنار تلفح ظهورهم، وركض البقية وهم يعلمون أنها بضع خطوات ويلحقون بمن مات، صاح فيهم «يعوق» وردد وراءه أتباعه:

- إلى مساكنكم العادية يا أهل عدن، إلى مساكنكم، لا تبقوا في العراء هكذا، لا تفزعوا، سنعطل هذه القذائف.

ومن وسط سحب الدخان الأسود، وبينما كان الكل يركضون مبتعدين عن العمالقة، برز رجل واحد يركض في الاتجاه العكسي،

ناحية العمالقة، رجل بلحية بيضاء طويلة وجسد مفتول، كان ذاك الملك «ود»، وكان يتوجه مباشرة إلى نقطة واحدة، بل إلى عملاق واحد، الشيطان الأسود ماهاواي. لم يكن ماهاواي يعي أن هذا يمكن أن يحصل في العالم، برز له من الدخان ظل رجل صغير يركض، وبينما كان يفكر في استجابة مناسبة أخرج الرجل الصغير نصلين كبيرين، كان الملك «ود» يثبت للتاريخ أنه يستحق لقب ملك، أمسك الملك بين أسنانه سلسلة يعض عليها بأسنانه وانطلق إلى ما بين ساقي ماهاواي ثم فتح ذراعيه عن آخرهما وكل يد تمسك بسيف، أصاب النصلان أوتار ماهاواي، فثنى ركبتيه إلى الأمام متألمًا، وهنا حدث ما لا يُصدَّق.

صعد الملك على جسد ماهاواي، من الوتر إلى الركبة إلى الفخذ ثم غرز أحد النصلين في جانب معدة ماهاواي فأحنى ماهاواي ظهره إلى الأمام، لم يكن نصل كهذا ليقتله، لكن اتضح أن الملك «ود» لم يغرزه ليقتل، بل غرزه ليكون له دعامة في صعوده إلى الأعلى، إلى ظهره. كان الملك ما يزال متمسكًا بالسلسلة بين أسنانه، ولم يلبث إلا أن وصل إلى أكتاف ماهاواي، فرمى النصلين وأمسك السلسلة ودار بها على رقبة ماهاواي ثم رمى بالسلسلة وهو يصيح:

- سهم!

برزتُ أنا العملاق «سهم» وأمسكتُ بطرف السلسلة وشددتها بكل قوتي وأنا أتحرك مبتعدًا، وكان طرف السلسلة الآخر مثبتًا في أحد المباني الكبيرة، أصدر ماهاواي خوارًا كأنه عجل وهو يرفع رأسه للأعلى بألم ويختنق، حاول بعض العمالقة اللحاق بي لكن أتتهم سهام مسمومة من أسفل منهم، ولم تمضِ دقيقة واحدة حتى سقط البغيض الأسود على الأرض، ووثب الملك «ود» عنه بخفة لا تتناسب مع سنه.

سكوت تامٌّ عمَّ العمالقة، زعيمهم سقط كالثور بينهم، ونظر بعضهم إلى بعض، كانت لحظة تحتاج إلى كلمة واحدة لتثبط كل شيء أو إلى شرارة تفجر كل شيء.

وفجأة صاح العملاق ناريمان:

- اثأروا لزعيمكم يا رفاق، اثأروا لرفاقكم، اقتلوا الجرذان.

وخرجت السيوف من أغمادها والأسواط وأسلحة أخرى عجيبة أتوا بها من مدينتهم وارتفعت الأذرع تطلب الثأر، وعلت أصوات العمالقة.

****

«إذا عبثت بخلق الله، انقلب عليك خلق الله».

****

من أين أتينا نحن العمالقة؟

جاء في علم الأخلاط الذي كان يُعلِّمه إدريس، أن النسل الإنساني يقصر بانتظام بمرور الزمن، لكن كين لمّا خالف فطرة الله وصنع مدينة كاملة من زواج المحارم، أصبح نسله مليئًا بأصحاب التشوهات الغريبة الذين انغلقوا على أنفسهم ولم يكونوا يتزوجون من خارج هينار أبدًا، حتى جاء للمدينة أبناء الله الذين هم من النسل الفطري، وفي اللحظة التي اختلط فيها النسل الفطري مع النسل المليء بالتشوهات، حدث تشوه آخر في الأخلاط جعل فئة من أهل هينار لا يقصر طولهم بمرور الزمن أبدًا.

مرت السنون والناس تقصر وهؤلاء باقون، وفي الأجيال التالية حدثت مشادات بينهم وبين القصار رغم تعايشهم معًا، لكن جاء يوم مشؤوم خرج فيه عملاق أسود وكوَّن عصابة من العمالقة تسكن الجبال، وكبرت عصابته وقويت شوكتها حتى طغت على أهل هينار وأبادت الجنس القصير منهم، وبدأ نظره يتحول إلى شيلون، ثم إلى عدن.

وها هو الدخان ينقشع وآلاف البشر يركضون أمام أكثر من ثلاثة آلاف عملاق مسلح، وقد طوَّر العمالقة أسلحة خاصة بهم ليبيدوا بها القصار، مثل ذلك الحبل الذي في يد ذلك العملاق هناك، حبل في نهايته نصل حاد، انظر كيف يجز به الرؤوس جزًّا، وسيوف محوَّرة وأسواط،

كانت حقًّا مجزرة. هرع أهل عدن إلى البيوت وصاح فيهم «يعوق» وأتباعه:

- اختبؤوا تحت الأثاث.

البعض أسعفه الوقت ودخل البيوت قبل انقشاع الدخان، والبعض انقشع الدخان وهو قريب من البيت يحاول دخوله، والبعض كانت بيوتهم بعيدة فأخذوا يركضون في العراء، وهذا الفريق الأخير بالذات كان الأيسر، فانطلق خلفهم بعض العمالقة واشتغل البقية بهدم البيوت وإزالتها. سُفكت كثير من الدماء وهُدمت كثير من البيوت على رؤوس أصحابها وشربت الأرض دماء عشرة آلاف شهيد من أهل عدن. وفجأة ومن وراء الجميع أشرفت أصوات النسور الجارحة، نظر العمالقة خلفهم فوجدوا الأميرة سواع ومن معها فرغوا من نصرهم الأول ليدخلوا إلى مشهد الأحداث، وكانت مواجهة من نوع آخر.

****

«من يُروِّض النسر يُروِّض أي شيء».

****

ترويض النسور العملاقة كان وسيلة أهل ذلك الزمان في اكتشاف الأرض حولهم بسبب ثبات أجنحتها، كان مع «سواع» ما يزيد على ألف نسر، كل نسر على ظهره رجل يمسك سهمًا مسمومًا، ولم يكن قد بقي من العمالقة أكثر من ثلاثة آلاف، انقضَّت النسور فجأة عليهم من ورائهم وهي تفتح مخالبها الجارحة، وقبل أن تصل النسور إليهم كانوا وهم على ظهرها يطلقون سهامهم في وجوه العمالقة وصدورهم ورقابهم، وبدأ التشتت. سهام من فوقهم وسهام المشاة من خلفهم، خوار يتبعه خوار، وعملاق يسقط وراءه عملاق، والحق أن ضربة منقار نسر التيراتورن كأنها ضربة عشرة خناجر، تراهم يغرسون مناقيرهم في اللحم ويغمسون رؤوسهم بداخل الجسد فينتثر الدم، وارتفعت

191

أيادي البشر وصرخاتهم المنتصرة، والعمالقة يسقطون على ظهورهم ويجثون على ركبهم، وكثير من الأشياء تنغرز فيهم بين سهام ومخالب.

واهتزت عدن بضجة النصر، لقد كتبوا في ذلك اليوم ملحمة لا أظن أنها ستتكرر في التاريخ، لو نظرت إلى أرض عدن يومها لما رأيت الأرض من تكدُّس الجثث بين بشر وعمالقة، تنازعوا في حرب إبادة عرقية شاملة، وكتب ربك أن يغلب البشر. وبدأ قرص الشمس المذهول يهبط في السماء ويتحول إلى اللون الأحمر ليماثل لون النهر الذي تحته، ولون الأفق المصبوغ بالشفق، وخمسة من بني البشر ينظرون إلى ذلك المنظر بإجلال، وقد عرفوا أنهم اليوم قد أنقذوا البشرية بأكملها، خمسة كانوا مُخلصين؛ «وَد» و«سُواع» و«يغوث» و«يعوق» و«نسر»، وإلى جوارهم كنت أقف بتبجيل، أنا سادسهم، «سهم»، العملاق.

✳✳✳ تمت ✳✳✳✳

يقول البوني:

- كان اجتياح العمالقة هو أول محاولة للنيل من ميراث إدريس وعلومه، وقد باء الاجتياح بالفشل رغم المذبحة البشرية التي نتجت عنه، وانضمت هينار وشيلون إلى حكم الملك «ود»، وحُفظت تلك العلوم في أتلانتيس، بدءًا من كتاب آدم الأول ومتون هرمس (إدريس) وألواحه الزمردية ثم صحائف الأنبياء جميعًا وحتى مكاتيب الهندسة التي تركها كين وفنون المعارف التي ابتكرها جينون، وبقيت تلك العلوم محفوظة حتى غرقت قارة أتلانتيس في زمن نوح، فانتقلت تلك الكتب والصحائف على سفينة نوح إلى موضع آخر من الأرض، لكنها كانت في عين الشيطان.

قال ليوبولد:

- أين ذلك الموضع الذي انتقلت إليه العلوم؟

192

- عند العمودين في مصر، فاسأل صاحبك هذا فإنه يعلم كل شيء.

نظر الأخوان إلى بوبي لحظات ثم التفتا إلى البوني الذي أكمل:

- بعد عهد العظماء «ود» و«سواع» و«يغوث» و«يعوق» و«نسر»، لاحظ الشيطان تعلُّق الأجيال التالية بهم وببطولاتهم فأغوى الشيطانُ الناسَ ليصنعوا لهم تماثيل تُخلِّد ذكراهم، ثم أغوى أحفاد أحفادهم تدريجيًّا للمغالاة في تعظيمهم حتى أوصلهم في النهاية إلى عبادتهم والسجود لهم، وكان هذا في زمن نوح.

ألف سنة كاملة وجيل نوح بأكمله يعبدون تلك التماثيل كبارًا وصغارًا، ونوح يحاول أن يصلحهم بكل طريقة حتى أوحى له الله أن يُنذرهم بأن الله سينزل عليهم عذابًا ما أنزله على أحد من العالمين، طوفان عظيم يُغرق أرضهم ويهلكهم فلا يكون لهم أثر، فكذبوا وأعرضوا وما آمن مع نوح إلا قليل، فنزل عليهم العذاب من بين أعمدة هرقل التي انفتحت على مصراعيها فدخلت مياه المحيط وابتلعت كل شيء، ولم ينجُ أحد إلا من آمن مع نوح.

ولم يتركهم الشيطان بل نقل هاته الآلهة الخمسة إلى جميع الحضارات التالية بعد نوح، فأصبحوا يُعبدون بأسماء أخرى، وعاشت عبادة الأصنام دهرًا بعد دهر. الملك «ود» صار اسمه عند السومريين «آنو» ملك الآلهة السومرية الأنوناكي، ثم تحول إلى «زيوس» عند اليونان ثم إلى «جوبيتر» عند الرومان. الأميرة «سُواع» الرقيقة أصبحت هي الإلهة السومرية «إنانا» ثم تحولت إلى «أثينا» عند اليونان ثم إلى «فينوس» عند الرومان. رامي السهام البطل «يغوث» أصبح هو الإله «أوتو» عند السومريين و«أبولو» عند اليونان كما عبده الرومان باسم «أبولو» أيضًا. وأمير الماء العظيم «يعوق» أصبح هو إله البحر «إنكي» عند السومريين و«بوزيدون» عند اليونان ثم «نبتون» عند الرومان.

وأخيرًا الشاب الطائش الشجاع «نسر» أصبح عند السومريين إله الخمر «نينكاسي» وعند اليونان «ديونيسوس» ثم عند الرومان «باخوس».

ملحمة العمالقة ظهرت آثارها في دين اليونانيين الذين قالوا إن العمالقة أصلًا هم أجداد آلهة الأوليمب (زيوس وأثينا وأبولو وبوزيدون وديونيسوس) وأنه قد حدثت بين آلهة الأوليمب والعمالقة (التايتانز) حرب كبرى ملحمية سموها «التيتانوماكي» انتصر فيها آلهة الأوليمب انتصارًا عظيمًا وأنقذوا الأرض. ورغم أن هذه الملحمة اليونانية تبدو أسطورية وخرافية لكثير من الناس فإنها اتفقت مع حديث صحيح للنبي محمد قال فيه إن أصل البشر كانوا عمالقة وإن آدم وحواء كانا عملاقين وذريتهما كانوا عمالقة طول الواحد منهم ستون ذراعًا -ثلاثون مترًا- يعني مثل طول بناء عالٍ، ثم أصبح الخلق ينقص في الطول بعدهم حتى الآن. حتى الحيوانات التي عاشت في جيل آدم والأنبياء الأوائل بعده كانت حيوانات عملاقة تتفق مع أطوالهم، وهذا من حكمة الله ليقدروا على ركوبها وأكل لحومها، طيور الموا وغراب كاثام وفأر الفلوريس ووحش الجيجان ونسور التيراتورن، كل هذه كانت حيوانات عملاقة تعيش مع البشر العمالقة في عصور الأرض القديمة، ورأى الناس في هذا الزمان عظام تلك الحيوانات وآثارها. ظلت البشرية تتناقص في الطول حتى كان جيل نوح طوله أكبر منا قليلًا، ولقد خرج بعضهم قبل الطوفان وساحوا في الأرض، فظهرت آثار قديمة لأناس أطول من البشر بشيء يسير، أما الطوفان فنزل على من كفر من قوم نوح في أتلانتيس وليس على الأرض كلها. غرقت تلك الحضارة في أتلانتيس بطوفان نوح، لذلك لن تجد لهم آثارًا، فكلها مدفونة تحت أعماق البحر المتوسط بانتظار أن يكتشفها أحد، كما أن...

هتف لويب بصوت حاد:

- هراء، كل هذا هراء، هذا الرجل يتحدث عن الديناصورات، وتلك كانت قبل البشر بملايين السنين، كل هذا هراء يا بوبي اللعين.

فجأة تجمد المشهد كله كأنه تسجيل تعلَّق عند لقطة واحدة، وكانت اللقطة؛ عيون البوني التي تنظر إلى لويب ببغضاء، وأي بغضاء أبشع من بغضاء ساحر! اهتز مشهد بيت البوني وكأن زلزالًا أصابه حتى إن الأثاث كان يهتز والأكواب واللوحات، وبدأت الحرارة تزداد بجنون، فاستدار لويب ومن معه ليغادروا المكان كله لكن أجسادهم تجمدت تمامًا كأنما قد أصابها شلل، وأصبحت عيونهم ترى مشاهد من أيام أخرى في منزل البوني لا علاقة لها بالمشهد الحالي، كانت صورة البوني تختفي من موضعها ليظهر في مكان آخر في المنزل يصنع أموره اليومية، وكان يفعل أشياء قذرة جدًّا كأي ساحر، حتى إنهم رأوه في مشهد وهو يذبح طفلًا وطفلة ربطهما ظَهرًا بظَهر. صرخ لويب:

- بوبي أيها الشيطان أي لعبة حقيرة تصنع؟

رد عليه بوبي وسط هذه الفوضى:

- أما كان لك أن تُغلق فمك حتى ينتهي من حديثه؟

قال لويب وهو يحاول تحريك جسده بصعوبة بالغة:

- لا أتحمل الهراء حينما أسمعه.

قال له بوبي بشيء من الغضب:

- أي هراء أيها الأرعن؟ ألم ترَ معابد الحضارات القديمة في بيرو وكمبوديا التي رسمت الديناصورات بكل وضوح؟ ما يعني أنها كانت تعيش مع الإنسان جنبًا إلى جنب، وفكرة انقراضها من ملايين السنين قبل ظهور الإنسان إنما هي فرضية يُصدرونها فقط لإثبات فكرة التطور.

صرخ ليوبولد:

- افعل شيئًا أيها اللعين وكفاكما جدالًا أخرق.

نظر بوبي حوله وبدا على ملامحه شبح ابتسامة ما لبثت أن اختفت بسرعة وهو ينظر إلى بعض الأكواب المعلقة التي كانت تهتز بعنف، التفت بوبي إلى الأخوين وصاح:

- حاولا الوصول إلى هذه الأكواب، سأخرجنا من هنا بتميمة توقف كل هذا.

تحرك كلاهما ببطء بالغ كأن الحركة البسيطة تعني مغالبة أطنان من الهواء، صاح بوبي بتميمة منطوقة باتجاههما:

- كوب يدنو قريبا بلا بحور لك او نهر[1].

نظرا إليه بطرف العين بلا فهم وجاهدا أكثر والأجواء تتزلزل حولهما حتى وصلا إلى الأكواب وأمسكا بها، صاح بوبي:

- احذرا ألا تطيش منكما الأكواب وانطقا بعدي بصوت عالٍ «ربك فكبر وهون علينا طيشك هنا1».

نطق كلاهما الجملة بصوت واحد مرتعد وكرراها، أخفى بوبي شماتة كانت ستظهر في ملامحه وهو يقول:

- انطقا بعدي بصوت أعلى «كوب يدنو صيفا هلَّ كبحور لا تنهر1».

أصبح لويب وليوبولد ينطقان الجُمل بصوت عالٍ بخوف ورجاء، وفجأة تحرر بوبي وحده وقال بملامح مرهقة وصوت خفيض:

- حمقى.

ودون مقدمات التفَّت ذراع كل واحد منهما وراء ظهره وتشابكت الساق بالساق وسقطا على ظهريهما بعيون مفجوعة، كانت جميع التمائم التي قالها بوبي أو طلب منهما النطق بها هي تعاويذ معكوسة، إذا قُرئت بالعكس أصبحت ذات معنى شيطاني مختلف تمامًا، كذلك

---

(1) لا تُقرأ هذه التمائم بصوت مسموع.

يكتب السحرة على تمائم السحر آيات قرآنية بالمقلوب يستجلبون بها الشيطان بدل أن يطردوه، وهذا النوع هو أشد أنواع التعاويذ فتكًا.

فلمّا أشار بوبي إلى الأكواب نطق بتميمة الافتتاح «كوب يدنو قريبا بلا بحور لك او نهر»، التي إذا قُرئت بالمقلوب تكون «رهنوا كل روح بالباب يَرقون ديبوك»، ولمّا أمسكا الأكواب لئلا تطيش أنطقهما تميمة الكفر «ربّك فكبر وهون علينا طيشك هنا» وهي بالمقلوب عبادة للشيطان «إنه كشيطان يلعن، وهو ربك فكبر»، والقاضية لمّا صاحا بصوت أعلى «كوب يدنو صيفا هلّ كبحور لا تنهر»، كانا في الحقيقة يقولان «رَهنتُ الروح بكلها في صون ديبوك».

هرع بوبي ليخرج من المنزل ويهرب بجلده من المكان كله لكنه توقف في اللحظة الأخيرة لمّا لمح كيانًا ما في المرآة المكسورة، كيان ساكن ينظر بعيون واسعة تحتها هالات سود، ولم يلبث أن قال الكيان الشيطاني من داخل المرآة:

- أأمِنتَ للشيطان يا بوبي أن يتركك تفر؟

انقبض قلب بوبي وتحرك مسرعًا ناحية الباب و...

- لقد عرفتُ ما فعلتَ يا بوبي القذر.

كان ذاك صوت ليوبولد، استدار بوبي بفزع ليجد ليوبولد مصوبًا مسدسه نحوه والغل في عينيه ولويب يقوم من الأرض بألم، لقد رفض ديبوك أن يرهن روحيهما عنده لئلا يفر بوبي، وما كان للشيطان أن يسعى في الخير يومًا. وفي غضب شديد رفع ليوبولد صمام أمان المسدس وأطلق طلقتين قاتلتين على بوبي ولويب يصيح به بفزع:

- انتظر أيها الأهوج.

أصابت الطلقتان هدفهما بدقة وسقط بوبي على الأرض مذهولًا، وتوقف كل نفس فيه وسالت دماؤه على الأرض.

وكتب الشيطان نهاية هذا السفر بالدم.

سفر الأعور

غرفة تخلو من أي نور، إلا وهج خافت لشمعة في مكان ما. فتاة شابة حزينة واقفة في وسط الغرفة ترتدي فستان زفاف أبيض وتنظر إلى المرآة بقلق، صوت دقات قلبها أنا أسمعه. انفرج الباب قليلًا بصوت صرير مرير وأصبح لهب الشمعة يرتعش ودقات قلب الفتاة تتسارع. وكان دخولي أنا.. ديبوك.

لمحتُ في أثناء دخولي امرأة أخرى عجوزًا تنحني على الأرض وتتلو نصوصًا تُمجِّد الشيطان. كانت المرأتان تصنعان سحر السكراي، هؤلاء البشر المحقورون علمناهم كل شيء يذلهم، إلا سحر السكراي فلا يتعلمه إلا من يدفع الثمن غاليًا. قمة سحر السكراي هي أن تنظر إلى مكان ما فترى مشاهد من ماضي هذا المكان يؤديها أشخاص عاشوا يومًا في هذا المكان. بعض البشر يولدون بهذه الهِبة، وبعضهم يُهين ناصيته في التراب لأجلها، كتلك الساحرة الساجدة تحت قدمي. أغمضتِ الفتاة الشابة ذات الرائحة العذبة عينيها أمام المرآة وارتجف جفنها بتوتر، هي أرملة غنية تعشق زوجها ولم تتزوج بعده، وقد لبست فستان زفافها القديم ودفعت كثيرًا للساحرة لتريها في المرآة صورة زوجها الراحل لتملأ عينها الحزينة منه وتتحدث معه، وذلك من سحر السكراي.

ذُلُّ البشر يُشعرني بالنشوة، وقفت وراء تلك الفتاة حتى بدأَت تلاحظ شيئًا يتحرك في المرآة فقرَّبتْ وجهها قليلًا.. ثم انتفضت صارخة كمن لدغتها عقرب، فهناك في تلك المرآة لم ترَ وجه زوجها، بل رأت خلقة الشيطان. فزعت الفتاة وهربت الساحرة وبقيتُ وحدي أبتسم، ولا يضحك الشيطان إلا على جهل البشر. تلك العين التي أملكها ترى كل شيء، مشاهد متقطعة من الماضي تأتيني كلما نظرت إلى مكان.. أي مكان.

عيني وحدها قادرة على أن تتحكم بالمشاهد التي أراها، فكل الكيانات تبقى حرارتها في الأماكن، وكلما كانت الكيانات أكثف فهي أحدث، وأنا أُظهر ما أشاء منها في العصر الذي أشاء فتراه عيني، فأنظر إلى ما حدث في أي زمن قديم في أي مكان. هذا يدعونه سحر السكراي، وهو رؤية الماضي في المرآة أو دونها، وأنا ديبوك مارد هذا السحر، ولست واحدًا بل نحن صنف كامل من الشياطين، ومن ذا الذي يستحضر الديبوك ويظن أنه سينصرف عنه؟

في تلك البلاد عند النيل، استدعاني أناس هم أعجب مَن استدعاني يومًا. ثلاثة فتية من أقصى الأرض جاؤوا إلى أرض النيل ومارسوا سحر السكراي للاتصال بأنجس ساحر مشى على ظهر الأرض، البوني ابن عنابة الجزائرية، وإني جعلت تجربتهم جحيمًا عليهم، حتى رفع واحد منهم سلاحه الناري على أصغرهم وأطلق منه طلقتين في ركبة الفتى الذي شهق وتوقفت أنفاسه وسقط على الأرض مضرجًا في دمائه. دقائق وسحبه الاثنان وحمله أحدهما على كتفه وانطلقا خارجًا، وتبعتهما وهما يرميانه في سيارة خاصة انطلقت بهم إلى شقة قريبة، وهناك أتيا له بمُسعف أخرج الطلقات من ركبته وربطها بجبس، ولمّا انصرف المسعف عنه رأيتهما يضعان منديلًا مبللًا بشيء ما أسفل أنفه فشهق الفتى وسعل بقوة، فقال له أحدهما:

-   قلها أيها الحقير، أين العمودان في مصر؟

قال الصبي من بين آلامه:

-   اقتلوني ولن أخبركم عن هذا أبدًا.

رفع أحدهما سلاحه ووضعه عند أذن الصبي وقال:

-   ما رأيك أن نقطع له أذنه يا لويب؟

-   افعل ولا تُضيِّع الوقت يا أخي، واترك الأذن الأخرى لأقطعها أنا.

تحرك زمام السلاح عند أذن الصبي فانقبضت روحه فزعًا وقال:

- لا تفعلا، سأتـــ.. سأتكلم.

سحب لويب الكمبيوتر المحمول وفتحه استعدادًا للتسجيل، فقال الصبي:

- لن نـــ.. نقدر على استخدام هذا الشيء في المكان الذي سنذهب إليه، فالتصوير فيه ممنوع، خذا هذا الجهاز الصغير القادر على تسجيل الصوت.

أخذ لويب الجهاز الصغير وتطلع إليه لحظة ثم قال:

- أي مكان هذا الذي سنذهب إليه يا لعين؟

نظر الصبي إلى الأرض وقال:

- هرم مصر الأكبر.

ألصق ليوبولد فوهة المسدس في جبين بوبي وقال:

- هل العمودان هناك؟

ابتلع بوبي ريقه وقال:

- ستعرف كل شيء هناك.

ولم يُضيِّع أحدهما مزيدًا من الوقت فانطلقا بالسيارة إلى الهرم الأعظم، ولويب يقوم باتصال خاص بالتنظيم للحصول على إذن خاص عاجل بدخول الهرم ليلًا، وكنت ماكثًا بينهم في السيارة، أنا أعرف القصة التي يسعون لمعرفتها وأتعجب أن صبيًّا كهذا يعرفها، تكاد عيوني ترصد أحداثها التي وقعت على هذه الأرض المصرية، فكنت كلما نظرت بعيني حولي رأيت قبسًا من القصة.

مرَّت السيارة في شارع مزدحم يطل على النيل فتوهجت عيني ورأيتُ مشهدًا من الماضي في هذا الشارع قبل إتيان الحملة الفرنسية على مصر، رأيت كأن الأرض قد تبدلت، وكل هذه البنايات والسيارات اختفت وحلت مكانها بنايات أخرى أكثر بساطة، وأشخاص ذوو ملابس

من طراز مختلف يمشون هنا وهناك، وعند إحدى البنايات رأيت إنسانًا طويلًا كبير الجسد يرتدي أكثر بذلة أنيقة يمكن لشخص سمين أن يرتديها، توقفتْ أمام الرجل السمين عدة عربات فارهة تجرها خيول بيضاء فركب في أحدها، كان يقول لمن يجاوره في العربة:

- جهز كنزك الدفين أيها الهرم المصري الرابض، فقد جاءك رجال الروزيكروشن بعد آلاف السنين ليستخرجوه.

كان ذاك هو الكونت «كاجليوسترو»، ساحر أصحاب المقام العالي في أوروبا، وأخطر رجل في البلاطات الملكية، السمين الأنيق ذو الأصل اليهودي، الذي ساهم في إحداث الثورة الفرنسية التي قلبت العالم، كان الرجل عضوًا أساسيًّا في تنظيم الروزيكروشن السري.

مضت السيارة من ذلك الشارع لتقف قريبًا من الهرم الأكبر، ونزل الفتية من السيارة وبوبي فرانك يمشي على عكاز وقدمه تعاني كثيرًا في جبيرتها. نظرة واحدة إلى ساحة الأهرامات جعلت عيني تتوهج طويلًا لأرى مشهدًا حدث هنا تحت سفح الهرم منذ آلاف السنين، وانقلبت الأجواء التي تراها عيني لتُظهِر ذلك المشهد بكل تفاصيله. طابوران من مئات بل آلاف المصريين القدماء بردائهم الشهير يقفون ليصنعوا ممرًا بين الطابورين، ثم انحنوا جميعًا على رُكبهم خاضعين، فأمامهم وعند سفح الهرم الأكبر كان يجلس الملك المصري القديم خوفو.

الهرم هرمه والمملكة في يده، نظر إليهم برضا ثم التفت إلى رجل على يساره يرتدي عباءة حمراء طويلة تغطي رأسه ووجهه الذي يقطر خبثًا، كان ذاك وزيره هامان المهندس الذي بنى الهرم الأكبر والساحر الأكبر في المملكة المصرية، برز بين الطابورين رجال يحملون شيئًا كالصندوق الثمين ويمشون بحذر واحترام حتى وصلوا إلى خوفو وهامان ووضعوا الصندوق تحت أقدامهما. قال هامان وكان يُلقَّب بالأفعى:

- لقد أخفينا يا مليكنا بداخل هذا الهرم الأعظم ممرًّا يستحيل أن يصل إلى موضعه إنسان، وإنا سنضع فيه أصول علومنا حفظًا لها من الأيدي العابثة، وحتى لا يحوزها إلا من نعهد له بسرها.

قال خوفو:

- لصوص القبور لن يتركوه حتى يجدوه.

تبسم هامان وقال له:

- ستقابلهم كثير من الممرات السرية الأخرى التي وضعناها للتمويه، أما هذا الممر فيستحيل أن يصل إليه إلا من يعرف مكانه تمامًا وإلا انهدم الهرم كله فوق رأسه.

تبع الرجال الذين يحملون الصندوق هامان وهو يُدخلهم من الممر الرئيس للهرم، ثم سمعتُ صرخة أخرجتني من تركيزي، فالتفتُّ لأجد الصبي بوبي فرانك يتألم بسبب قدمه وهو يقف عند المدخل الرئيس للهرم ويحاول الأخوان إدخاله بعنف هو وعكازه.

نظرتُ إلى اليسار فرأيت مشهدًا آخر من زمن آخر عند سفح الهرم، كاجليوسترو يصل مع موكب الخيول البيضاء إلى الهرم، وينزل ويدفع ترهلاته السمينة إلى داخل الهرم محاولًا ألا تتسخ بذلته. كان الممر بالداخل ضيِّقًا جدًّا، وبالكاد أدخل كاجليوسترو جسده حتى وصل إلى نقطة معينة فيها مثل حفرة كبيرة صنعها رجاله في جدار الممر الرسمي في باطن الهرم، قال كاجليوسترو لرجاله:

- فليبارككم الرب، لقد حفرتم تمامًا عند الموضع المعلوم.

كان يستحيل على كاجليوسترو أن يدخل من الحفرة لضيقها الشديد، لكن أحد الرجال دخل بجسده النحيل وغاب قليلًا ثم نادى رفاقه، ومضت ساعة تقريبًا من المحاولات حتى استخرج رجال الروزيكروشن صندوقًا كبيرًا هو صندوق هامان الذي دفنه قديمًا، قال أحد الرجال:

- معذرة سيدي كان من المستحيل توسعة الحفرة عن هذا وإلا انهار الهرم بأكمله، وهي حفرة كافية تمامًا للتوصيل بين الممر الرئيس والممر الخفي الذي صنعه المهندس هامان.

في ذلك الموضع نفسه داخل الممر الرسمي في جوف الهرم، كان بوبي فرانك يقف مع رفيقيه ويشير لهما إلى الحفرة التي حفرها كاجليوسترو، التي وضعت عليها السلطات المصرية غطاءً حديديًّا باقيًا حتى اليوم، نظر الأخوان إلى غطاء الحفرة الحديدي طويلًا وكان بوبي قد حكى للأخوين كل تلك المشاهد التي رأتها عيني قبل قليل، ولا أدري كيف عرفها، حكى لهما عن صندوق هامان والممر السري الذي أخفاه في الهرم وعن كاجليوسترو ورجاله الذين عرفوا من التنظيم مكان ممر هامان، فحفروا حفرة صغيرة تؤدي إليه واستخرجوا منه الصندوق الذي يحوي علوم الأولين، فقال له لويب:

- إن هذا يسعد قلبي، الروزيكروشن هم أساس تنظيمنا، هكذا إذن حصلنا على تلك العلوم، لكن بمَ يفسر العامة وجود هذه الحفرة المغطاة بغطاء حديدي اليوم؟

قال بوبي وهو يضع يده على الغطاء الحديدي:

- لقد وجدَت السلطات في نهاية حفرة كاجليوسترو ممر هامان السري، ووجدوا في نهايته حجرًا جيريًّا مُثبتًا عليه خطافان من حديد بشكل يبدو أنه حديث الصنع، ولم يفهم أحد من وضعهما لأنه لم تكن الخطاطيف الحديدية على الأحجار مستخدمة عند المصريين القدماء، والحق أن من وضعهما هو كاجليوسترو ورجاله ليرسلوا للعالم رسالة خفية أنه يوجد من كشف هذا الممر واستخرج ما كان فيه.

قال ليوبولد وقد بدأ صبره ينفد:

- لماذا أتيت بنا هاهنا؟

- لأن السر التالي لا يمكن أن يرويه لنا أحد، لا بد أن ننزل بأنفسنا ونعيشه بتفاصيله كما حدث، سننزل إلى الحُجرة الملكية الرسمية داخل الهرم، ومن هناك يمكن أن نقوم بطقس الخروج من الجسد، الإسقاط النجمي حيث تخرج الـ «كا» الخاصة بنا من أجسادنا إلى النافذة الخاصة بالأرواح في الهرم.

قال ليوبولد مندهشًا:

- ما هذه الـ «كا»؟

قال بوبي وهو يستند إلى عكازه بألم:

- هي تعادل الروح عند المصريين القدماء، ستجتمع أرواحنا نحن الثلاثة بعد أن تخرج في كتلة «كا» واحدة تأخذنا إلى حيث تأخذنا، ولقد وضع المصريون نافذة في أعلى الحجرة الملكية في باطن الهرم لتخرج منها الـ «كا» الخاصة بالملك المدفون بعد موته، وليس أيسر من تأدية الإسقاط النجمي في جوف هرم.

لم يسأله الفتيان عن شيء وهما يتبعانه حتى دخلوا جميعًا إلى حجرة صغيرة مغلقة في باطن الهرم، استند بوبي إلى عكازه وأشار إليهما ليجلسا، ثم قال وقد بدا صوته مهيبًا في تلك الغرفة وهو يقول:

- العمودان في مصر ما هما إلا رمز لمصر العليا ومصر السفلى، فتلك العلوم انتقلت من أتلانتيس إلى مصر، ومنذ أن حلَّت على أرض مصر وعين الشيطان لا تغفل عنها، ليبعدها عن أيدي الصالحين ويهبها لمن يعرف كيف يستخدمها ليسود على الناس، ومرَّت الأيام وظهر هامان هذا في زمن خوفو، وكان صاحب أخبث روح إنسانية ذات منصب في مصر القديمة كلها، وسلَّم الشيطان تلك العلوم إلى هامان الذي كان شابًّا وقتها، وبعد موت خوفو، عمل الساحر هامان وزيرًا للملك دجيدفرع ثم وزيرًا للملك خفرع من بعده، ولمّا بلغ هامان من الكبر عتيًّا كان لا بد أن توهب كل تلك

العلوم لرجل من بني الإنسان يكون للشيطان نبيًّا ورسولًا، رجل ذي نفس خبيثة كافرة مظلمة، وطفقت عيون الشيطان تبحث عن رجل كهذا حتى وجدته، وكان أعور.

أخرج بوبي شمعة وأشعلها ببطء فأضافت جوًّا من الرهبة في جوف ذلك الهرم المظلم، وأصبحت ظلال الثلاثة طويلة تتراقص مع توهج الشمعة، وقال لويب:

– ما زلنا لا نفهم شيئًا، وتذكر أن أي لعبة حقيرة تلعبها سيتبعها ترْك جثتك الدامية هنا في جوف الهرم.

قال بوبي وقد داخله شيء من التوتر:

– هذه المرة أنا سأشاهد القصة للمرة الأولى، لأنه لم تسنح لي من قبل فرصة الدخول للهرم والمكوث فيه ساعات في جوف الليل.

قال ليوبولد:

– وعمَّ يتحدث السر القادم الذي لا يعرفه بوبي فرانك؟

قال بوبي ببطء:

– يتحدث عن الأعور.

سكت بوبي قليلًا ثم أكمل:

– سنعمل الإسقاط النجمي هنا ونحرر أرواحنا ونطلقها في كتلة "كا" واحدة للبحث عن ذلك الأعور، يمكننا الدخول إلى أي روح تصلح للتلبس بها في الأجواء التي سنحل عليها، ولكن إذا حدث أي انفعال للشخص المتلبس به سواء حزن أو فرح أو دهشة ستخرج الـ «كا» خاصتنا منه على الفور، ويمكننا أن نستسقي أي معلومات نريد من أي روح ندخل فيها، وينبغي أن تتركوا لي القيادة، وتذكروا أن قوانين الزمان لا تجري على الروح.

قال لويب:

- وأين سنحل بالضبط؟

قال بوبي باقتضاب:

- مصر القديمة.

ونثر خمس أوراق:

الورقة الأولى هي ورقة الـ «كا» الفرعونية، وهي تعادل الروح.

الورقة الثانية هي ورقة الملك الفرعوني الساحر.

الثالثة ورقة العِجل الذهبي، وعليها صورة عِجل له رأس إنسان.

الرابعة ورقة صاحب الحية، وفيها صورة رجل يلعب بالحية كأنها مخلوق أليف.

الخامسة ورقة الهرم، وعليها صورة هرم لامع يشع نورًا من أعلاه، يقف أمامه رجل غامض في ملابس فرعونية.

6

أعور في أرض الفراعنة

2500 قبل الميلاد - 2400 قبل الميلاد

The Fool · El Loco · 0 · Il Matto · La Fou · Der Narr · De Dwaas

Death · La Muerte · XIII · La Morte · La Mort · Der Tod · De Dood

Pentacles · Oros · 4 · Denari · Deniers · Münzen · Munten

KERUB OF DISKS · HUMAN-HEADED BULL

نزلت الـ «كا» خاصتنا صافية حرة ترفرف بلا هدى، تتأرجح مع الرياح، الأشياء والأصوات كلها واضحة في طور الروح، هذه الـ «كا» سهلة التحكم جدًّا، طرنا بها متجولين في المدائن حتى نزلت في سوق مزدحم، نشمُّ كل التفاصيل من حولنا حتى ذرات التراب، ننظر في كل شيء؛ البشر والأبنية والدروب، عرفنا أين نحن من النظرة الأولى، مصر القديمة.

كم كانت روحي تتوق إلى أن ترى هؤلاء المصريين الذين سادوا العالم يومًا، كنت أحدق إلى ما حولي، لكن لم تستطع الـ «كا» خاصتنا أن تتحرك على الأرض، يبدو أن التحكم بها كان في السماء فقط، الحل أن نقفز للتلبس بجسد أحدهم، الفراعنة يمضون بجوارنا ولا تلاحظ عيونهم كياننا، عرفت أن هذا السوق هو سوق اليهود، أو كما يطلقون عليه سوق «أبيرو». أبنية مصنوعة من الطوب العادي، وجوه الناس مسالمة، أحدهم يعزف بشيء كالكمان وموسيقاه تنبعث بين الأزقة، معظم رجالهم يرتدون إزارًا قصيرًا وصدورهم عارية، والنساء تمشي بفساتين طويلة وأطواق ملونة.

بدأت الـ «كا» تهتز بعنف معلنة اقتراب هدف يصلح أن نتلبَّسه، نظرتُ بعين الروح، فإذا برجل يقترب بين حاشية ينظر في أغراض السوق بهدوء، عرفت أنه ذو سلطان، ودون مقدمات انطلقَت الـ «كا» خاصتنا فحلَّت في جسده وروحه وبدأنا ننظر من بين عينيه، حقًّا أنت تشعر بالروح التي تتلبس فيها، أخبرتني الروح أنها لأمير مصري اسمه «سيتكا» وأنه الأخ الشقيق لفرعون، ملك مصر كلها، كان ينظر في الناس كأنه يبحث عن شيء ما، مشى حتى وصل إلى سوق العبيد،

وهناك توقف ونظر إلى رجل بعينه يرتدي منشفة كالتي يضعها الجميع على رؤوسهم، لكنه يتلثم بها فتخفي وجهه، هل هذا هو الرجل الذي نبحث عنه؟ بدأت أحدق إلى وجهه، لم أقدر على تمييز ملامحه، لكن كان بجواره رجل من العامة يبيعه، قال له المصري الذي سكنتُ بداخله:

- بكم تبيع هذا الرجل يا ماكارو[1]؟
- أربعمئة درهم يا سيدي.

أصابني الذهول، درهم! أكان في عصر المصريين دراهم؟ لم يجادل المصري معه، فهرع الماكارو يخرج ميزانًا وأخذ قطعًا ذهبية من المصري ووزنها، يبدو أن الدرهم كان عندهم مكيال وزن وليس عملة، انطلقنا مع العبد الذي اشتريناه نمشي في دروب مصر وعيوني منتشية مما ترى من بدائع، الهرم الأكبر كأنني أول مرة أراه في حياتي، انسَ المظهر الأصفر القديم التقليدي، أنا أراه أمامي الآن مكسوًّا بأحجار بيضاء لامعة، والأعجب أن النيل يجري قريبًا منه، التماثيل والمعابد هنا فوق كل حجر، وبرغم أننا رأينا في رحلتنا حضارات كبيرة مثل أتلانتيس وغيرها، فإن حضارة هؤلاء القوم تختلف، كل شيء هنا ينبض بالفخامة والهندسة.

دعنا من وصف المعالم التي حولي، لأنني لن أنتهي منها أبدًا، حاولتُ أن أركز على الرجل الذي اشتريناه، ما دامت ألقت بنا القصة إليه، فلا بد أنه هو الرجل الأعور الذي حصل على تلك العلوم وأضلَّ البشرية كلها، لكنه لا يبدو أعورَ، بل إن ملامحه حسنة، ربما لم يصِبه العور إلا لاحقًا، لكن مع مرور الأيام بدأنا نرى من أمر هذا العبد عجبًا حتى أيقنتُ أنه هو.

(1) ماكارو بالمصرية القديمة تعني تاجر.

****

«في هذه الأرض من تظنه موسى تجده فرعون، والعكس».

****

مشى الأمير سيتكا حتى وصل إلى جبل كبير تتناثر أسفله أحجار متكسرة كثيرة، ونادى العبد الذي اشتراه وقال:

- لا أريد أن أشق عليك لأن سنك كبيرة يا أبتِ، لكنك تُصرُّ على أن آمرك بشيء، فانقل لي هذه الأحجار كلها إلى ذلك الموضع هناك لنستخدمها في البناء، وخذ كل ما تحتاج إليه من وقت، فلسنا في عجلة.

كان عدد الأحجار كبيرًا والموضع المطلوب نقلها إليه ليس بقريب، تركنا العبد وأنا أُقسم أننا ما تركناه إلا ساعة أو أقل من ذلك، وهذه الأحجار تحتاج إلى ستة رجال على الأقل ينقلونها في يوم كامل، لكننا لما رجعنا إليه ارتجفنا، وجدنا الأحجار كلها منقولة، لم يترك العبد حجرًا واحدًا إلا نقله، تعجب الأمير ونظر إلى الرجل كما تنظر إلى ساحر، وقال:

- إنك لتفعل الأعاجيب يا رجل، وإني مسافر إلى بعض حاجتي فابنِ لي من هذا الطوب الذي نقلته بعض الجدران هنا وهناك؛ فإنّا نريد أن نزيد هذه المساحة من الفناء.

وما تركناه إلّا يومًا واحدًا، ولمّا عدنا وجدنا البناء مشيدًا كله ومزخرفًا، هذا ليس بشريًّا، كان الأمير سيتكا في أشد حالات استغرابه، قال له:

- سألتك بوجه الله يا رجل.. ما أمرك؟

تعجبتُ قليلًا أنه يسأله بوجه الله وهو مصري قديم، لكنني تجاوزت هذا منتظرًا إجابة الرجل الذي قال:

- وجه الله هو الذي أوقعني في العبودية وأصبحتُ عبدًا لك.

سأله الأمير متعجبًا عما يعنيه، فقال الرجل كلمة هزَّت كياني هزًا، قال:

- أنا الخضر الذي سمعت به في هذه البلاد.

يا رب الأرض والسماء، الخضر! لم ينطق الأمير سيتكا، وكان يعرف من هو الخضر، نبي ذلك الزمان. قال الخضر:

- أتاني مسكين في ذلك السوق يسألني صدقة، سألني بوجه الله، فلم يكن عندي ما أعطيه، فأمرته أن يبيعني ويأخذ ثمني، واعلم يا سيتكا أنه لو سألك أحد بوجه الله ورددته وقفتَ يوم القيامة يتساقط جلدك.

- اغفر لي يا نبي الله أنني شققت عليك، بأبي أنت وأمي، احكم في أهلي ومالي بما شئت أو أخلي سبيلك.

- أُحِب أن تخلي سبيلي فأعبد ربي.

فخلى الأمير سبيله على الفور، وقبل أن يغادر الخضر التفت إلى الأمير وقال:

- ستحدُث أمور عظام، فكن دومًا إلى جانب الحق يا سيتكا، ولو على زوال مالك.

برقت عين الأمير سيتكا ومع بريقها انفصلتْ عنه الـ «كا» خاصتنا وساحت في السماء، أنا لم أكن أعلم ما الذي كنت أنظر إليه قبل قليل، لقد كنت أشهد حديثًا بين الخضر، ومؤمن آل فرعون.

****

«إذا أنذر نبي بحدوث أمر عظيم فارتقب الموت».

****

بسرعة عالية هبطت روحنا وكأنها تسعى إلى أمر جلل، نظرتُ أسفل مني، بيوت من الطين تنبعث منها صرخات عالية لنساء ورجال، وجنود

يدورون بين البيوت يفتحون أبوابها عنوة، يضربون الرجال ويدفعون النساء على الأرض ويفعلون شيئًا أكثر قسوة، عرفته لمّا هبطتْ روحنا في روح أحد هؤلاء المجرمين؛ روح مظلمة. دخل صاحبها إلى بيت من البيوت وتفقد الأطفال، حتى رأى طفلًا ذكرًا، أخذ الرجلُ الطفلَ الصغيرَ وأخرج سكينًا وذبحه كما يُذبح الطير وتركه على الأرض يرتجف في دمائه، بقع الدم بدأت تتكون على جوانب المنظر الذي نراه من داخل عينه وشعرتُ بالـ «كا» تتصاعد إلى أعلى ثم تخرج من المجرم وتصعد إلى السماء تتساقط منها الدماء من كل جوانبها، حتى إنني أشمُّ رائحة دماء، وفي حلقي مذاق دماء.

بدأت الصورة الحقيقية لفراعنة ذلك الزمان تتضح لي، إنهم يذبحون أطفال بني إسرائيل، أذكر أن الفرعون الأكبر أمر بذبحهم لأنه رأى حلمًا أن طفلًا يهوديًّا سيسقط حكمه، لم أكن أتوقع أن الأمر بهذه الوحشية، ذلك وأنا لم أرَ إلا مشهدًا واحدًا. دارت روحنا حول نفسها وانتفضت كثيرًا والدنيا تظلم حولنا حتى نزلت الـ «كا» إلى موضع جديد، نساء يمشين بإنهاك وتعب، يتجهن جميعًا إلى مكان ما، كلٌّ منهن تحمل طفلًا وتهرب، دخلنا في روح واحدة منهن، حاولت أن أستخلص من روحها أي شيء يدلني عما نحن ذاهبون إليه، لكن إنهاك روحها وقلقها منعاني من أن أحصل على أي شيء، وفجأة وصلنا جميعًا. أرض صحراء لا شيء فيها على الإطلاق، قالت إحداهن:

- من ذا الذي يضع أطفاله هنا ويتركهم وهم حتى لا يقدرون على الزحف، أهذا جنون؟

ردت عليها امرأة أخرى:

- لا تكفري، كذلك قال لنا نبي الله الخضر، الله يتولّاهم، فلو تركناهم في بيوتنا ذبحهم آل فرعون.

انحنت النساء ووضعن أطفالهن على الرمال، أطفال رُضَّع لا حيلة لهم، ثم انصرفن وقلوبهن تنزف ألمًا، الحزن جعل الـ «كا» تفور وتخرج من تلك المرأة التي تسكنها، ثم قفزت تتلبس أحد الأطفال الرُضَّع، رأيت بعينيه الصغيرتين جميع النساء يغادرن وهن ينظرن خلفهن كل حين حتى اختفين عن النظر. بدأ الطفل الرضيع يزحف بصعوبة، وأنا أسمع بكاء الأطفال من حولي، ثم بدا لنا في الأفق شيء عجيب، فوج قادم من رجال بيض الوجوه، يرتدون ثيابًا بيضاء، عددهم كبير جدًّا يأتون من كل حدب، والأطفال يضحكون ضحكة بريئة، هل هؤلاء القادمون هم... أيعقل؟

هل هم ملائكة؟ كلما رفعت يد الطفل لأمسك بهم، تمر يده منهم كأنهم طيف، كانوا حقًّا ملائكة، وجدتهم يضعون أحجارًا على الأرض فيتوجه لها الأطفال جميعهم وكأنهم يُوحى إليهم، يلتقمون الأحجار ويمصون منها لبنًا، وأحجار أخرى يمصون منها عسلًا، لقد رحم الله بني إسرائيل، ونجّى أطفالهم، لكن هل موسى بينهم؟ لا أظن، أنا أذكر أن له قصة أخرى.

وبقوانين الروح التي ليس لها حاكم، مر الزمان علينا في بضع دقائق ورأينا الأطفال يكبرون، نرى مشاهد تتبعها مشاهد، رأينا الأمهات يأتين كل حين ليرعين الأطفال ثم يختفين بسرعة لئلا يراهُنَّ أحد، رأينا أكواخًا بُنيت وعاش بداخلها الأطفال، الكل قد كبر حتى سن العاشرة، وكنا بداخل أحدهم، نظرت إلى أحد الأكواخ فرأيت شيئًا عرفت منه لماذا نحن هنا؛ طفل ذو جسد قوي وشعر طويل شديد التجعد، خرج من أحد الأكواخ يمشي بثقة لا يُعرف بها الأطفال، فجأة، نظر ذلك الطفل إلينا، نعم إلينا ونحن نسكن في أحد الأطفال، فُجِعت من نظرته وملامحه، إحدى عينيه خرِبة تمامًا، لا بؤبؤ فيها ولا بياض، كأن بداخلها ماء أخضر، دق قلبي ألف دقة، وتوقف الطفل مكانه ونظر إلينا نظرة نافذة، أنا لم أرَ طفلًا في هذه الدنيا ينظر هكذا، وفجأة استدار ناحيتنا ومشى إلينا،

وجدت الطفل الذي نسكن فيه يسقط على الأرض من الخوف، والطفل المخيف يظهر على ملامحه شبح ابتسامة، يا إله السماوات، هل هذا هو؟

كل شيء فيه يقول إنه هو، عور عينه ونظرته، رأيته وهو يقترب، وكلما اقترب اتضحت ملامحه، بدأ الطفل الذي نسكن فيه يركض إلى الخلف، نظرتُ خلفي فرأيت الطفل الأعور يركض هو الآخر خلفنا، سمعنا صوتًا أنثويًّا ينادي:

- ميخا.

التفت الطفل الأعور على الفور وراءه ليرى أمه البدينة تلوح له، ثم نظر إلى ناحيتنا نظرة أخيرة وانطلق إلى أمه، كان الطفل الذي نسكن فيه مختفيًا بين الأشجار ينظر في خوف ويبكي، ثم سمعت من جوارنا صوتين يتحدثان، نظرت فإذا رجلان أحدهما مقلِق المنظر يرتدي رداء السحرة الفراعنة وعيونه تبرق كأن الشر كله قد اجتمع فيها، كان يقول:

- هذا هو الفتى، أنأخذه الآن؟

قال الصوت الآخر وكان رفيعًا كأنه صوت حية وصاحبه يرتدي عباءة تغطي رأسه وأغلب وجهه:

- بل دعه، ما زالت العلامات لم تكتمل فيه.

فجأة نظر ناحيتنا صاحب الصوت الرفيع، فارتجف كل شيء بداخلي حتى هربت الـ «كا» وانطلقت مبتعدة عن المكان كله، لماذا ينظر إلينا الجميع بهذه الطريقة؟!

****

«كما ولد الظلام ومات، سيولد النهار».

****

الـ «كا» خاصتنا تدور في الجو، نسمع أصوات أشياء كثيرة تدق دقات مفرحة، نظرت هنا وهناك، ذاك قصر الفرعون.. وما هذا الذي

بجوار القصر؟ نزلت الروح رويدًا رويدًا، أصوات الدق الاحتفالي تعلو، الرؤية تتضح، كان هناك طابور عظيم من الناس يبدأ من قصر الفرعون إلى داخل بلدة جاسان حيث يقطن بنو إسرائيل. كل مَن في الطابور يدقون شيئًا ما ويصطفّون يمينًا وشمالًا ليعملوا طريقًا بينهم، من الذي بداخل الطابور؟ نزلت الـ «كا» خاصتنا وسكنت رجلًا من الذين يمشون في الطريق الطويل بين المصطفّين، كان الرجل يحمل مع رجال آخرين هودجا كبيرا على أكتافهم، شيئًا مقدسًا لا يستبين لنا ما هو، لكنه شديد الأهمية عند جميع من في هذا الاحتفال، أوانٍ فرعونية تُدَق، وأزهار تُرمى، وأغنية فرعونية تُعزف عن أمير محظوظ سيملك العوالم.

وصلنا إلى قصر الفرعون، وهناك رأينا امرأة تقف بثياب فاخرة ووجه يمتلئ طيبة ورقة، دخلت إلى علم صاحب الروح التي نسكنها لأفهم، أصابتني قشعريرة لمّا فهمت، هذا الطابور إنما ينقل ذلك الطفل الصغير الجميل الذي وجدَته الملكة عند النهر، ينقله من عند مرضعته في البلدة إلى قصر الفرعون بعد أن أنهى مدة رضاعته. يقولون إن هذا الطفل وهبته الآلهة «بس» للفرعون بعد طول انتظار لأنه لا ينجب الذكور، وكانت الملكة تنتظر عند الباب، وكان اسمها آسيا. التقطت الملكة الطفل من الهودج الذي نحمله على أكتافنا، سرحتُ بفكري قليلًا، أيكون هذا الطفل هو موسى؟

نظرت إلى الطفل لأجده طفلًا أسمر اللون، إنه لا يبدو مثل أطفال بني إسرائيل البيض، دخلت الملكة آسيا بالطفل فَرِحة إلى الفرعون، ودخلنا وراءها.

رأيت الفرعون، كان يملك وجهًا لم أرَه في أي تمثال على كثرة دراستي ملوكَ ذلك الوقت، لحية كبيرة ووجه طويل وعيون ضيقة، وضع الطفل في حجره، فرفع الطفل يده وأمسك لحية الفرعون وشدَّها لأسفل شدًّا عنيفًا ومفاجئًا، وتجمد كل من كان بالمشهد.

قالت حاشية الفرعون:

- ليس هذا الطفل هو هبة الرب ولا هبة النيل «مو- سى» كما سمَّيتموه، بل هو النقمة والغضب، الذي سيزيل عنك هذا المُلك.

قطَّب الفرعون جبينه وكأنه لا يفكر أصلًا، وقال:

- اقتلوه.

هرعت الملكة آسيا الجميلة وأمسكت بيد الفرعون وقالت:

- سيدي «با- فرعا»، إنه طفل لا يَعْقِل، ائتني بجمرتين من نار ولؤلؤتين، واجعلهما أمامه، فإن أخذ اللؤلؤتين واجتنب الجمرتين، عرفت أنه يَعقِل، فاقتله، ولو فعل العكس عرفت أنه لا يَعقِل.

ضيَّق الفرعون عينيه ونفَّذ على الفور، هذا رجل يفكر بلسانه مباشرة، جاء الخدم بجمرتين ملتهبتين من نار ولؤلؤتين جميلتين، ووضعوهما أمام الطفل، فنظر بعيون بريئة ومدَّ يده إلى الجمرتين، وهدأ اشتعال قلوب الرجال، وخرجت الـ «كا» إلى حيثما خرجت.

****

«أَطفلٌ رباه الملاك خير أم طفل رباه فرعون؟».

****

بعد خمس عشرة سنة..

ظلام الليل يطبق على روحنا في هذه الأزقة، نسكن جسد أحد الأطفال الذين كانت الملائكة تطعمهم، لم يعُد طفلًا بل صار شابًا، وكل أولئك الأطفال كبروا وعادوا إلى أهليهم في السر خفية عن الفراعنة، وها أنا أسكن فتى منهم يمشي في أزقة مدينة ساجان، كنت أتفكر فيما رأته عيني، ذاك الطفل الذي ربَّته الملائكة سيصير كارثة على البشرية كلها، وذاك الطفل الذي رباه فرعون سيصير نبيًّا من أولي العزم، ظللتُ أفكر وأنا أمشي بين بيوت اليهود، حتى سمعت مناديًا يصرخ.

خرج الناس من بيوتهم ينظرون، ظهر المنادي وهو يقول:

- يا بني إسرائيل أخفوا أبناءكم، لقد وصل إلى مسامع الفرعون أن أعداد بني إسرائيل قد زادت، سيأتيكم جند الفرعون في الصباح.

شهقت النساء وهرعن يمسكن بأبنائهن، لو رأى جنودُ الفرعون الأطفالَ فلن يقتلوهم وحدهم هذه المرة، بل سيقتلون العائلة كلها التي أخفتهم، ويبدو أن هذا الفتى الذي نسكن فيه يتيم، أو أن أمه قد أُخذت سبية عند الفراعنة، هرعنا نختبئ به فوق سطح أحد المنازل، وظلت روحنا ترتجف حتى شق الصبح أستار الليل وارتجَّت الأرض، ونزل جند الفراعنة يدخلون كل بيت، يبحثون عن أي فتى صغير، صاح أحدهم:

- يا عبرانيين، بحق إلهنا ومليكنا «بافرعا»، لو لمحنا لكم في هذا اليوم طفلًا أو فتى، فإنّا لن نقتله، بل سنفعل ما هو أشد، انظروا هناك، أترون هذه المباني التي تُبنى من الطوب الضخم؟ سنضعه مكان الطوب ونجعلكم تبنون عليه حتى تنسحق عظامه.

انتفض قلبي وتجمدت أفكاري وتجمد كل من كان بالمشهد ونظروا إلى نقطة واحدة، لقد خرج أحد الفتيان من مكمنه. كان يمشي تلك المشية الواثقة التي أستغربها، نظر إليه الجنود جميعًا، فتى ضخم الجسد قوي، ينعقد شعره الطويل الكثيف وراء ظهره، وإحدى عينيه تبدو كالعنبة الطافية، هكذا فجأة وجدوه أمامهم يمشي بثقة، إنه هو، ميخا. مد أحد الجنود يده إلى سلاحه، وقبل أن تصل يد الجندي إلى السلاح وقبل أن أدرك الأمر، هجم ميخا بيد، فولاذية أمسك بالجندي ورفعه كأنه يرفع طفلًا ورماه بقسوة، ولم يكن ما حدث بعدها خيرًا.

خرجت السيوف من أغمادها، لكن ميخا لم يهتز، تكالبوا عليه، دفعوه وأوقعوه أرضًا، ولكنه قتل منهم كثيرًا، لا تسألني كيف كان فتى أعزل يفعل هذا، لكن هذا ما رأيته، يكفي أن يمسك بحلقك بتلك اليد الفولاذية فتتحطم حنجرتك، احتاج الأمر إلى عشرة رجال بل أكثر ليمسكوا به

ويقيدوه ثم يسحبوه لينفذوا به ذلك الوعيد الذي أطلقوه، أن يبنوا عليه الجدار. قيده الرجال بالحبال، في حين التقطت عيني في جانب المشهد اثنين واقفين ينظران إلى هذا كله بهدوء، الرجلين نفسهما، الساحر وصاحبه الذي يغطي رأسه، أرى الآن جزءًا من ملامح صاحب العباءة، أتراه هو الشيطان القديم لوسيفر؟ لا غرابة فقد رأينا كل من يمكن في هذه الرحلة، لم يبقَ إلا هو، لكن ماذا يفعل هنا؟ ومن هذا الساحر الذي بجواره؟ لا أستطيع سماع حديثهما.

جرَّ الجنود ميخا مقيدًا بالحبال الغليظة ثم وضعوه على أحد الأحجار الضخمة وتعاونوا جميعًا على حمل حجر كبير ليضعوه فوقه، لو ترك الرجال الآن الحجر عليه سيهشم عظامه بلا شك، اقترب منه الرجال وهم يحملون الحجر بصعوبة، وإبليس وصاحبه ينظران من بعيد بلا كلمة، وأم الفتى تصرخ ولا سامع لها، و...

- توقفوا.

صوت هادر أتى من ناحية اليمين، نظرت ونظر الجميع، فإذا هو فتى شاب يرتدي رداءً فاخرًا، يغطي كامل جسده وليس كما يحب الفراعنة تعرية صدورهم، أسمر اللون جميل الملامح، قوي الشكيمة، دفعهم دفعة واحدة فسقط الحجر منهم على الأرض وصرخ فيهم يعاتبهم وهم ينظرون إلى الأرض بتبجيل، من هذا؟

دخلتُ إلى أعماق روح ذلك الذي نسكن فيه لعلي آخذ منها علمًا.. وتفتحت كل جنبات روحي من الدهشة. هذا الذي أنقذ ميخا هو الأمير، ابن الفرعون؛ هذا الأمير الأسمر هو موسى.

****

«أحيانًا تُغيِّر العجول عقول الرجال».

****

كل شيء تغير لمّا دخل موسى؛ فقد اشتهر أنه ينصر المظلومين من بني إسرائيل، نظرنا من مخبئنا إلى ما يجري، رأينا الرجلين المريبين يتحركان بسرعة ناحية ميخا، أحدهم كاهن ساحر، وهذه رتبة لا يمكن لأحد أن يقف أمامها في هذه الدولة ولو كان الأمير، قال الساحر ذو الرداء الأحمر:

- عظيم يا موسى يا هبة النيل، سنأخذ هذا الفتى معنا، فإن الآلهة قد حفظته، وإن له شأنا.

نظر الجميع إلى الساحر وهو يفك قيود ميخا الذي أصبحت نظرته شديدة الإرعاب، هذه هي الفرصة لأخرج من هذا الذي نسكن فيه وندخل إلى هذا الساحر، هكذا سنفهم كل شيء دفعة واحدة، وبالفعل تملَّصت الـ «كا» حتى اتحدت مع روح الساحر، ولكن...

قبضة ضغطت على روحنا كألف قبضة، ما هذه الروح التي نحن فيها؟ ظهر على عين الساحر تعبير مذهول ثم انقلب إلى تعبير قاسٍ انتقامي وكأنه فهم دخولنا، جعل يرفع رأسه إلى السماء، يا إلهي.. هذا رجل يتحكم بروحه ذاتها، بدأنا نصعد خارجًا من جسده، لكن هيهات، دسسنا أنفسنا إلى أعمق أعماق روحه لنستشعر فيها كل معلومة قد تجعلنا نفهم. سقانا مما أوتي كثيرًا، وكلما تعلمنا ارتجفنا، ما هذا بعلم بشر، وفجأة انتفض الرجل نفضة قوية طردتنا خارجًا نتقلب على الأرض بلا هدى حتى سكنا في آخر مكان نود السُّكنى فيه، دخلنا روح حيوان، رأيت الرجال وهم يبتعدون ومعهم ميخا الذي نظر ناحية الحيوان الذي نحن فيه نظرة حادة.

عِجل، يمضي بنا في ربوع مصر، يأكل من هنا وهناك، حاولنا بكل الطرائق أن نخرج منه لكن لم نقدر، سنوات مرت ونحن نحاول، لكن لا يوجد شيء يلهب مشاعره البليدة، وكلما مللنا استرجعنا ما علمناه من روح الساحر، العلوم التي مع هؤلاء هي منتهى العلوم كلها، من كتاب

رازئيل إلى ألواح إدريس، إلى علم هندسي وفلكي ابتكروه بأنفسهم، لا عجب أنهم أسياد الحضارة بلا منازع، لكن هل هذه هي نهاية الرحلة؟ نريد الخروج من هذا الشيء.

في سواد أيامنا داخل العجل رأينا رؤيا لا ندري ما تعبيرها: «رأينا أن رجلًا ذا شعر ذهبي جميل يحمل خشبة كبيرة على ظهره ويسير بها وسط أناس يجتمعون يمينًا وشمالًا، بعضهم يسخر منه وبعضهم يبكي عليه، ووسط الجموع رأيت رجلًا ينظر إليه بشماتة ويبتسم، رجلًا أعور يشبه ميخا تماما».

هذا الأعور أصبح يأتي في كوابيسنا، فجأة برز أمامنا وجه، بل عدة وجوه، وأحدهم يبتسم بإجلال ويقول:

- هل تأخرنا عليك؟

أخذونا معهم، لو حكيت لأحد ما يحدث معنا الآن لما صدقنا، نحن في عِجل موضوع على منصة في ساحة خارجية لمعبد ما، وآلاف يجتمعون حول المعبد يفعلون شيئًا واحدًا؛ يعبدوننا، ونحن داخل العجل «أبيس» الذي كانوا يبحثون عنه في ربوع مصر كلها، العجل الأسود ذو العلامة المثلثة البيضاء على جبهته، ولمّا وجدوه أتوا به ونصبوه في المعبد، بدأتُ أدرك أن وجودنا في هذا العجل ليس صدفة، ثم رأيته، هو نفسه بعد كل هذه السنين، واقفًا بجواري يقود طقوس عبادة العجل.

لقد أصبح اليوم هو الكاهن الأعظم للعجل المقدس أبيس، صار شابًّا يافعًا قويًّا ذا مظهر قائد وعيون نافذة، تعلَّم كل شيء من علومهم، لا، بل هم علموه كل شيء، لقد كانوا ينتظرونه، ظللت أرمقه ولم أدرك إلا وقماشة سوداء قد غطت رأس العجل، وأُخِذنا إلى داخل المعبد.

رجال يقفون حولنا، كل واحد منهم يرتدي قناعًا على رأسه، هو قناع ابن آوى الأسود الذي يشبه الذئب، إنهم كهنة التحنيط، وقبل أن نفهم ما يحدث، مسَّ سكين حاد رقبة العجل وذبحه، وصعدت روحه وصعدت أرواحنا معه تتخبط في جدران المعبد ونقوشه، أبعد أحد الكهنة قناعه

223

واستعد ليغادر المكان، كان هو نفسه صاحب العين الطافية التي ترعب الصخر، فليأخذنا أحد من هنا.

****

«ثلاث عيون في إنسان، البصر والروح، وعين البصيرة».

****

بعد خمس سنوات أخرى..

كنا نهيم في روح أحد كهنة الفرعون، ويبدو أنها روح شديدة النفاق؛ فكل أجزائها صفراء، عرفت منها أنها روح كاهن اسمه «يانز»، وجدته واقفًا في شرفة قصر الفرعون يتطلع إلى الصروح العظيمة، ثم توهجت مشاعره بسرعة لمّا رأى مشهدًا غريبًا يحدث خارج القصر، رجلان أحدهما أسمر طويل قوي الشكيمة يمسك بعصا، والآخر يشبهه قليلًا، يقتربان من القصر بحزم، أخبرتني روح الكاهن أن صاحب العصا هو موسى الذي هرب من القصر منذ مدة طويلة بعد أن قتل رجلًا من آل فرعون، لكن ما الذي أتى به الآن إلى حتفه؟ ومن هذا الذي معه؟

رأيت عدة أسود متوحشة عند بوابة القصر تحرسه لتفتك بمن يقترب، كانت تزأر بحدة، ورجال القصر يحاولون السيطرة عليها، فوقف موسى وصاحبه مكانهما، وبسرعة انطلق الكاهن الذي أسكنُ فيه إلى الفرعون ليخبره، دخل عليه وهو في ملأ من العائلة الملكية وصرخ:

- يا فرعون إن ابنك الهارب موسى قد حضر.

قام الفرعون من عرشه وقال:

- كيف تجرَّأ؟ أين الجنود والأسود؟ اقتلوه.

ارتعش جميع الحاضرين، ثم سمعنا زئيرًا يقترب من القاعة، لم يكن هذا طبيعيًّا، نظر الكل إلى باب القاعة بترقب، وفي مشهد مهيب دخل موسى

والفتى الذي معه ومعهما الأُسود التي كانت تلتصق بأرجلهما بود وتزأر بخضوع. وقف موسى وكل شيء في مظهره ينطق بالقوة والنبوَّة وقال:

- يا فرعون، إنني وأخي هارون رسولان من ربك إليك لنهديك، فكُف عن تعذيب بني إسرائيل، تذبح أبناءهم وتستحيي نساءهم، وتكلفهم ما لا طاقة لأحد به، فإن اهتديت فالسلام لك، وإن أبيت فاتقِ عذاب ربك.

قال فرعون بعينه التي يملؤها الكحل:

- أي رب هذا؟ ألسنا قد ربيناك بيننا سنين؟ ثم لمّا اشتد عودك فعلت فعلتك وهربت، أفتأتيني الآن وتزعم أنك رسول؟ انظروا أيها الملأ إلى هذا الرسول المجنون.

قال موسى بقوة:

- فعلتها وأنا ضال وفررت خوفًا منكم فجعلني ربي من المرسلين، أما ربك يا فرعون فهو رب السماوات والأرض الذي خلق كل شيء ثم هدى.

- إن اتخذت إلها غيري يا موسى فليس لك سوى السجن تدخله حتى تتحلل، ولتجعل إلهك رب السماوات يخرجك منه.

سكت موسى قليلًا ثم قال:

- وماذا إن جئتك بعلامة؟

وقبل أن يستفهم فرعون عن معنى هذا، ألقى موسى عصاه على الأرض أمام الجميع، نظرت الحاشية إلى العصا الملقاة، ثم حدث المشهد الشهير؛ المشهد الذي جعل الـ «كا» خاصتنا تهرب وتطفو في سقف القاعة، العصا بدأت تتحرك تحركًا مستحيلًا وأجزاء فيها تتغير وتتبدل حتى استحالت ثعبانًا له فحيح، تحرك الثعبان ناحية الفرعون بجسده الذي يقذف الرعب في القلوب وفتح فكه وأخرج لسانه المشقوق، كنت

أسمع دقات قلب الفرعون، أي إله ذلك الذي يتجمد على كرسيه لرؤية ثعبان؟ قال أحد الرجال من الملأ:

- أبعده عنه.

أدخل موسى يده السمراء في ياقة قميصه ببطء ثم أخرجها ومدها إلى ناحية الثعبان، ابتلع الجميع لعابهم بصعوبة لأن يد موسى أصبحت بيضاء ناصعة، وعلى الفور توقف الثعبان وزحف ناحية اليد البيضاء، ثم رفع رأسه المخيفة إليها، وعندما مسَّها الثعبان عاد عصا في يد موسى، وعادت يد موسى سمراء كما كانت.

كل الملأ الذين كانوا حاضرين في ذلك المشهد كانوا من كُبراء العائلة الفرعونية، وإن لم يتصرف الفرعون الآن، فإن هذا ربما يعني نهاية عرشه، فهو الذي يدَّعي الألوهية والربوبية والعلم.

****

«العين تعرف النور لمّا تراه، ولو كان على شكل ثعبان».

****

ظللنا طافين في الجو ننظر إلى السكون التام الذي خيَّم على رؤوس الجميع بعد معجزة موسى، ثم قام فرعون من مقامه.

توجد لحظات تكتشف فيها أن بعض الشخصيات التاريخية حقًّا استحقت كل الضجة التي أثيرت حولها، وفرعون حقًّا كان فرعون، قام من عرشه وتقدم بخطوات ثابتة ناحية موسى الذي كان واقفًا كالطود العظيم. قال فرعون وهو يمشي وينظر إلى عصا موسى من أسفلها إلى أعلاها:

- فنون سحر الهيكا هذا الذي عملته منذ قليل، بل إنني أعرف الساحر الذي علمك، أوباينر، أليس كذلك؟

نظر موسى وهارون بتساؤل إلى فرعون الذي أكمل بصوت ثابت:

- قصة شائعة جدًّا في بلادنا، قصة خوفو والسحرة، دعني أُذكِّرك، عندما اجتمع الملأ أمام الملك خوفو وحكوا له حكايا السحرة الكبار، واحدة من الحكايات كانت عن الساحر أوباينر الذي عمل تمساحًا من الشمع ثم جعله حيًّا.

استدار فرعون إلى ملئه وقال:

- إنما هذا الإنسان ساحر عليم، يظن أنه سيخرجنا من هذه الأرض بسحره، ولا يدري أن هذه هي أرض السحرة، فماذا ترون فيه؟ إنني أرى أن نقتله على الفور.

برز رجل نعرفه لأننا رأيناه في بداية القصة، مؤمن آل فرعون «سيتكا»، أخو فرعون الشقيق، وقال بلا خوف:

- أتقتلون رجلًا أن يقول ربي الله؟!

قال موسى:

- إني التجأت إلى ربي منكم ومن كل متكبر لا يؤمن بيوم الحساب.

بدأت نفس فرعون تغلي غضبًا وقال:

- ما أُريكم إلا ما أرى، ذروني أقتل هذا الإنسان.

قال أحدهم:

- قتله سيجعل منه بطلًا، لقد أثَّر في بعض العامة بهذه الألاعيب، فليأتِ بسحره ونأتِ بسحرنا وسنغلبه أمام العامة، يكفي أن لدينا الساحر ميخا، الكاهن الأعظم للعجل أبيس.

بدت على موسى نظرة دهشة، لقد كانت المرة الأولى التي يعرف أن ميخا اليهودي قد اتخذ طريق السحر، بل صار كبير السحرة.

قال فرعون بلا تفكير:

- فلنأتينك بسحر أكثر فتكًا من سحرك، فاجعل بيننا وبينك موعدًا.

قال موسى بسرعة:

- يوم الزينة.

بدت على جبهة فرعون المفاجأة، يوم الزينة.. اليوم المشهود.

انفضَّ المجلس وانطلق الساحر إلى أمير السحرة ميخا. دخلنا مع الساحر إلى معبد العجل أبيس في ممفيس، ساحة فاخرة في نهايتها أكبر تمثال على وجه الأرض، تمثال عجل، وكان تحت التمثال رجل واقف؛ رجل أعور. الرجل ليس مخيفًا لكنه يقتحمك، نظرته وعينه يجعلانك ترتجف وكأنك عارٍ مكشوف أمامه، كان الرجل ذو الروح الصفراء الذي نسكنه يتحدث بانفعال عما فعل موسى والثعبان، وأنه يجب أن نجمع السحرة، والأعور جامد الملامح، ولما انتهى قال الأعور:

- لا أحد يُحوِّل الجماد إلى كائن حي بالسحر، إنما قد سحرْ أعينكم.

هم الرجل بالحديث لكن الأعور أوقفه بإشارة من يده، وقال:

- لقد تعلم ذلك الرجل من السحر ما لا يُعرف في هذه البلاد، فليكن موعدنا يوم الزينة، وإن كان يحب الحيّات، فلا بد أنه سيعجبه مذاقها.

مد الأعور يده إلى الرجل بقنينة فيها سائل أبيض، وقال له كلامًا جعل رأسي يدور، أي شيطان هذا؟!

****

«في يوم الزينة انكشف صانعو الزينة».

****

أتى اليوم المشهود، وخرج الساحر يانز الذي بُلينا بالسكن في روحه من بيته، وقد خرج المصريون من بيوتهم بأحسن الألبسة، البعض تجمهروا على ضفاف النيل يضعون فيه قوارب ملونة، هذا يوم «واج وتحوت» حيث يحتفلون بأوزيريس وبجميع الموتى، لكن أغلب الماشين

يتحركون بخطى سريعة إلى ساحة الفرعون، لأن مواجهة السحرة قد أشرفت.

أعمدة ومعابد ونقوش ملونة وأزهار طائرة، مررنا على كل ذلك حتى وصلنا إلى الساحة المشهودة. وجدنا فرعون يجلس واثقًا وحوله حاشيته، وآسية واقفة في الشرفة القريبة تنظر بقلق بالغ. سمعنا ضجة من ناحية الناس فنظرت إليهم فإذا موسى.. يا لبهاء هذا الإنسان، فقط هيئته تنطق بالقوة والنبوة، كانت معه عصاه إياها. انتقلت الضجة إلى ناحية أخرى ظهر فيها إنسان آخر، ميخا بشعره الجعد وعينه الطافية، كان يرتدي عباءة حمراء يتخللها السواد وحوله عشرة من السحرة الكبار.. ذاك رجل ينقبض قلبك لمّا تراه. ظننت أن الساحر يانز الذي نسكن فيه سيتوجه إلى ناحية السحرة، لكنه توجه إلى ناحية موسى.

الآن فقط لاحظت أن يانز يمسك في يده بقارورة فيها نبيذ أحمر أو عصير مخلوط بسم الثعابين، كان يتجه بها إلى موسى، ولمّا وصل أحنى رأسه لموسى وقدمها له بتواضع:

- تفضل يا سيدي، تحية من الفرعون.

نظر موسى إلى القارورة ثم نظر إلى الأعور ميخا فوجده يشرب قارورة مماثلة، تناول موسى القارورة وشربها على الفور، انقبضت روحي، يا رباه! لقد شرب السم.. قال موسى:

- اذهب إلى من صنع هذا وأخبره أن السموم لا تؤثر في خادمي الله.

بدأت روح يانز ترتجف وبدأت بعض قناعاته تهتز، لكنه تماسك وانطلق إلى ناحية ميخا. بدأ العرض بأن ألقى جميع السحرة عصيهم على الأرض، فأخذت العصي تتثنى وتتحرك إلى الأمام، بل وترفع رأسها، دققت النظر، يا للسماء أهذه حيّات حقًّا؟ لكن ثعبان موسى كان... يا

إلهي! انقلبت عصا موسى إلى ثعبان مبين، هجم بفك ثعبان وبفحيح ثعبان وابتلع جميع حياتهم أو ما يبدو أنه حياتهم. وجدنا أنفسنا نهبط على الأرض، أو بتعبير أكثر دقة يهبط رأس يانز على الأرض، لم أكن أفهم الأمر في البداية، الرأس ينزل إلى الأرض واللون الأصفر الذي في الروح يتحول إلى لون أبيض صافٍ، هذا الرجل يسجد. رأيت جميع السحرة الذين حول الأعور يسجدون، جميعهم بلا استثناء، وبقي هو وسطهم واقفًا لا ينحني، مثله كمثل إبليس إذ رفض السجود بين الملائكة، وبحقٍّ كان ذلك المشهد أشد هيبة من كل ما يقال عنه.

****

«هرم الأعور أعظم من كل هرم».

****

أسوأ شيء أن تحل في روح متعبة لا تتجاوب معك، نسكن اليوم في عامل بناء مصري ضخم الجثة بلغ منه التعب أن أصبح يمشي ولا يفكر، أرى الأعور وبجواره هامان العجوز يمشيان هناك ويتحدثان في أمر مهم ولا أسمع ما يقولان. حاولنا استفزاز الرجل حتى يتحرك بخطوات أسرع ليقترب منهما لكن لا فائدة.. بجوارنا مجرى مائي كبير مصنوع من الطوب الطيني والكل يمشي بمحاذاته. عشرات من عمال البناء الآخرين يمسكون حبالًا يسحبون بها أحجارًا ضخمة تطفو في المجرى المائي، كل حجر منها ملفوف بوسائد من كل جوانبه حتى يطفو. كانوا يبنون الهرم الأعظم، هرم نجمة الفرعون «با فرعا»، أعلى هرم على سطح الأرض، حتى إنه أكبر طولًا من هرم خوفو. بدأ العامل الذي نسكنه يتجاوب معي وقد أشعلتُ حماسه للسماع، فأسرع من مشيه ليقترب من الأعور.

- أنت منهم، عبراني، سيثقون بك.

قالها هامان للأعور، فنظر إليه الأعور قائلًا:

231

- عليك أن تُقنع الفرعون بهذا، أخبره أنها الطريقة الوحيدة لاكتشاف سر السحر الذي يستعلون به على أسحارنا.

كنا قد وصلنا إلى الهرم الأعظم، لا يزال في طور البناء، هنا رأيت أعجب شيء هندسي تعرف به لماذا تفوَّق الفراعنة على الجميع، انسَ كل ما قرأتَه يومًا عن طريقة بنائهم الأهرام، لأننا نرى شيئًا استثنائيًّا الآن.

توقف جميع العمال لمّا وصلت الأحجار الضخمة إلى نهاية المجرى المائي، وأصبح عليهم رفع الأحجار لتصل إلى أعلى الهرم، فنظموا الأحجار صفًّا في الماء، وكان المجرى المائي يرتفع ممتدًّا إلى أعلى الهرم كأنه أنبوب مغلق من الحجارة الطينية، لكن كيف سيصعد الماء فيه؟ وإن صعد الماء كيف ستصعد فيه الأحجار الثقيلة؟ في الثانية التالية عرفت. فجأة ارتفع حاجز مثل البوابة في نهاية المجرى المائي فصعد الماء بفعل الضغط في الأنبوب الحجري وصعدت معه جميع الأحجار دفعة واحدة، الأمر مثل أن يكون لديك زجاجة مائلة فيها ماء فتضع شيئًا في أسفلها فيرتفع تلقائيًّا إلى قمتها، أي عقول هذه؟ كل هذا يرجع إلى ذلك المهندس الأعظم هامان، سمعت الأعور يقول له:

- أنت تعلم أن الفرعون لا يناقش في هذا الأمر بالذات، حتى امرأته آسيا لمّا عرف أنها تؤمن بموسى علَّقها بأوتاد وتركها تسلخها الشمس كل يوم، فهي باقية معلقة حتى اليوم، وأخوه سيتكا الذي يبدو أنه آمن بموسى هرب بمعجزة من فتكه.

- لا تكترث بهذا الأمر، فقط اذهب إليهم ودُسَّ نفسك وسطهم كمؤمن بهم، وائتنا بسر علومهم وبما يعزمون عليه.

حسم الأعور قراره، وتحرك بعيدًا عن المكان وانطلق بعوار قلبه إلى قوم موسى.

****

«الشيطان يستميل القلوب أولًا ثم العقول».

****

بعد عشر سنوات..

ستر الليل أجسادهم وسكنت أصواتهم، كانوا يمشون في أفواج منفصلة متباعدة، كل فوج يتحرك بعد الآخر بساعة لئلا يراهم أحد، ستمئة ألف من الرجال والنساء والأطفال والعجزة كما ذكرت التوراة، دعاهم موسى إلى الخروج من الأرض بأمر الله فتركوا كل شيء وخرجوا، لم يكونوا هم جميع بني إسرائيل بل جزء منهم، فالبقية خافوا من آل فرعون ولم يرحلوا.

تعبنا حتى نصل وندخل في واحد منهم، جميعهم لا يدرون إلى أين هم ذاهبون، فقط موسى يعرف، والله يعرف، نظرت إلى ذلك الأعور الذي جئنا خصيصًى لنتبعه، كان يمشي وسط كل هؤلاء بعينه العوراء في الفوج الذي فيه موسى. كان قد مكث في قوم موسى عشر سنوات ينافق بني إسرائيل حتى بلغ فيهم مكانة كبيرة، كانوا ينظرون إليه كما تنظر إلى ساحر ماهر تائب، وما زالت هيبته باقية في نفسك، وازداد هيبة بعد إيمانه، لكنه كان ينقل أخبارهم إلى فرعون. وثِقوا به ثقة كبيرة حتى أسندوا إليه أن يكون سامري، والسامري عند بني إسرائيل أو الــ Shomer هو الأمين الذي تحفظ عنده أموالك وذهبك وتعطيه على ذلك أجرًا، وكان الأعور هو السامري الذي يكنز الذهب بالأجر.

في تلك الليلة رأيته يحاول بكل طريقة أن يعرف الاتجاه الذي سيمضي إليه هؤلاء حتى يخبر آل فرعون، كنّا نمشي في طريق ثم نتوقف ونتجه إلى آخر ثم نعود أدراجنا ونمشي في طريق ثالث، هذا ليس جيدًا، من المفترض أن يكون الطريق معروفًا حتى نختفي عن الأنظار سريعًا، لكن هذا لم يحدث، ما زلتُ أرى أضواء المدينة، وكل ساعة نتوقف ونعود. توقف موسى مرة أخرى وجمع كبراء قومه وقال:

- إما أننا ضللنا وإما أن هذا الطريق لا يستوي لنا.

قال له كبير القوم:

- يا موسى، إن نبي الله يوسف قبل أن يموت أخذ علينا موثقًا، أنه إذا أكرمنا الله بالخروج من هذه الأرض إلى الأرض الموعودة المقدسة أن نأخذ تابوته معنا.

قال موسى:

- ولن يهدينا ربنا إلا إذا أوفينا بوصية يوسف، فأين هو تابوته؟

سكت الجميع، تابوت يوسف هذا قد خبأه الملك الخبيث «نبكا» بعد موت الملك «زوسر» عزيز مصر الذي كان يحب يوسف، ولا يعرف أحد موضعه. تسلل اليأس إلى قلوب الرجال حتى تطاول أحدهم وقال:

- يا موسى، إن هذا التابوت لا يعلم موضعه إلا امرأة عجوز في حبرون، هي سارح بنت آشر بن يعقوب، عجوز ما زالت تعيش منذ عهد يوسف.

وتوقف ستمئة ألف إنسان، بوجل تخفق قلوبهم وعيونهم تنظر حولها، كلهم ينتظرون رجلًا بعثه موسى ليحضر امرأة عجوز، من داخل أرض الفرعون.

****

«كاهن التحنيط يفهم معنى الخلود إذا رآه».

****

تنفس الصبح على حشد من الرجال يمشون بحذر، يحمل اثنان منهم على أكتافهم امرأة عجوزًا ذات وجه صابح بالإيمان أبت أن تدلَّهم على مكان التابوت حتى أخذت من موسى عهدًا أن تكون معه في الجنة، وقد أمره الله أن يعطيها هذا العهد، كان معنا موسى وهارون وميخا السامري الأعور ونحن نتجه من شمال مصر إلى جنوبها، طال مسيرنا أيامًا، وبنو إسرائيل قد أخفوا أنفسهم خارج المدن ينتظرون أمر الله. انتهت بنا العجوز إلى بحيرة عظيمة اشتهرت بعد ذلك باسم بحيرة قارون، أشارت العجوز إلى البحيرة وقالت:

234

- جففوا هذا الماء.

نظر الناس بعضهم إلى بعض، كيف نجفف ماء بحيرة؟! فقالوا إنها عجوز خرفة، لكن موسى سألها:

- أين موضعه بالضبط في البحيرة؟

أشارت إلى موضع معين، فتقدم موسى من البحيرة ووقف على طرفها، ونظرنا جميعا إلى آية من آيات رب العالمين، رفع موسى عصاه ومسَّ بها طرف البحيرة فانشقت، سمعت شهقة السامري وهو يقول:

- يا للسماء، يشق البحر، إنها أسطورة كنا نحكيها للناس ونحن نعرف أنها خرافة، هذا مستحيل.

قال أحد الرجال:

- نعم أذكرها، كانوا يفسدون عقولنا بهذه القصص، «دادامان» الساحر الذي شقَّ النهر نصفين في قصة خوفو لأجل أن تجد جارية الملك قلادة وقعت منها، فسبحان الله الذي أعطى نبيه الآيات التي كان يظنها القوم أسحارًا.

نظرنا إلى أرض البحيرة فوجدناها خضراء، أشارت العجوز إلى نقطة في وسط أرضها وقالت:

- احفروا هنا.

هرع الرجال يحفرون الأرض، والأعور لا يحفر معهم، بل كان ينظر إلى الاخضرار العجيب الذي حل في هذه الأرض، كانت هي البقعة الوحيدة الخضراء على طول نهر النيل السائر في إفريقيا كلها، وكأنها في الخريطة شامة خضراء في وسط صحراء صفراء، وهي كذلك حتى اليوم.

235

ركع السامري على ركبتيه وهو يتلمس التربة ويُحدِّث نفسه بحديث لم أسمعه، كأن الرجل قد فقد صوابه، تلك الأرض قد اخضرت لوجود تابوت النبي يوسف فيها.

رأيت الرجال ينشغلون بالحديث واستخراج التابوت، والسامري قد انضم إليهم لكنه كان يفعل شيئًا آخر، كان يتلمس التراب الذي يحيط بالتابوت، ذرات من تراب عجيبة ذات لون مختلف، قبض السامري منها قبضة وأخفاها في رحاله، ولم يرَه أحد إلا أنا.

حمل الرجال التابوت على أكتافهم واستداروا عائدين، ومشى معهم السامري وهو سارح في كل ما رآه، والعرق يتصبب منه من جهد الفكر، كان هذا الذي أخذه واحدًا من أكثر الأشياء فتنة في تاريخ بني إسرائيل، بل في تاريخ العالم كله، الأثر، أثر الرسول.

****

«كل هرم كان في أصله شر».

****

هبط الظلام وبنو إسرائيل يحملون التابوت الذي كان يُشع في الليل إشعاع النجوم فيضيء الطريق، ولم ينتبه أحد للأعور وهو ينسلُّ من وراء الجمع ويختفي، نحن فقط رأيناه، ونحن فقط تبعناه، هذا الرجل رأى شيئًا غيَّر مفاهيم حياته، ولا أدري ماذا سيفعل، كان يتجه بسرعة إلى المدينة، لديه جسد قوي أتعبنا في ملاحقته، ولمّا وصل إلى المدينة ظننته سيهرع إلى فرعون ليخبره بمكان بني إسرائيل، لكنه توجه إلى مكان آخر، بعيدًا عن كل أحد، إلى الهرم الأعظم، هرم النجمة الذي كان قد اكتمل بناؤه.

كان أكبر هرم في مصر وأعلى قمة وُجدت في العالم يومًا ما، أبيض متلألئًا في الليل كأنه درة عظيمة، رأيت الأعور يدخله من بوابة فيه، ومن عجلته تركها وراءه ولم يغلقها. دخلنا وراءه، كان يقف أمام ضوء

مشتعل فبدا جسده كأنه ظل أسود ممتد، رأيته يرفع يديه وهما تمسكان بشيء ما لم أتبينه في الظلام، ثم فجأة نزل بذلك الشيء بأقصى قوة على صدره، وسمعت صوت اختراق جسد، يا إلهي، هذا الرجل يطعن نفسه.

ما لم نعرفه وقتها أن الرجل طعن نفسه بنصل مجوف يحوي بداخله مصهور ذلك التراب الذي قبضه من أسفل تابوت يوسف، ذلك التراب الذي كلما جربه على شيء يحيا في دقائق، يرميه على أرض فتزهر، يرميه على صخر فينبت ويخضرّ على الفور، لكن الأعور قرر في تلك الليلة قرارًا آخر، أن يسيل هذا الشيء في عروقه وأوردته، صرخ الأعور صرخة تردد صداها في جوانب الهرم، وانثنى على نفسه وانتفض، واهتز.

ارتعب فؤادي وأنا أنظر إلى انتفاضته، وبدا أن حواسه كلها قد تفتحت وشعوره أصبح أعلى، وفجأة استدار، نظر إلى الموضع الذي نختبئ فيه رغم أننا لم نصدر حركة ولا صوتًا، سقط الخنجر المجوف عن صدره ورأيته يتقدم نحونا، وعلى الرغم من أنه كان بعيدًا عنا بأربعة أمتار فإننا وجدناه أمامنا في ثانية واحدة، وفي ثانية واحدة مضت يده كالخنجر في رقبة الرجل الذي نسكن فيه.

حاولنا الهرب في تلك الليلة بكل طريقة، لكن ما لم نكن ندريه أن ذلك الأعور أصبح جسده لا يهرم ولا يموت بعد أن طعن نفسه، وصارت سرعته كلمح البصر، وانكشف الغطاء عن عينه فصار يرى ما لا يراه أحد من جن وملائكة وأرواح، لقد أمسك الـ «كا» خاصتنا كأنه يراها وسحقها بيده ورماها لتسيل متهتكة على جدران الكهف، بدأت الصورة تخفت في عيننا والصوت يتباعد، حتى اسود كل شيء، وانتهى كل شيء.

**** تمت ****

237

بسرعة انقضَّت الـ «كا» على الهرم المصري الأكبر كانقضاض طائر العقاب على فريسته، وانطلقت تسري في الممر الحجري المصنوع لها داخل الهرم، حتى حطَّت على أرض الحجرة الملكية في الهرم، فانبعث لهبوطها شيء من الغبار الأثري من الأرض، ولم تلبث أن انقسمت وخرجت كل روح إلى صاحبها، أفاق الثلاثة من غفوتهم وقال لويب بدهشة:

- هذه الشمعة ما زالت على طولها كأننا ما لبثنا إلا دقائق.

قال له بوبي وضوء الشمعة يتراقص على وجهه:

- كذلك في علم الروح ترى السنين كأنها ثوانٍ أو ترى الثواني كأنها سنون، فإذا كان ما يطول معك هي مشاهد السعادة فروحك أسعد، وإن طالت مشاهد الكوابيس فروحك أشقى.

قال ليوبولد باستفهام حقيقي:

- كيف علمت كل هذا؟ نحن نلهث فقط لاستيعابك.

سكت بوبي قليلًا ثم قال:

- التوحد يُلقي على المخ قدرات خاصة جدًّا، وكانت قدراتي في حفظ الكتب، والحق أن مكتبة والدي كلها موضوعة هنا في هذا المخ.

قال له لويب:

- هل علَّمك يعقوب فرانك كل شيء؟

تنهد بوبي وضيَّق عينيه قليلًا وهو ينظر بعيدًا، ثم بدأ يتحدث بما لم يتحدث به من قبل. قال بوبي:

- إني أذكر مشهدًا واحدًا لا يمكن أن أنساه، في ذلك اليوم كنت أقف مع أبي يعقوب فرانك تحت أطول مبنى في شيكاجو بأكملها، مبنى المعبد الماسوني Masonic Temple، وهو ناطحة سحاب شديدة الفخامة، وكما فهمت من أبي فإن هناك طائفة يدعون

أنفسهم بالماسون يجتمعون دوريًّا في الطابق العلوي وراء زجاج مكاتبهم، ناظرين إلى المدينة التي يزعمون أنهم يحكمونها، لم أكن أصدق أيًّا من هذا الهراء على صغر سني.

كنت في الرابعة والعشرين من عمري وقد شارفت أن أنتهي من السنة الأخيرة في الجامعة، والحق أقول لكم.. إن كل شيء تعلمته تقريبًا كان في هذا المبني. كنت أظن في البداية أنهم سيكونون سوداويّي المنظر، لكنني فوجئت، لمّا دخلت، بأنهم كانوا على أعلى قدر من الأناقة، وكانوا ذوي سلوك حسن.. أطباء ومحامون ورجال أعمال، وكانوا في جلسة تمجيد للآلهة، فهمت أنهم يعبدون إلهًا يُدعى نيهوشتان، مثل بني إسرائيل الذين كانوا يعبدون الأفعى الذهبية نيهوشتان التي تحكي التوراة أن موسى صنعها لقومه. كانوا يلقبون أبي باسم كاجليوستو، لأنه كان يشبه الساحر كاجليوستو الفرنسي الذي يعدّونه أسطورة خاصة بعد أن استخرج علوم المصريين القدماء، ثم عاد إلى فرنسا وبنى مجموعة من المحافل الماسونية ذات الطابع الفرعوني هناك. كنت أتساءل عن هذه الماسونية التي ينتمي إليها أبي، والتي يريد أن يضمني إليها، وفي ذلك المبنى فهمت. كل العلوم الخفية كانت مدفونة تحت موضعين في هذا العالم، الأول هو تحت المسجد الأقصى والثاني هو جوف الهرم الأكبر. فنون هاروت وماروت وكتب السحر الأسود التي كتبتها الشياطين باسم سليمان كانت مدفونة تحت المسجد الأقصى، واستخرجها فرسان المعبد الذين أورثوها من بعدهم إلى منظمة شيطانية كانت هي بداية كل المنظمات السرية في العالم، الروزيكروشن، أو الصليب الوردي، وهم الذين انشقت عنهم الماسونية فيما بعد، ثم نجح رجال الروزيكروشن في استخراج العلوم المدفونة في الموضع الثاني، الهرم الأكبر، وتلك تضمنت سفر رازئيل وعلوم الأنبياء الأوائل في أتلانتيس وألواح إدريس الزمردية وعلوم المصريين القدماء بجميع أجيالهم. كاجليوستو العضو الأهم في الروزيكروشن، هو أول من أظهر أنه توجد علاقة بين المنظمات

الخفية من جهة والمصريين القدماء والأهرامات من جهة أخرى، وبمرور السنين ورثت الماسونية عنهم رموزهم المصرية وأسرارهم، وجعلوا الهرم الذي تتوسطه عين رمزًا لهم، هل علمتما لماذا تقدس الماسونية الهرم؟ كنت أسأل أبي دومًا عن فائدة هذه العلوم الخفية أصلًا، وكيف لها أن تجعلهم أعلى من غيرهم، فما أعرفه هو أن كل العلوم الحديثة التي تطور بها هذا العالم متاحة الآن في يد الناس ومعامل الأبحاث، فعلمني أبي كلمة لم أنسَها يومًا، قال لي إن صاحب العلم يسود والباقين يتبعونه، فالعلم عبارة عن معلومة، لو علمت مثلًا أنه توجد أرض تحوي ذهبًا في باطنها فهذا اسمه علم، وأنت تكون أعلى من غيرك لأنك أول من ستستأجر عمالًا يستخرجون هذا الذهب. تعلمت أن الحضارات القديمة من أتلانيتس وما تفرع منها من حضارات في مصر وأنحاء العالم الأخرى كانت تتمتع بتطور أكثر مما نتخيله بسبب هذه العلوم الخفية التي كانت بذورًا لكثير من العلوم الحديثة التي نتمتع نحن بخيراتها الآن، والتي أصبح هؤلاء الكبار هم أصحاب الشركات التي تتحكم بها، والحقيقة أن هذا العالم كان يمكن أن يتطور أسرع بعشر مرات على الأقل لولا أن أولائك كانوا يُظهرون العلوم بحساب، لأن هذا يكفل لهم السيادة الدائمة، ولا يغيب عنكم كيف أن التكنولوجيا لا تعطى مرة واحدة بل تزيد في كل سنة شيئًا قليلًا حتى تستمر مكاسبهم إلى الأبد. كثير من الأمور يكون الناس في جدال حولها، وهؤلاء الكبار يعرفون حقيقتها لكنهم يخفونها لتظهر في الوقت المناسب، ولمّا تظهر في الوقت الصحيح تعني مزيدًا من السطوة.

كلمة Annuit cœptis التي وضعوها على شعار الولايات المتحدة الأمريكية الرسمي، إنما تعني القبطي العظيم، أو المصري الأعظم السامري، وذلك الهرم المرسوم على الشعار ليس هرم خوفو الأكبر بل هو هرم الأعور، وهو هرم بُني بعد الأهرامات الثلاثة، وكان أكبر منهم جميعًا.

قال لويب مباشرة:

- أين هذا الهرم بالضبط في مصر؟

رد بوبي:

- حتى تعلم مكان هرم الأعور يجب أن تعلم من هو فرعون موسى، لأن فرعون موسى هو الذي أمر ببنائه في الأصل ليكون أعلى قمة في التاريخ، فهذا الهرم مكتوب باسم فرعون موسى ليس باسم الأعور الذي كان كاهنًا أكبر ومهندسًا للهرم مع هامان، فلا تُكتب الأهرامات بأسماء الكهنة بل بأسماء الملوك.

سأله لويب:

- ومن هو فرعون موسى؟ يظهر من كلامك أنه بعد خوفو بشخصين، لكن هذا غريب عن كل الآراء التي أعرفها.

قال بوبي وهو يعبث في عكازه:

- الاعتماد على التوراة وحدها أوصل المؤرخين إلى الجدل لأنه ليس فيها ما قد يدل على ملك بعينه بين جميع ملوك مصر، أما قرآن المسلمين، ففيه كل شيء.

سكتت أصوات الأخوين وهما يستمعان إلى شيء زاد من دهشتهم أضعافًا. قال بوبي:

- قرآن المسلمين حكى عن رجل ذي رتبة عالية اسمه «هامان» يعاون فرعون، قال الله في القرآن: «إن فرعون **وهامان وجنودهما** كانوا خاطئين»، ثم اتضح أن هامان أيضًا مسؤول عن أعمال البناء، حيث أمره فرعون أن يبني له بناءً عاليًا، فجاء في القرآن: «فأوقد لي يا هامان على **الطين فاجعل** لي **صرحًا** لعلي أطَّلع إلى إله موسى».

الوحيد الذي تنطبق عليه هذه الصفات في التاريخ المصري القديم كله هو «هيمينو» وزير خوفو والمهندس الذي بنى الهرم الأكبر، أعلى

«**صرح**» هندسي أثري في العالم، فهذا ربما يعني أن خوفو هو فرعون أو هو ملك بعد خوفو بقليل، جاء في حياة الوزير هامان، سنؤجل الحكم على هذا قليلًا.

يدلل القرآن أيضًا على أن هذا البناء العالي هو من **الطين** أو له علاقة بالطين، لكن أهرامات الجيزة الثلاثة هي من أحجار جيرية ضخمة، حتى المِلاط المستخدم في لصق الأحجار بها لم يكن من الطين، ولكن بعد اكتشاف الطريقة التي بُنيت بها الأهرامات عرفنا أين استُخدم الطين بالضبط، فالمصريون قبل أن يبنوا أي هرم، لا بد أن يبنوا شبكة معقدة من المجاري الطينية ليجري فيها الماء، هذه المجاري تصعد إلى أعلى سطح الهرم وتُستخدم لنقل الحجارة ورفعها إلى الأعلى، ويجب بناؤها أولًا قبل بناء أي هرم، وبالفعل كان كلام فرعون دقيقًا وهو يقول «أوقد لي على الطين» «**فاجعل** لي صرحًا»، فلم يقل اجعل لي صرحًا من الطين، يعني أنه يوجد شيء يُبنى من الطين أولًا ثم نبني به الصرح أو نستخدمه في بناء الصرح.

قال لويب بتشكك:

- أصح ما قرأناه أن فرعون هو بعيد تمامًا عن عهد خوفو، بل الأجدر أن يكون هو رمسيس الثاني، وهذا بعد خوفو بأكثر من ألف سنة.

قال بوبي وهو يمط شفتيه:

- دُحضت هذه الفكرة تاريخيًّا، لكن توجد طريقة أخرى غير فكرة الطين والهرم تدلنا على معرفة زمن موسى بدقة، فكُتب الأديان تقول إن النبي يوسف كان قبل موسى بزمن قليل جدًّا، التوراة تؤكد أن يوسف كان قبل موسى بـ 64 سنة، والقرآن أكد هذه المدة القريبة بين موسى ويوسف لمّا ذكر خطاب مؤمن آل فرعون إلى فرعون وملئه حين كان يقول لهم بوضوح: «ولقد **جاءكم يوسف**

من قبل بالبينات فما زلتم في شك مما جاءكم به حتى إذا هلك قلتم لن يبعث الله من بعده رسولًا»، فهو نص صريح يقول إن قوم موسى هم الذين أتاهم يوسف من قبل وشكوا فيما جاء به.

قال لويب بشرود:

- يعني إذا عرفنا زمن يوسف تاريخيًّا سنعرف تاريخ موسى.

قال بوبي باهتمام:

- نعم.. وفي التاريخ المصري القديم قبل عهد خوفو بستين سنة تقريبًا، كان يوجد ملك اسمه «زوسر»، حدثت في عهده مجاعة شهيرة دُوِّنت في لوحة فرعونية شهيرة اسمها لوحة المجاعة، تتحدث عن **سبع سنوات من المجاعة** في زمن زوسر، وطبعًا هذا يتطابق مع قصة يوسف في التوراة والمجاعة التي كانت مُدتها سبع سنوات، ويتطابق مع قصة يوسف وعزيز مصر في القرآن لما فسر له يوسف رؤياه قائلًا: «تزرعون سبع سنين دأبًا، ثم يأتي من بعد ذلك **سبع شداد** يأكلن ما قدمتم لهن إلا قليلًا مما تحصنون».

قال لويب:

- هذا تطابق حقيقي بين التوراة وتاريخ الفراعنة.

قال بوبي:

- لا يوجد شيء اسمه فراعنة، إنما اسمهم المصريون القدماء، وكلمة فراعنة هذه أطلقها عليهم باحث يهودي الهوى كان يريد أن يوفق بين فرعون التوراة والتاريخ المصري القديم، وهو اسم بغيض لوصف حضارة بهذه العظمة أن تسميها باسم رجل مختل عقليًّا مثل فرعون. بِغَض النظر عن هذا، فلدينا الآن ثلاثة أدلة تؤكد أن هذا الرجل المدعو فرعون قريب جدًّا من عهد خوفو، اسم هامان في القرآن المسؤول عن بناء الصرح العالي الذي يتطابق مع

هيمينو المسؤول عن بناء الهرم العالي، فكرة المجاري الطينية التي تُبنى لصنع الهرم، وفكرة يوسف والمجاعة التي كانت في عهد زوسر. لكن يوجد دليل رابع أيضًا أن فرعون لم يخرج عن عصر خوفو أبدًا، وهو ما صرَّح به قرآن المسلمين بأن الله دمَّر مباني ومعابد فرعون هو وقومه، لكنه لم يدمرها بعد غرق فرعون مباشرة بل بعد ذلك بزمن طويل، دمَّرها تحديدًا عندما مكَّن بني إسرائيل من الأرض المقدسة في عهد سليمان، أي إن الله دمّر بناءات فرعون وقومه بعد موت موسى بألف سنة تقريبًا، يقول الله: «**وأورثنا القوم** الذين كانوا يُستضعفون مشارق الأرض ومغاربها التي باركنا فيها، **ودمرنا** ما كان **يصنع فرعون وقومه** وما كانوا **يعرشون**»، وتاريخ المصريين القدماء يثبت بما لا يدع مجالًا للشك أن كل الأهرامات والمباني المصرية القديمة دُمرت تمامًا منذ أواخر الأُسْرة الثالثة بعد خوفو إلى الأسرة الثامنة عشرة، ألف سنة كاملة من الزمان دُمِّر كل ما صنعه المصريون القدماء فيها، حتى جاءت الأُسرة الثامنة عشرة المصرية القديمة، التي يسمونها في التاريخ باسم الدولة الجديدة، وأصبحوا هم ومن بعدهم يبنون مباني ومعابد هي الباقية حتى اليوم.

قال ليوبولد:

- بحق الجحيم مَن الذي كان يدمر آثار الفراعنة لمدة ألف سنة كاملة؟

قال بوبي:

- هذه الآثار دُمرت جميعًا في وقت واحد كما قال القرآن في ظاهرة بيئية معروفة جيولوجيًّا وتاريخيًّا حتى في برديات المصريين القدماء، هي بركان جزيرة ثيرا اليونانية، الذي كان أكبر انفجار بركاني في التاريخ تقريبًا، والذي أدى إلى عواصف شديدة دمرت

كثيرا جدًّا من آثار المصريين القدماء، وهذا ما يحكيه أحمس بنفسه أول ملك في الأُسرة الجديدة الثامنة عشرة، أنه نزلت أعاصير دمرت آثار من سبقوه، وأنه حاول ترميم بعضها.

المثير للنظر أن هذه الآثار دُمِّرت بعد ألف سنة من عهد خوفو، وفي القرآن يقول الله إنه دمَّر مباني فرعون (وقومه) بعد أن أسكن اليهود الأرض المقدسة، يعني في عهد النبي سليمان حين ملك اليهود الأرض المقدسة، وكان عهد سليمان بعد موسى بنحو ألف سنة.

والحقيقة أن هرم خوفو ما زال باقيًا هو وخفرع ومنقرع من الأسرة الثالثة، فيستحيل أن يكون أحدهم فرعون، لكن يوجد هرم لـ «با فرعا»، أحد أبناء خوفو اسمه هرم زاوية العريان وهو هرم مُدمَّر تمامًا، ويتضح من أساساته الباقية حتى اليوم أنه كان ليضاهي هرم خوفو طولًا ويمكن أن يعلو عليه.

دليل خامس هو أنه في عهد خوفو، كانت توجد بردية شهيرة جدًّا اسمها بردية وستكار، يحكي فيها «بافرعا» وبقية أولاد خوفو حكايات السحرة في ذلك الزمان، وذكروا منها قصة ساحر يشق النهر بعصاه، وساحر يُحوِّل تمساحًا شمعيًّا إلى تمساح حي، وفي هذا تشابه شديد بين قصة موسى والسحرة.

دليل سادس أيضًا أن كلمة «با- فرعا» تعني بالمصرية القديمة «فرعا صاحب القوة الإلهية»، وقد كان معروفًا عن فرعون أنه يدَّعي الألوهية لما قال: «أنا ربكم الأعلى»، وقال: «يا أيها الملأ ما علمت لكم من إله غيري»، بذلك فقد تحولت كلمة فرعا إلى فرعون بالطريقة نفسها التي تحولت بها كلمة قورا في التوراة إلى قارون الذي هو من قوم موسى كذلك. ويتضح من لغوية القرآن أن كلمة فرعون إنما هي اسم شخص وليست صفة، لأنك تجدها في القرآن ممنوعة من الصرف بحكم أنها اسم

علم أعجمي، فلا يجري عليها التنوين، ولو كانت صفة مثل كلمة «ملك» مثلًا لأصابها التنوين.

دليل سابع أن با فرعا لم تكن له ذرية في التاريخ المصري القديم، ومعلوم أن فرعون في القرآن كان لا ينجب الذكور، لذلك رضي أن يتبنى موسى لمّا أتت به آسيا.

من هذا يتضح أن فرعون هو با فرعا صاحب هرم زاوية العريان المدمر.

قال ليوبولد فجأة:

‑ لمن تتحدث يا لعين؟ إن حديثك ليس لنا.

تجاهله بوبي تمامًا وقال وعينه ثابتة لا تطرف:

‑ في تلك الآونة وُلد الأعور، ومثلما كان جينون هو بداية النسل الملوث بزواج المحارم في أتلانتيس، كذلك انتقل زواج المحارم إلى بعض ملوك مصر القديمة، فكانت طائفة منهم ‑خاصة الملوك والكهنة‑ يتزوجون أخواتهم وأمهاتهم وبناتهم، ولا يخرجون الدم إلى غيرهم.

بعد أن حقن الأعور أثر الرسول في دمائه، أصبحت عينه ترى نوعًا آخر من الموجودات، الجن والشيطان وحتى الملائكة الصاعدة في السماء، وتلبست روحه بالغرور والعجب، لكنه كتم ذلك في نفسه وانضم إلى أفواج بني إسرائيل في أثناء الخروج، كان الأعور يظن أن فرعون وجنوده سيظهرون من وراء بني إسرائيل ويقبضون عليهم عاجلًا، فقد أنبأ بنفسه فرعون بمكان الخروج وخط السير، وظل الأعور السامري يمشي مع بني إسرائيل حتى إذا برز البحر أمامهم وظهر فرعون بنفسه وجنوده خلفهم، إذ مد موسى عصاه فانشقَّ لها البحر كأنه كائن حي يتباعد ويفسح بين ثناياه طريقًا للهرب، وسار بنو إسرائيل بين دفتي

البحر يعجبون من قدرة ربهم، وتبعهم فرعون وجنوده، وهنا حدث شيء ربما هو أعجب شيء حدث في تاريخ هذا العالم.

أغلق البحر دفتيه في الجزء الذي يسير فيه فرعون وجنوده، فأغرقهم ولم يغادر منهم أحدًا، وترك الجزء الذي يسير فيه موسى والمؤمنون معه مفتوحًا يسيرون فيه، كأن البحر بالفعل كائن حي له إرادة.

وكان الأعور السامري يشاهد كل هذا ورأسه يدور بالأفكار، وبينما هو كذلك إذ انتفض قلبه عجبًا وانبهارًا، فقد رأى الشيء المسؤول عن شق البحر بهذه الطريقة، رأى الملاك جبريل على فرسه يتقدم بني إسرائيل والبحر يخضع لأمره. ورغم ما في هذا المشهد وحده من قوة، فإن العجب في نفس الأعور كان أكبر؛ إذ أصبح متأكدًا أنه يبصر ما لا يُبصِر به أحد من بني إسرائيل.

ورأت عينه الأرض تخضر تحت فرس جبريل، فأخَّر نفسه ليكون في مؤخرة الجيش وأصبح يجمع هذا التراب المخضر، فقد كان ذاك نوعًا آخر من الأثر، نوعًا ذا تأثير مختلف، تأثير جعل رأس الأعور تختمر فيه فكرة كانت هي البداية التي جعلت لهذا الأعور شأن.

فبعد الخروج العظيم أوعز الأعور لبني إسرائيل أن يصنعوا تمثالًا من الذهب الخالص للعجل أبيس في أثناء غياب موسى، ثم استخدم الأعور أثر فرس جبريل ليهيئ لبني إسرائيل أن هذا العجل أبيس ليس مجرد تمثال بل هو إله قادر على الحركة بالفعل، بل إنه بحيلة صوتية من علوم إدريس تمكَّن من محاكاة خوار العجل، فظن الناس ذلك التمثال الذهبي حيًّا يكلمهم، وبسبب طول مكوث بني إسرائيل في مصر وتأثرهم بعبادة المصريين العجلَ أبيس.. انبهرت عيونهم لمّا رأوا العجل الذهبي كأنه حي يتحرك ويتكلم أمامهم فسجدوا له على الفور.

ولما عاد موسى وعلم ما فعله قومه وكيف أغواهم الأعور، أنبأه الله بهوية هذا الأعور السامري، وأنه هو نفسه المسيح الدجال الذي كان

يُحذِّر قومه منه ويُحذِّر كل الأنبياء أقوامهم منه، فقال موسى للأعور أن يذهب فإن له في الحياة ألا يقتله أحد، وإن له موعدًا لن يخلفه، فساح الأعور في الأرض بعدها، حتى حين.

قال لويب:

- ولماذا لم يأخذ الأعور أصول العلوم التي وضعها هامان في الهرم الأكبر؟

قال بوبي وعينه ترجف:

- لم تكن به حاجة إلى أن يأخذها، فلقد نسخها في عقله الفولاذي وزاد عليها من علوم أثر الرسول وعلوم أخرى جمعها من بقاع الأرض التي ساح فيها عقودًا طويلة لأنه لا يهرم.

قال ليوبولد:

- هل هو الذي دلَّ رجال الروزيكروشن على مكانها فاستخرجوها؟

أومأ بوبي برأسه وقال:

- نعم، فالأعور قرر أن يترك أصول تلك العلوم في موضعها بعد موت هامان ولم يورثها لأحد من بعده إلا إذا صار له أتباع من الإنس يومًا يأتمرون بأمره وأمر الشيطان، وكان أخلص أتباعه هم كبار رجال الروزيكروشن.

وعلى كلمته هذه انطفأت الشمعة فجأة، فخفقت قلوب الجميع، وقال ليوبولد بوجل:

- لا توجد نسمة هواء هنا، ما الذي أطفأ الشمعة؟

قال بوبي من وسط الظلام:

- لكل شيء روح؛ الأرض والهرم.. وحتى هذه الشمعة الصغيرة.

قال لويب:

- أشعل الشمعة كما كانت يا لعين أو سأشعل النار في رأسك.

قال بوبي بصوت خفيض:

–   الظلمة تستحضر أرواح الموجودات، وكما نجحتما في تجربة الخروج من الجسد فإن الـ «كا» خاصتكما قادرة الآن على قبول الاستماعات.

قال لويب:

–   أي استمـا...

قاطعه بوبي:

–   لقد كان لذلك الأعور قصة تُعد فارقة في تاريخه، حدثت لمّا احتاج نبي من أنبياء الله إلى علم من العلوم التي عند الأعور.. وكانت مواجهة شديدة الغرابة بين ذلك النبي والأعور.. ولن نقدر على معرفة القصة إلا بقبول الاستماعات، وستفهمان ما أعني بعد قليل، ولا حاجة إلى رؤية أوراق المجموعة التالية؛ فأنا أحفظها عن ظهر قلب.

الورقة الأولى هي ورقة العدل، وعليها مَلك جميل المظهر جالس على عرش حُكمه.

الورقة الثانية هي ورقة الراهب، وعليها صورة راهب يرتدي عباءة، يخفي وجهه ومعه عصا.

الورقة الثالثة هي ورقة العدل أيضًا، ولكن عليها هذه المرة شيطان مَريد يجلس على عرش حُكمه.

صعدت أرواح الثلاثة فوق رؤوسهم وأخذ لونها يتوقد.. وبدأت الاستماعات.

7

الشيطان يحكم
1650 قبل الميلاد

XI
JUSTICE .

IX
THE HERMIT.

VIII
A
Ω
JUSTICE

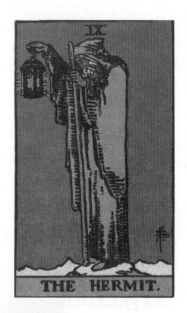

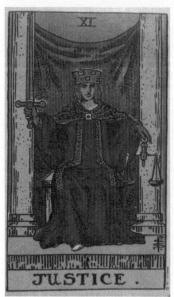

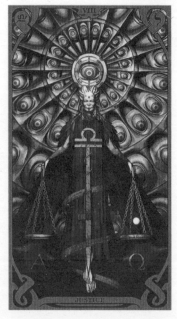

نبضات قلوبنا أُرجفت في ذلك اليوم برجفة الأرض، تب، تب، تب، دقات مرعبة على الصخر كأنما هي الطبل، تأتي من كل مكان، صوتها يزداد قوة، هناك شيء يقترب، بل مئات الأشياء.

نحن عمال سُمر الوجوه نعمل متجاورين نحمل رزقنا على سواعدنا. توقفنا جميعًا من الهلع، نحن نعرف هذا الصوت، قد حدث مثل هذا كثيرًا في تاريخنا، تعلمنا أن هذا الصوت يعني النهاية، نهايتنا جميعًا بأبشع طريقة، فقد خرج الجبارون الغاشمون من مكامنهم، ولن تمضي دقائق حتى يبيدونا من صفحة الأرض. كان من المفترض أن نهرب، ولكن شدة الصوت الذي سمعناه كانت أكبر ألف مرة من جميع الحوادث التي سمعنا عنها، وضعنا أحمالنا الثقيلة على الأرض، ليتك ترى وجوهنا المذعورة رغم أننا عمال أشداء، يحمل الواحد منا مثل وزنه خمسين مرة، لكن هؤلاء الجبارين شيء آخر، شيء مهول.

انفصلتُ أنا عنهم وحاولت تسلق الصخر ربما أعرف الخبر، هذه مهمتي، أنا عاملة على هذه الأرض المقدسة في ذلك الزمان المقدس في العصر الوسيط بعد موسى بألف سنة، كنت أجاهد لأتسلق، ساعدتني العاملات الأخريات حتى أنجزت الأمر وصعدت، نظرت إلى رفقائي من فوق، رأيت ملكتنا ترتجف وحولها جنودها.

المفترض أن إشارات الفرمون التي وضعناها على الأرض تيسر لنا طريقًا مختصرًا إلى بيوتنا، لكن سرعتنا مقارنة بسرعة الجبارين أقل عشرات المرات، وهؤلاء لا يرحمون، لم تمضِ لحظات حتى رأيتهم من فوق، كان جيشًا لم تستطع عيني أن تبلغ آخره. جيش مقدمته شياطين، ومؤخرته شياطين، معهم دواب ضخمة يسيل الزبد من أنيابها ونسور

عملاقة وجوارح، ولم يكن هناك بد من أن أصرخ، وليهرب من يهرب وليمت من يمت، كانت سرعة الجيش رهيبة، ونحن لا حيلة لنا، أغمضت عيني وصحت في الجميع وأنا أعلم النهاية:

- اهربوا، اهربوا إلى البيوت، اختبؤوا وراء الصخور.

ولم يقدر أحد على الهرب، تجمد أكثرنا في مواضعهم وأغمضوا عيونهم، الجبارون يقتلونك دون أن يشعروا بوجودك أصلًا، سنموت ونحن نعمل في رزقنا، عسى أن نكون شهداء، نظرتُ إلى عيون القوم الجبارين، جافة قاسية، سواعدهم وملابسهم مخيفة، ثم حدث شيء لم يحدث مثله في تاريخ هذا العالم بأسره. توقف الجبابرة، فقط توقفوا، جميع جيوشهم ووحوشهم وطيورهم توقفوا، ونظروا إلى ناحيتنا، كان المنظر غريبًا، جيش من الجبابرة والشياطين واقفون كتفًا بكتف، ينظرون إلى مجموعة من العمال الضعفاء، صحت في رفاقي:

- انطلقوا، سيحطموننا تحطيمًا، انطلقوا أسرابًا وراء الفرمون.

فجأة تباعدت صفوفهم وخرج منها رجل عظيم الجسم والوجه راكبًا فرسًا، نزل من فرسه وهو يتوجه إلى ناحيتنا، يا إلهي هل سيحرقوننا؟ خطوة واحدة منه تعادل مئة خطوة من خطواتنا، لكن هذا الرجل لا يتوجه ناحيتنا، إنه يتوجه ناحيتي أنا وهو يبتسم. تجمدتُ من الرعب وأنا أنظر إليه يقترب مني، كان في منتهى الوسامة والعظمة، رأيته يرفع رأسه إلى السماء بدعاء، ثم ينظر إليَّ ويمد لي يده ويحدثني، ولكن هذا مستحيل، هؤلاء لا يفهموننا ولا نفهمهم، لكن بالنسبة إلى ذلك الرجل بالذات لم يكن الأمر عجيبًا، فقد كنتُ أنا نملة، وكان هو سليمان.

****

«من ظن أن الحيوانات حمقى فهو الأحمق».

****

كائنًا كنت فوق نهر الفرات أنظر إلى كل شيء وأشهد، تلفحني الشمس وألفحها، في مملكة سليمان. لم ترَ الكائنات في نهر الزمن مملكة أعظم منها، أرض مقدسة واسعة من النيل إلى الفرات، وليست عظمتها في سعتها ولكن في المملوكين فيها، وإنهم جميعًا سيُحشرون اليوم، في حضرة سليمان. كنتُ طويلًا متعاليًا فوق صفحة الماء أراقب كل شيء، حتى رأيت صفوفهم تأتي، ولولا أنني أملك قلبًا من حديد لانفطرت من المنظر. ملايين البشر ينتظمون صفًّا صفًّا، وعشرات الملايين من الجن والشياطين، مردة وعفارتة وجن طيار وغواص، ومئات الملايين من صنوف الحيوان والطير والوحوش والهوام، ينتظمون ويمشون بأمر سليمان، لا تدري كيف روَّضهم ولا متى، لكن أعدادهم تسد الأفق حتى تصل إلى الجبال، كل صنف عليه رئيس من جنسه، فترى جيشًا من النمور عليه نمر، وجيشًا من الفيلة عليه فيل، وجيشًا من شياطين البحر عليه مارد بحر.

جاء سليمان ودخل تلك الساحة، أبيضَ مهيبًا كان، نظر إلى عرشه، وأي شيء مثل عرش سليمان، كان موضوعًا في نهاية الساحة تراه من ظهره كأنه موضوع بالمقلوب، مشى سليمان إلى ناحيته. كان مفصصًا بالياقوت واللؤلؤ فصًّا فصًّا ومحاطًا بأُسود ذهبية عن يمينه ونسور ذهبية عن شماله، وتحته ثلاث درجات، صعد سليمان الدرجة الأولى فتحركت الأُسود الذهبية وبسطت أياديها.. ثم صعد الثانية فنشرت النسور الذهبية أجنحتها.. وصعد الثالثة فاستدار الكرسي كله واعتدل، وظهرت حوله تماثيل من ذهب شديدة الإتقان. حتى جلس عليه سليمان فحدث ما لا تصدق حدوثه في أي حضارة قديمة، تحرك نسر من النسور الذهبية المثبتة في الجدار خلفه والتقط تاجًا عظيمًا وضعه على رأس سليمان، وهبطت من السقف حمائم منحوتة بعناية تنثر من أفواهها مسكًا وعنبرًا على سليمان، ثم صعد عمود من جوهر أمام الكرسي عليه التوراة ليقرأها سليمان. لكن اليوم لم يكن لقراءة التوراة، بل كان يومًا

مشهودًا، كان سليمان يأخذ العهود من كل صنف من صنوف الكائنات كلها من الجن والحيوانات، كان يتلو عليهم العهود السليمانية، وهي حروف من ذكر الله يكمن فيها سر الحرف وقوته تربط روح الكائن الذي أمامك أيًّا كان فلا يؤذيك.

ولعلك تسائل نفسك مَن أنا؟! ذاك الذي يتحدث من فوق صفحة الماء، انظر جيدًا إلى النهر، ألا تراني؟ لعلي أعذرك، فذلك العلم الموجود هنا تحت كرسي سليمان لا أتخيل أنه سيصل إلى أحد بعده، ربما يفقه الناس فيما يأتي من الزمان أن الجمادات إذا نظرت إلى أدق دقائقها سترى أشياء تتحرك حركات عجيبة.. وربما ساعتها تفهم بعضًا من ذلك العلم، إن كل جماد حولك تسكن فيه روح، إن كل جماد حولك هو في الحقيقة حي، ينطق ويُسبِّح، ويشاهدك ويراك، هل عرفت من أنا الآن؟

نعم هو ذلك أنا، ذلك الطويل الممرد من القوارير.. الهرم الزجاجي العالي المبني على الماء، الذي يُشرف على ساحة قصر سليمان، لكن مهلًا، إن سليمان غاضب، فبينما حضرت كل الكائنات لأخذ العهود، غاب كائن واحد، الهدهد.

****

«وإن كل شيء عليك شهيد، جلدك وأصابعك وحتى الأرض التي تمشي عليها».

****

يجري بك كل شيء وفيك كل شيء، بداية مكتوبة ونهاية مختومة، وأنت وسط كل هذا تسبح في النهر، لن أحكي لك حكاية الهدهد لأنك تعرفها منذ صغرك، بل سأحكي لك ما لم يتفوه به أحد، وما لن تسمعه مرة أخرى، من أنا؟ أنا الذي حولك أحوم وأنت في داخلي تحوم، ما فهمتني يومًا قط ولا رأيتني، لكنني هنالك وأنت تعلم هذا، أنا الزمن،

كلمة واحدة لو حاولت تفسيرها بكل الطرائق ستفشل، لكن ليس هذا مُهمًّا، إنني اليوم قد نطقت بما لم ينطق به أحد.

انسَ سليمان وحشوده وجنوده هؤلاء، وسأعود بك سابحًا في نهري، نهر الزمن، لنشاهد سليمان الحاكم العادي قبل أن تكون له هذه الأبهة كلها، ها هو هناك، انظر إليه فوق كرسيه الذي يماثل أي عرش ملك عادي، وقد آتاه الله الحكمة فأصبح يحكم بين الناس بالعدل، أوحى الله له بأمر عظيم، كان هو سببًا لكل شيء يحدث في الأرض المقدسة حتى نهاية الزمان، أمره ربه أن يبني مسجدًا عظيما يُعبِّر عن هذه المملكة العظيمة المسلمة، المسجد الأقصى العظيم، ليكون حرمًا تُشد إليه الرحال من كل مكان من المملكة التي تضم الشام والعراق وجزءًا من مصر. لكن كان يوجد أمر غريب بشأن هذا المسجد، لقد أمر الله سليمان أن يبنيه دون استخدام الحديد، ليكون منبرًا للسلام، فلا يصح أن يُستخدم فيه شيء من أدوات الحرب، كانت هذه معضلة، كيف تقطع الأحجار دون حديد؟

استدعى سليمان رجلًا اسمه آصف بن برخيا. دخل آصف وكان شديد الجمال، وهو أمين سر سليمان، وعالم في فنون العلوم والطب، سمع آصف طلب سليمان، فأغمض عينيه يتفكر، ثم قال بشيء من الأسف:

- ليس على الأرض شيء يمكن أن تفعل به هذا إلا دابة الأرض.

نظر إليه سليمان متسائلًا، فقال آصف:

- سيدي هي دودة من ديدان الأرض، خلقها ربي وهي تفلق الحجر كأنها السكين واسمها السامرية.

- ايتني بها أينما كانت.

- يا نبي الله.. هذه سميت سامرية، لأنه لا يملك علمها إلا رجل استعان به موسى في نحت ثياب الكهنة المَصوغة من الذهب، وكان يستخدم هذه الدابة لقطع الذهب فسميت باسمه.

257

قام سليمان عن عرشه وقال:

- أتقصد سامري موسى، الأعور؟

- هو هو يا نبي الله، وإنه قد ساح في الأرض ولا يدري أحد أين هو، إلا إذا...

لمّا أتاني ملك الموت ليقبض روحي امتنعت، حتى قال لي إنه أمْر الله.. فأطعت، أتدري لمَ امتنعت؟ لأنني علمت أن هذا الذي سيُخلق من تراب سيسفك على ظهري دمًا، هكذا قالت الملائكة التي تقدس الله وتسبحه في أرجائي، قلت في نفسي: «أيكون هذا جنسًا أسوأ من الشياطين؟» والحق أنني رأيت من الشياطين ما لم أرَ من كل أجناس الزمان، وها أنا اليوم أشهد قصة جعلتني -وأنا الأرض الثابتة- أرتجف، قصة سليمان، رأيته في ذلك اليوم يبحث عن رجل أعور، وحدي أنا أعلم أين هو، وحدي أعلم فدائحه التي يفعلها منذ أن أطلقه موسى النبي، وحار سليمان، حتى قال له آصف إنه لن يعلم مكان السامري إلا الجن والشيطان، وكان المشهد التالي.

سليمان يمشي في غابة مشتبكة الأغصان، يبحث عن أصناف معينة من الجن، ولم يكن ساعتها قد ملَّكه الله على الجن، كان مثله مثل جميع الأنبياء يرون الجن، وفي تلك الغابة برز له الشيطان الذي كان يبحث عنه، قميء الوجه يرتدي عباءة على رأسه.. «أبيزي»، شيطان يعيش من أيام موسى، وأنه هو الذي قسّى قلب الفرعون وأثار في صدره أن يلاحق بني إسرائيل، ولم يكن أحد أنسب منه ليدل على السامري الأعور. تبسم أبيزي وظل يماطل حتى تبين لسليمان أنه لا يعلم، قال إن ذاك الأعور السامري قد توجه ساعتها ناحية الشمال، هذه معلومة من ألف سنة ولا تعني شيئًا، إلا أن الشيطانة «إنسيجوس» قد تكون تعلم فإنها تعيش في الشمال.

أيام مضت وسليمان يبحث حتى بلغ أقصى حدود مملكته في الشمال، وبرزت له إنسيجوس بشعرها الأبيض ووجهها الدميم، ولم يكن كلامها بأحسن من مظهرها، قالت له:

- اعلم يا سليمان أن أورشليم التي تملكها هذه سيغزوها من بعدك الملوك وستصير خرابًا وحروبًا إلى يوم الدين.

لم يصل سليمان إلى شيء، ومضى عائدًا إلى موضع الحُكم وقد بلغ به اليأس مبلغه، وبينما هو في الطريق إذ برز له ما أثار قلبه؛ فجأة رأى شيئًا مثل عود القصب الطويل يطير، ووقع العود تحت قدم سليمان، وسمع صوتًا يقول:

- إنك يا سليمان لو مت لن تأخذ معك شيئًا إلا قدر هذا العود، أربع أذرع من الأرض تُدفن فيها، هذه الأرض التي ملكتها من شرقها إلى غربها.

قال له سليمان:

- من أنت؟

- بل من أنت حتى أجيبك وأنا مخلوق من نار وأنت بشري من طين؟ وإن نجمتي في السماء يعبدونني باسمها، «أشموداي» هو اسمي، يا سليمان أنت ملكت البشر والطير ولم تشبع، أتريد أن تملك الجن أيضًا؟

- لا أريد منكم شيئًا، إنما أريد أن أبني مسجد الله على الأرض المقدسة، وأريد السامري لأجل هذا، وليس من أحد على وجه الأرض قد يعرف مكان رجل كهذا إلا أمثالكم من الجن.

قال أشموداي:

- فاسأل الهدهد، فهو طائر رحالة في الأرض، وهو من الطيور التي ترى الجن، فإن لم يكن الهدهد يعلم، فلا أحد يعلم.

- أي هدهد، الأرض ملأى بهم؟

259

واختفى أشموداي من أمام سليمان كأن لم يكن.

****

«يا هدهد الديوان، نبئنا عن الأعور الهجان».

****

فراشات عملاقة بأجنحة ملونة، هكذا يقولون عنا إذا رأونا محلقين أسرابًا، إسراعنا في السماء كسرعة الخيول أو النمور، وهكذا كنا في هذه اللحظة، وكنت أنا معهم في السرب، هدهد في جماعة من الهداهد نُحلِّق جنوبًا هاربين من شتاء الأرض كما نفعل في كل سنة، لكن هذه السنة تحديدًا لم تمر هجرتنا إلى الجنوب بخير، بل في الحقيقة أنا وحدي الذي لم تمر هجرته بخير، أنا وحدي رأيت كل شيء.

بعد نزولنا من الأرض المقدسة إلى أرض كوش المليئة بالبشر سُمر الوجوه، كان علينا أن نقطع البحر إلى سبأ، وفي وسط البحر نزلنا في جزر حنيش نستريح ثم نكمل طريقنا إلى سبأ، ولم تكن حنيش مسكونة بالإنس، لكننا كنا نرى فيها شيئًا غريبًا كل سنة، ليس شيئًا بل شخصًا، يعيش على واحدة من هذه الجزر وحده. أحيانًا نراه في الجزيرة وأحيانًا لا نراه، كان الرجل متوحدًا يعيش في دير كبير أسود ذي بروج مخيفة، لا نراه إلا بعباءة سوداء أو حمراء يغطي بها رأسه، وديره يشبه معابد اليهود. نزلنا على جزيرة الرجل الغريب ولكننا لم نشاهده، مكثنا أيامًا نكسب رزقنا على الجزيرة ثم قرر السرب الرحيل إلى سبأ، كنت أنا في الصفوف الخلفية، وبدأ انطلاق صفوف الهداهد مسافرين، وكانت تحين مني نظرة إلى الدير كل حين، ثم أتت النظرة التي بدأ منها الأمر كله. وجدتُ ذلك الباب يُفتح والرجل يخرج في عباءة سوداء، هذه المرة كان لا يغطي رأسه، المرة الأولى التي أرى وجهه، ملامح حادة وشعر أسود جَعْد طويل، جسده يتضح من تحت العباءة أنه طويل وقوي البنية جدًّا،

ربما هو أقوى جسد بشري رأيته في حياتي، تخلفت عن الركب وحلَّقت إلى شجرة قريبة أنظر.

رأيت الرجل يقف على شاطئ البحر، ينظر إلى ابتعاد الهداهد في الأفق، ثم مشى ناحية البحر، وهنا حدث ما جعل عرفي يتصلب على رأسي، هذا الرجل لا يمشي ناحية البحر، هذا الرجل يمشي على البحر. توقف الرجل في وسط البحر وعيني السوداء الصغيرة تكاد تفر، ثم فتح ذراعيه عن آخرهما، وبدأ الهواء حوله يتحرك، لو أن أحدًا في الدنيا أخبرني أن مخلوقًا واحدًا على هذه الأرض يقدر أن يحرك الهواء ما صدقته، حتى الطيور تتحاكى مع الهواء ولا تحركه، أما هذا فيتحرك الريح لحركة يده، صنعت الريح حوله دوامة من مياه البحر وهو واقف وسطها كعفريت من الجن، لا بل إن العفارتة لا تفعل هذا، ونحن الهداهد نراهم ونعرف قدراتهم، وعلى ذكر العفارتة، رأيتهم حضروا كأنما يحضرون بذكرهم.

فجأة من أسفل أعماق البحار برزت رؤوس وأجساد، زرق الوجوه والعيون، جِن البحر الغواص، برزوا حوله كأنما انشق البحر عنهم، كان لا يزال يفتح ذراعه، وجدته يرفع رأسه ويفعل ما لا يصدق، لربما أنا أحلم، إن هذا الرجل يرتفع في السماء، هو لا يحرك يده وليس لديه جناح، فقط يرتفع، هذا يخالف كل طبع بشري وشيطاني أو حتى حيواني، هذا الشيء يتحرك الهواء تبعًا لأمره، وهو لا يحرك يده وليس لديه جناح، فقط يرتفع، ولم أكن أدري أن ما رأيته هذا سيصنع فارقًا في هذا العالم.

****

«إذا رأيتم الرجل يمشي على الماء ويطير في الهواء
فلا تغتروا به حتى تعرضوا أمره على الكتاب والسنة»

الشافعي

****

بشر إنسان، علمت ما لم يعلمه إنسان، وتعلمت جميع علوم الإنسان، أمضي مع سليمان في كل مكان، آصف هو اسمي، آصف بن برخيا، جعلني نبي الله أمين سره وحفيظ علمه، ومن يملك العلم يملك البشر، كل العلوم أصولها محفوظة عندنا، تحت كرسي سليمان، أمرني فحفرت له تحت كرسيه متاهة من الأنفاق يستحيل أن يصل إلى حلها إنسان، فيها كتب قيمة، من صحف موسى وإبراهيم حتى علوم سليمان، متاهة خبأنا فيها تابوت العهد، ووعاء المَنِّ والسلوى، وعصا موسى، وكل كنز قيم وضعناه هنا، بعيدًا عن عيون شياطين الإنس والجن.

أما سليمان فأوتي أضعاف تلك العلوم كلها، في ذلك اليوم كنت معه في سفره وبحثه عن السامري لينفذ أمر الله ببناء المسجد، ورأيته يكلم الطيور يسألهم عن الهدهد، قال لي إن الطيور أنبأته أن الهداهد سافرت في هجرتها الشتوية، وأنها جميعًا ستعود بعد شهر من الزمان، لكن سليمان بقي مُصِرًّا على البحث عن أي هدهد لم يلحق بركب الهجرة، وفي ذلك اليوم وأنا أمشي معه، قال لي سليمان:

- إني رأيت رؤيًا يا آصف، فعبِّرها لي.

قلت إنني سأحاول، فقال لي:

«رأيت رجلًا هو أجمل إنسان، ورجلًا أعور هو أبشع إنسان، الجميل يحمل خشبة ثقيلة ويمضي وسط الناس إلى حتفه والجنود يضربون ظهره، والبشع واقف والشماتة في عينيه، وقف الجميل ليرتاح قليلًا، فقال له البشع الأعور هيا امشِ، أسرع لماذا تتلكأ، فنظر إليه الجميل وقال: أنا سأرتاح في النهاية، أما أنت فستمضي في الأرض تائهًا حتى يأتيك الموعد، ولم يلبث إلا أن ضرب أحدُ الجنود الرجلَ الأعور، وقالوا له: يا هذا.. تعال واحمل الخشبة عن الرجل حتى نوصله إلى موته، فحمل البشع الخشبة وسار بجوار الجميل».

تعجبت من الرؤيا وقلت لسليمان:

- لست أدري.. لكن شيئًا ليس حسنًا سيحصل.

برز من بين الأغصان وجه. توقفنا ننظر إليه، رجل جميل العيون يبدو غريبًا عن المملكة، قال له سليمان:

- من الرجل؟

- أتجد الوقت لتدور في البرية وتسأل الناس عن أسمائهم ومُلكك قد زال.

غضب سليمان وقال له:

- عن أي ملك تتحدث؟ أنا أبحث عن السامري.

برقت عيون الرجل الجميلة ببريق حزين وقال:

- يا سليمان، إن السامري الذي تبحث عنه جالس على كرسيك يحكم أرضك.

توقفت قلوبنا وتجمدت أطراف عيوننا، وشعرت بسليمان يتغير وجهه من الغضب إلى الخشوع، أكمل الرجل ذو العيون الجميلة، الذي كان من الجن:

- يا نبي، لقد فتن السامري قومك كما فتن من قبلهم قوم موسى.

ظل سليمان ينظر إلى الأرض في مشاعر حزينة كأنه فهم تعبير الرؤيا وكان الرجل يكمل:

- يا سليمان لقد خرج السامري للناس بكل الأعاجيب التي يفعلها، واجتمع إليه حشد من كبراء رجال بني إسرائيل فقام فيهم خطيبًا، قال لهم: «إن سليمان كافر وساحر، فالتمسوا كفره وسحره في متاعه وبيوته»، ولقد تبين أنه على حق، ولو أن أحدًا من بني إسرائيل رآك الآن لقطع رأسك.

استشاط قلبي غضبًا على الرجل وقلت له:

- ويحك يا هذا، ما هذه الأضاليل التي تتفوه بها؟

أغمض الرجل عينيه ثم فتحهما بأسى وهو يقول:

- لقد برزت أصنام لآلهة مصرية وبابلية في بيوتات زوجاتك يا سليمان، أخرجها السامري للقوم كما أخرج العجل لقوم موسى، وأخرج لهم كتبًا فيها سحر من تحت كرسي عرشك، وثار الناس عليك ثورة لم أرَ مثلها، بل ونصَّب السامري نفسه المسيح المنتظر المكتوب في النبوءات، وهو الآن يجلس على عرش داود.

نظر الرجل بعيون خائفة وراء سليمان ثم اختفى من موضعه، نظرنا خلفنا فإذا رجال من مملكة المقدس، يتناثر الشرر من عيونهم ناظرين إلى سليمان، ناقمين على من كانوا يظنونه نبيًّا، ثم تبين أنه كافر.

****

«لَتسبيحة واحدة يقبلها الله، خير مما أوتي آل داود».

****

مقامي من مقام من يحملني، كريمًا كان أم لئيمًا، شيطانًا كان أم نبيًّا، فماذا أنا؟

أكون للضعيف سندًا وللقوي سلاحًا وللطفل ملهاة وللنبي آية، يتوكأ بها ويهش بها على غنمه، ها أنت قد عرفت، أنا تلك العصا، أنا التي عشت على بلاط الملوك الصالحين، وأنا الآن أتمرغ في الأرض الطين وتسيل عليَّ دماء مالكي، سليمان النبي، لقد اجتمع عليه قوم يؤذونه هو وصاحبه، كيف يُضرب نبي ويُتَّهم بالكفر؟ كنت أشعر بروحه، ليست غاضبة أو ثائرة، بل خاشعة.. خشوع التوبة. قام آصف بن برخيا

من الأرض مضرجًا بجراحه، يتحامل على نفسه ويقيم سليمان، قبض سليمان على يده وقال بوهن:

- دعني يا آصف وعُد إلى بيت داود، فانظر إلى ذلك السامري وائتني بالخبر.

- يا نبي الله.. وأنت؟

- لقد ابتلاني ربي، لربما أصبت ذنبًا، أو ظلمت نفسًا، فدعني وربي.

انصرف آصف، ومشيت مع سليمان، أنا عصا الملك أصبحتُ أوضع على الأرصفة ومرافئ الصيادين، عمل بي في رعي الغنم بالأجر ليحصل على قوت يومه، وكان يخفي وجهه دومًا، ويتلمس أخبار المملكة، لكن ما الذنب الذي ابتلاه الله بسببه؟ كان كلما أتته خواطر تهز روحه رفع صوته وقال: «يا وهاب»، وفي ذات ليلة بينما كان مستلقيًا على أرض مملكته وأنا بجواره ملقاة بإهمال، رأيت رجلًا بَهِيًّا يرتدي رداءً أخضر ويمسك بعصا يبدو عليها الهناء، ينظر إلى سليمان ولا يطرف، ثم مد عصاه ونكز بها سليمان المستلقي، فلما رآه سليمان بكى. تاقت نفسي لتعرف من هو الرجل، قال له سليمان:

- أهو أنت؟

أومأ الرجل برأسه إيجابًا وقال:

- أتذكر في تلك الليلة يا سليمان، لمّا رفعتَ رأسك عاليًا وقلتَ لتطوفن على جميع نسائك فتلد كل واحدة منهن فارسًا يجاهد في سبيل الله.

سكت سليمان والتساؤل في عينه فأكمل الرجل:

- فإني أخبرك، لم تلد واحدة من نسائك، إلا واحدة قد ولدت شق إنسان مات فور ولادته. والذي نفسي بيده، لو قدمتَ مشيئة الله

266

قبل جملتك لحملت كل امرأة منهن، وكما أن سهوك كان في أمر نسائك، فإن البلاء قد جاءك من ناحية نسائك، فظهرت في بيوتهن أصنام أظهرها الكذاب.

كان سليمان يبكي خشية لله وتوبة، فقال له الرجل:

- ولكن اعلم يا سليمان، إن لكل نبي دعوة تستجاب من فورها، فادعُ بها وعد إلى ملكك واتقِ الله.

استدار الرجل لينصرف.. فقال له سليمان:

- وأنت أيها الخضر.. ماذا كانت دعوتك لربك؟

ارتجفت ذرّاتي، أذاك هو الخضر؟ التفت الرجل إلى سليمان فملأت عيني من مرأى وجهه، ألا يهرم هذا الرجل أو يموت؟ وجدته يقول لسليمان:

- أنا علمني ربي علم الزمن، أُبَطِّئ منه لنفسي متى شئت وأعود، ويبقى زمان الناس حولي على حاله، هذا يجعلني أحرث أرضًا وأخضرها في شهور فتبدو عند الناس دقائق، وأبني بنيانًا في أسابيع فتبدو عند الناس ثواني، أعرف معلومات عن سفينة أو جدار في أيام فتبدو عند الناس لحظات.

ودون كلمة أخرى، استدار الخضر وانصرف. ورفع سليمان ذراعيه إلى السماء وبكى قلبه وهو يقول:

- رب اغفر لي وهب لي ملكًا لا ينبغي لأحد من بعدي، إنك أنت الوهاب.

وكان مقام الأنبياء عظيمًا عند رب الأرضين السبع والسماوات، لا تخرج الدعوة من أفواههم إلا وقد تحققت قبل أن يتلفظوا بها، كرامة لهم وفضلًا، ولم يؤتِ الله لسليمان ملكًا فقط، بل سخّر له كل شيء على

هذه الأرض، سخَّر له الريح، وسخَّر له الشياطين. وانقلب السحر على الساحر، وعاد سليمان، وكانت عودته مخيفة، ولم يرحم سليمان منهم أحدًا.

****

«قد يسقط المُلك بكلمة واحدة ويعود بأخرى».

****

أجوب الأرض جيئة وذهابًا قبل أن تطلع الشمس، أرى كل أحد ولا يراني أحد، أرى بشرًا يعملون وبشرًا يسجدون، الكل يمضي ويروح في معاشه، ملوك وحضارات في الشرق والغرب، ولم أرَ أحدًا مثل سيدي هذا، في عينه ظفرة عجيبة لا أكفُّ عن النظر.

إليها كل حين، لم يرَه أحد إلا آمن به، جن وإنس، وكنت أنا من الجن، ما الذي يسعك أن تفعل إذا رأيت شخصًا يرتفع في الهواء بلا أجنحة ويمطر السماء ويوقفها بأمره؟ سرعته كسرعة الريح، ينتقل إلى الأفق قبل حتى أن تدير عنقك إليه، خضع له بنو إسرائيل، ودانت له الشياطين، كان يحكم مملكة سليمان التي تمتد من النيل إلى الفرات، وكنت أقف بجواره أنظر إلى ملامحه التي ينطق كل شيء فيها بالقوة، وفجأة، ومن ناحية الأفق البعيد، أحسست بأمر، ولم أكن وحدي الذي أحسست به؛ طاقة روحية عالية آتية من هنالك، أنا أعرف هذه الطاقة، كان الأعور ينظر إلى الأفق، ومن بين عمدان القصر دخل إلى الساحة في لمح البصر شيطان الأخبار والكارثة تظهر في عينيه، قال وعيونه ترتجف:

- لقد.. لقد أتى سليمان، و...

سمعنا صوتًا عاليًا كأنه احتكاك الحديد بالأرض، ويتعالى الصوت ويقترب. قال الشيطان بصعوبة:

- سيدي، إنه.. إنه يسحبهم مثل الإبل.

الطاقة الروحية التي أشعر بها، إنها طاقة عظيمنا لوسيفر، لكن ما الذي... فجأة برز لي المشهد الذي كان بداية العذاب المهين، سلاسل ضخمة تحتكُّ بالأرض، سبع سلاسل، يسحبها كلها إنسان واحد بلا جهد، في نهاية كل سلسلة كانت كارثة؛ إبليس بكامل مهابته مُساق من عنقه في سلسلة، و«إيبيفاس» المارد ذو الوجه المقسوم.. في أُخرى، وسلسلة فيها جنيات الجبل السبع مربوطات من أقدامهن في بعضهن بعضًا، كل هؤلاء يسحبهم سليمان، وفي يده خاتم غريب، المصيبة أن جميعهم ظاهرين أمام الناس يراهم كل أحد بعد أن كانوا خافين عن العيون منذ بدء الخلق، واليوم أظهرهم سليمان بآية من الله له وحده، ومشى الناس وراء موكب الشياطين الأذلاء متعجبين تارة وهازئين تارة، كان سليمان يُعلِّم الإنس والجن معنى النبوة، لم أقدر على رؤية بقية المشهد، ليس لأنني هربت ولكن لأنني شعرت بنار محرقة تمسكني من حلقي، وانثنت يداي إلى ظهري وتجمدتا كأنهما مقيدتان، وصرخت، العمال البشر الذين حولي بدؤوا يرونني، رباه هل ظهرت أنا الآخر للناس؟ دون كلمة أخرى سقطتُ على وجهي وحانت مني نظرة إلى سيدي الأعور. وعلى ذلك الكرسي العظيم، كرسي سليمان، لم يكن الأعور جالسًا، ولا واقفًا، كان الكرسي فارغًا، لقد هرب السامري.

****

«إذا أتى النبي هرب الكذاب».

****

عذَّب سليمان الجن الشياطين عذابًا شديدًا بالحديد والنار، وسلسل كثيرًا منهم وحبسهم وأذلهم، ولم يخبره أحد بمكان السامري، لأنه لم يكن أحد منهم حقًّا يعرف، إلا إبليس، الواقف هناك في سلاسله يرفض حتى أن ينحني أو يتكلم، ومن رفض الانحناء لأمر رب العالمين لن

ينحني اليوم لسليمان، كان كبره يمنعه، ولو نظرت إلى عينه لوجدت فيها كراهية ومقتًا لا حد لهما لسليمان، واسم سليمان، ولقد أقسم بينه وبين نفسه، أن يدمر اسمه، ويجعل مسجده هذا الذي يريد أن يبنيه وبالًا على الأرض كلها، ظلت الشياطين تصرخ وتتألم، حتى رأوا ظلًّا على الأرض قادمًا من نافذة قريبة، نظروا إلى ناحية الظل فوجدوه واقفًا بكل صغره وضعفه، كان ذاك الهدهد.

طار بجناحيه وحط على يد سليمان، لم يكن أحد في الكون يفهم لغة الطير إلا هو، ولقد أنبأ الهدهدُ سليمان عن كل شيء، أنبأه عما رآه في تلك الجزيرة، وأنبأه عن مكانها، ومن وصف الهدهد عرف سليمان مكان السامري، ولكن أيكون في الجزيرة نفسها أم أنه هرب منها خوفًا على حياته؟ قال له الهدهد:

- إن الفئة الوحيدة التي تعرف خبره هي فئة الجن الغواص، وتلك فئة رآها حول السامري في الجزيرة تخرج من قاع البحر ولا تقدر على العيش فوق الأرض.

وفي تلك الجزيرة عند ذلك الموقع المخفي منها كان الأعور في ديره يجمع بعضًا مما يحتاج إليه تمهيدًا لينطلق إلى أقصى الأرض ليسيح في بلاد أخرى، كان مطمئنًّا إلى سرعته، حتى لو عرف سليمان موضع الجزيرة فلن يصل وجنوده إليها إلا بعد شهر من الترحال والإبحار، لكن عوار القلب يغطي على عوار العقل، لم يتنبه أنه يتعامل مع نبي. فإن كان هو قد تعلَّم مدارات الريح وعلومها، فإنه لم يعلم أن الريح ذاتها مُسخَّرة لسليمان، تجري بأمره، ترفعه وتنقله حيث شاء هو وجنده، وبسرعتها القصوى، ولم يدرِ الرجل إلا وعشرات من الرجال الأشداء يقتحمون عليه ديره ومعهم سليمان وآصف بن برخيا، قيده الرجال وأخرجوه من ديره

الأسود مسحوبًا على وجهه، ووضعوه تحت أقدام سليمان الواقف أمام الدير. نظر الرجل بعينه الواحدة الساخرة إلى سليمان وهو يقول:

- ألم ينبئك علمك أنك لن تُسلَّط عليَّ يا سليمان، ألم ينبئك موسى؟

نظر إليه سليمان بصرامة، كان يعلم أن موسى قد منحه بأمر الله أن له في الحياة ألا يقتله أحد، حتى يأتي له موعد لن يخلفه، قال له سليمان:

- إن ما سأفعله بك أشد من القتل يا أعور القلب.

خرج آصف بن برخيا من داخل الدير وهو يحمل وعاءً من رصاص فيه ديدان ضخمة تتلوى يمينًا وشمالًا ذات مظهر مرعب وقال:

- يا نبي الله، هذه السامرية.

أومأ له سليمان برأسه تفهمًا، وبالفعل لم يقتل سليمانُ السامريَّ، بل عمل شيئًا أشد، وضعه في تابوت من رصاص ثقيل وحديد، ونظر إليه نظرة أخيرة فوجده لا يزال هازئًا هادئًا واثقًا، أغلق عليه سليمان التابوت بأقفال وقيود، ورمى التابوت في أعمق نقطة في ذلك البحر. وسبح تابوت الوحش في الأعماق، والجن الغواص ينظرون إليه في حيرة، ثم ينصرفون عنه إلى معاشهم. وعاشت البشرية عهدًا سلامًا بلا فتنة.. حتى حين.

****** تمت ****

أشعل بوبي فرانك تلك الشمعة في جوف الهرم ونظر ببطء إلى يمينه، كان ليوبولد ولويب ساقطين على الأرض كأنما خلت منهما الروح، تبسمت ملامح بوبي بإرهاق وانحنى ليسحب جهاز التسجيل من يد ليوبولد ثم قال بخفوت:

- ليس كل من خرج من جسده واستمع يقدر على العودة، ارقدا هاهنا تلعنكما الموجودات.

تحرك بوبي بعكازه بصعوبة، وحاول دفع جسده الهزيل في الممر الصاعد إلى المخرج، واحتاج الأمر منه إلى ساعة كاملة من الصبر والمشقة فقط ليضع جسده في الممر، وامتلأ وجهه بالعرق وهو يدفع نفسه صاعدًا، وبدا المخرج بعيدًا جدًّا، لكن شيئًا ما أرهب فؤاده، فهناك عند المخرج ظهر ظل ديبوك. أغمض بوبي عينيه وتلا من العهود السليمانية ما تلا، ولو يعلم الناس ما في حروف ذكر الله من قوة على خلق الله ما تركوها يومًا، ألقى نظرة أخرى إلى المخرج فاستراح قلبه.. لقد فرَّ الشيطان.. وخرج بوبي فرانك إلى الحرية.

****

تسجيل من كاميرا فيديو متوسط الجودة. يوجد بعض التشويش لكن الصورة واضحة على أي حال. وجه بوبي فرانك يظهر في التسجيل وملامح الإعياء ظاهرة على وجهه، كان ينظر إلى الكاميرا بِهَمٍّ ثم قال بصوته المليء بآثار التوحد: «هذا بوبي فرانك وهذه تسجيلاتي الأخيرة، لن يتركوني على قيد الحياة أيامًا أخرى، فاسمع مني ما أريد أن أقول، واحفظ هذه التسجيلات في عينيك ولا تغفل عن ذكر أي شيء فيها.

سأكتب لك جميع الاستماعات التي التقطتها أرواحنا من قصة النبي موسى وسليمان، أنت ستلاحظ دومًا وجود أجزاء من قصة النبي سليمان في أي مجموعة من الأسرار العميقة، فهو أهم شخصية عند التنظيمات السرية كلها، ولقد أفنوا كثيرًا من أعمارهم في محاولة تشويهه حتى أوصلوا سطور تكفيره الصريح إلى التوراة ذاتها.

جميع علوم سليمان التي تركها للعالم من بعده تحولت إلى كتب سحر تتلوها الشياطين على الناس ويكذبون على سليمان كما كذبوا على كل الأنبياء قبله، فكتاب آدم تحول إلى سفر رازئيل المليء بالسحر، ألواح إدريس المقدسة تحولت إلى متون هرمس وتعاليم تحوت السحرية،

272

صحف إبراهيم تحولت إلى نصوص الفيدا الهندوسية الخرافية، وعلوم سليمان كذلك تحولت إلى ثلاثة كتب سحرية، الأول يُطلق عليه اسم الهجرومانتيا السليمانية Hygromanteia، وفيه تفاصيل عن طرائق السحر والتعاويذ وطرائق تحضير الجان وعلوم تنجيم، وأصبح نواة للسحر الأسود الذي غزا العالم فيما بعد، الكتاب الثاني والثالث هما كتابا مفتاح سليمان الأعظم والأصغر، وهذان فيهما تفصيل لكل أنواع الشياطين بقدراتهم وكيفية تسخير كل منهم، كل ذلك نُسب لسليمان، أما علمه الحقيقي، فلا أحد ملكه من بعده.

ورغم أن علم سليمان كان عظيما جدًّا لكن واحدًا فقط في مملكته أوتي علمًا مختلفًا عن علمه، وهو نبي الله الخضر، وهو الذي نقل عرش بلقيس من اليمن إلى الشام عند سليمان في طرفة عين، ذلك لأن معجزته أنه يتحكم بالزمن، ولم يُعطَ علم الزمن لأحد من قبله ولا بعده.

أما أنا فأسلمت.. نعم أسلمت وجهي لله، أسلمت لدين محمَّد صلى الله عليه وعلى آله وسلم تسليمًا كثيرًا، ولقد كنت في طبقة عالية من الدنيا، أنت لا تتخيل في أحلى خيالاتك أنها موجودة، قدرتي على الاستيعاب والحفظ بسبب التوحد رغم صغر سني ومكانة والدي أدمجاني في مرتبة عالية في المنظمة الماسونية، كنت في الواقع أصغر إنسان ماسوني، أصغر من وصل إلى هذه الدرجة، كنت أنا المعجزة كما يقولون، وأبي كان يجهزني منذ الصغر لأكون شيئًا كبيرًا في هذا الشر الذي يفعلونه. نعم كل ما يفعلونه شر، قد يظنهم البعض حماة الحضارة والنور والأسرار إلى آخر هذا الهراء، لكن هؤلاء يحصلون على العلم ويفعلون به الشر.

أما أنا، فأسلمت.. ولم يكن هذا أمرًا غريبًا، فالذي ينغمس في أعماق الخطيئة والكذب ومعاشرة الفاسدين هو أول من يعرف الحق لمّا يسمعه، كما حدث مع سحرة فرعون.

وأحاديث الحبيب محمَّد الصحيحة أذهلتني، في كل شيء نحاول دسه وإخفاءه تأتي أحاديث محمَّد -عليه الصلاة والسلام- وتضرب، أو يأتي القرآن ويضرب، والحق يقال إنا قد حاولنا بكل ما أوتيت عقولنا من حيلة أن نزيف أو نتدخل في أحاديث النبي محمَّد لإخفاء بعض المعلومات، لكن كان الأمر حقًّا مستحيلًا، ليس بسبب قوة المسلمين بالعكس هم اليوم أهون شيء، لكنَّ المسلمين الأوائل ابتكروا نظامًا معقدًا لتتبع كلام نبيهم، حتى من أدخلناه ليكذب على نبيهم انكشف بعد قرون بسبب هذا النظام المعقد، بل إن المسلمين ينشرون كذبته هذه حتى يُحذِّروا الناس منها، نظام هو الدقة والكمال كله، نظام سموه علم الحديث وعلم الرجال.

أما نحن فعبدة شيطان، انسَ كل تصاوير خيالك عن عبدة الشيطان الذين يرتدون السواد ويضعون الأوشام والحلقان، فهؤلاء كلهم عصبة من المخابيل يعبدون السوداوية، وانسَ السَحَرة الذين يجولون في قريتك بثياب رثة ويسكنون في أماكن قذرة ويُحضرون الجن والعفاريت، فهؤلاء أقصى ما يسلط عليهم هو جن الشوارع، لكن عبدة الشيطان الحقيقيين هم شيء آخر. الشيطان يعطيك المال إذا عبدته، ويحقق لك رغباتك الدنيوية لحظيًّا، تجدنا دومًا أعلى طبقة في المجتمع، فوق الحكومات نفسها، نحن الذين نقرض الحكومات أموالًا ونستردها منهم بالربا، نحن أصحاب البنوك وأصحاب الأعمال والإعلام، نحن أسياد الدول، ولا فضل لنا في ذلك، إنما هو الشيطان.

ماذا يفعل الشيطان بحثالة يرتدون السواد ويرقصون في المعابد كالمجانين أو بأقذار يستغلون القرويين السذج؟ الشيطان الذي عرفته يا عزيزي هو نجمة الصبح، هو سيد الدنيا كلها، وأتباعه جعلهم أسياد الدنيا، المال والسلطة والتحكم بمقدرات الشعوب.

أما أنا، فأسلمت.. لكنني أخفيتها في قلبي، لأتوغل في ذلك المستنقع الذي لا يدري عنه أحد شيئًا، وأنبئك من داخله السر وراء السر، حتى أؤدي ما عليَّ، وليقتلوني بعدها.

بعد موت سليمان تحررت الشياطين وهرع إبليس ليدل بعض الصيادين على كنز في البحر، فاستخرجوا ذلك التابوت المعبأ بالرصاص، وكان فتحه معضلة لكنها لم تهزم عقلًا مثل عقل إبليس، ولمّا فتحوه لم يجدوه كنزًا بل كارثة انقضَّت عليهم فتركتهم صرعى في دمائهم، أما الأعور فقد ساح في الأرض مجددًا حتى ظهر يومًا في قصة أعجب مما سبق.. قصة حتى نحيط بها لا بد أن نخرج هذه المخطوطات، التي تُدعى الإيستوريجا.

(رفع بوبي أمام الكاميرا بعض المخطوطات المجلدة بعناية فائقة واستمر في الكلام).

أنت لا تعلم أن الشيطان يكتب أيضًا، والإيستوريجا هي مخطوطات كتبها الشيطان بيده، وفي هذه الصفحات هاهنا دُوِّنت ملحمة شيطانية، كان للأعور السامري شأن فيها.

لدينا خمس أوراق تبدو مناسبة جدًّا لملحمة.. سأرفعها لك أمام الكاميرا لتراها جيدًا.

الورقة الأولى هي ورقة المذبحة، وفيها شيطان بشع ينظر بعيون مفترسة إلى شيء ما.

الورقة الثانية هي ورقة الهرم والعين، وعليها هرم الشيطان بداخله عين جميلة هي عين الشيطان التي ترى كل شيء.

الورقة الثالثة هي ورقة الشيطان ذاته، وعليها كيان شيطاني يرفع إحدى يديه ويخفض الأخرى، وهي الصورة الذهنية العامة للشيطان.

الورقة الرابعة هي ورقة الإمبراطور، وعليها صورة إمبراطور حديث السن ولا يبدو سعيدًا.

الورقة الخامسة هي ورقة جوبيتر إله السماء، وعليها جوبيتر الإله الروماني يمسك بعصاه الشهيرة وهو يرتدي تاجًا، ويبدو أنه يُنزل حكمًا قاسيًا على مجموعة من الناس المترامين تحته كالأموات.

8

حرب الجنون

100 بعد الميلاد - 150 بعد الميلاد

في سنة من أحلك سنين الزمان، تصادمت ممالك الجن، كل شيء في عالمهم تصادم مع كل شيء، أهواؤهم وأديانهم وطرائقهم، وخرج منهم كل مارد وشيطان بأعتى منظر رُؤي في تاريخهم، في حرب سفاكة مجنونة، حتى إنهم لمّا ذكروها في كتبهم سموها حرب الجنون الأخيرة، كان زمانها في القرن الثاني الميلادي، تهدمت فيها وسط سواعد الشياطين بلاد من الجن لا حول لهم ولا قوة، غُزِيت أرضهم بأجناد من العفارتة الغاشمين، وما كانوا يتركون روحًا حية في بلد إذا خرجوا منه.

أسوأ تلك البلدان التي أبيدت كانت بلدة «ڤالهالا» في القطعة الشمالية من الأرض، أدخنة حمراء وأجساد ذائبة على الأرض وأجناد من الشياطين يمشون يبحثون عن الشر ليفعلوه، برز ثلاثة شياطين يرتدون زيًّا أسود موحدًا له صبغة عسكرية ما، عيونهم تشتعل ناظرة يمنة ويسرة حتى التقطت آذانهم صوتًا مكتومًا، وسرعان ما انقشع الدخان وظهر المكتوم، رجال ونساء وأطفال من الجن يحاولون الاختباء، ويبدو أن الشياطين قد وجدت ما يُسيل لعابها القبيح فأخرجت أسلحتها، وحاصروا المساكين ليلعبوا بهم اللعبة الأخيرة في حياتهم، لعبة الدم والموت.

تقدمت خطوات الشياطين وانكمشت أجساد المساكين، لكن أحد الشياطين فجأة توقف محله، وكأن شيئًا ما يشُلُّ حركته، ثم انقلع من مكانه فجأة مسحوبًا إلى الوراء وسط دهشة رفيقيه، لكن أحدًا منهم لم يجد وقتًا ليندهش، فكأن صوت سوط قد لسع صفحة السماء، وبدا كيان في الظل لا تتبين ملامحه، كيان سريع قادر، يحمل شيئًا طويلًا في يده، صدر صوت أشلاء من ناحية أحد الشيطانين، فنظر صاحبه إليه فوجد رأسه قد انقطع، تراجع الشيطان الأخير ولا يدري أي كارثة في الأرض قد نزلت بالـ... فجأة التصقت قدماه ببعضهما وسقط على وجهه، ونزلت

قدم قوية على رأسه تدهسه في الصخر، استبشر المساكين وارتاحت ملامحهم وهم ينظرون إلى كيان المنقذ الذي بدأت معالمه تظهر وسط ومضات البرق، تبين لهم وجهه الوسيم حاد القسمات ذي الشعر الطويل الذهبي، وعينيه الناظرتين بثقة، ثم تبينت ملامح الزي الذي يلبسه، وسقطت قلوب المساكين، فقد كان زيه أسود، ذا صبغة عسكرية ما.

كانت نظراته ساخرة تثير الخوف، وكان يمسك سوطًا طويلًا رفيعًا بقبضته ويتحسس بقبضته الأخرى السوط ويمررها عليه ببطء ثم يشده بحركة أسقطت قلوب المساكين، لقد كان واحدًا من الجنود، لا يدرون لماذا قتل أصحابه، لكنهم في اللحظة التالية عرفوا، عرفوها في عينيه، وسلاحه الذي يبرزه أمامهم بقسوة مثل الذبّاح المختل الذي يغيظ الذبيحة قبل قتلها، هذا الرجل قتل أصحابه لينفرد بقتلهم هو بنفسه، ربما هو مجنون، لكن ضربة واحدة بسوطه ضربها في الهواء أسكتت أفكارهم، وتراجعوا حتى أصبح التراجع غير ممكن لأن هناك تلة وراء ظهورهم، وقبل أن يفهموا من الأمر شيئًا كانت خطواته قد وصلت إليهم في ونزل السوط على رؤوس الرجال والنساء فقطع منها ما أتى في طريقه، وصرخ القِصار والأطفال، وما مضت دقيقة أو اثنتان وسط هذه الأدخنة الحمراء إلا وسالت الدماء الحمراء الباقية لتكتمل الصورة، وبرق البرق على رجل وسيم أشقر قتل فيما يبدو كل من حوله من الأحياء.

ومن وسط الخراب والدمار والسكون، ظهر صوت خافت من أحد البيوت المهدمة.. صوت باب ينفتح ببطء، وخرج من الباب طفل صغير لم ينتبه إليه أحد، خطا بعض الخطوات خارج الدار المهدمة وهو ينظر إلى حفل الجثث الذي حوله.. أهله وجيرانه وكل من عرفتهم عينه يومًا، كلهم ساكنون في دمائهم هامدون.. لم يدرك حجم الكارثة ولم يدرِ أين يخطو، لكنه لمح ظل رجل واقف خلفه، فنظر الطفل خلفه بعيون هي البراءة ذاتها ليجد رجلًا جميل الوجه أشقر الشعر أمسك بكتفي الطفل بيديه القويتين وانحنى نازلًا إليه ووضع رأسه بجوار أذن الطفل كأنه يهمس له، كانت ملامح الطفل مندهشة ثم تحولت إلى شيء من البسمة، كان الرجل يغني

له أغنية وفي عيونه جذل وسخرية، ثم قام الرجل وترك الطفل وانصرف، ومشى الطفل وسط أنهار الدماء ناظرًا هنا وهناك، وما مضت ثانية إلا وأتت ضربة من سوط غادر أسقطت الطفل جثة بجوار جثث قومه، وانصرف من المكان رجل أشقر يغني بملامح مختلة، رجل شيطان.

****

«نفوس الضباع وقلوب الشياطين»

****

عمرو بن جابر، شيطان من جن الشمال، وسيم قاسٍ فيه وحشية شيطانية، ملحد لم يعترف يومًا بدين من أديان طوائف الجن، وما تبع يومًا أي مملكة، لكن في حرب الجنون الأخيرة ضمه جند الحرس الأسود مقابل كثير من الذهب يُعطى له وكثير من الأرض، وفي ذلك اليوم في آخر أيام الحرب، رُؤي عمرو بن جابر خارجًا من ساحة المعركة وحوله جثث ذائبة في دمائها، لكن عمرو لم يكن وحده، كان حوله فيلق كامل من جند الحرس الأسود، يمشون حوله، يمسكون بسلاسل من حديد يضعونها في معاصمه ويجرُّونه وراءهم جرًّا، لقد قررت الهيئات العليا

بعد هذه الحرب الأخيرة أن عمرو بن جابر خطر حقيقي على مناظم الجن، لأنه لا يتبع دينًا ولا مَلكًا، ولأجل قتلهِ زملاءَه الجنود دون سبب إلا شهوة القتل، سيُسجَن سنوات طوال حتى تهدأ الأرض ويهدأ الجن، كانت هذه المناظم كلها تتبع لوسيفر الأمير القديم، وتحكم كثيرًا من بلاد الجن بالحديد والنار، إلا قليلا ممن لم يقدر لوسيفر على إخضاعهم.

وفي زنزانة قضبانها من الحديد الملتهب كان يجلس متربعًا على الأرض، وشعره يغطي وجهه ولحيته التي طالت كثيرًا، أسوأ شيء في العالم أن تحرم عمرو بن جابر حريته، كان غاضبًا يفكر كيف يهدم جدران هذا السجن على ساكنيه، لكن اليوم كان لديه زائر من نوع خاص، زائر لم يصدق الجندي السجان أنه يراه رأي العين هكذا، وقف السجان أمامه يتأمله هنيهة، إنه هو بنفسه، أشد هيبة من كل الأساطير التي تقال عنه، هذا هو الذي يعبده نصف بني الإنسان في ذلك الزمان، يذبحون ويسجدون له ويستنصرون به، يجعلونه ملك الآلهة ورب السماء، الشيطان الذي تمكن من أن يكون قاهرًا فوق ملوك الرومان، حتى يقال إن قوانين المملكة الرومانية كانت كلها من وضعه هو، هو بنفسه يمشي أمامه الآن، جوبيتر، إله السماء.

لم يكن السجان يدري ماذا يريد أبو السماء المهيب جوبيتر من رجل مهرطق مثل عمرو بن جابر، وما كان لمثله أن يعرف.

فجأة تلاشت قضبان السجن الحديدية الملتهبة أمام يد جوبيتر، وعمرو جالس جلسته الأولى، وقف جوبيتر على أعتاب الزنزانة بكامل بهائه ولم يرفع عمرو بن جابر حتى رأسه ليرى، وفجأة ارتمى أمامه شيء على الأرض، كان ذلك سوطه، نظر عمرو إلى السوط، ثم رفع رأسه لينظر إلى الواقف أمامه، فرأى وجهًا رومانيًّا مليئًا بالتعالي، صاحب جسد شيطاني ضخم، قال جوبيتر بصوت يتناسب مع عَظَمَته:

- لقد آن لصاحب السوط أن يحصل على حريته.

فجأة سحب عمرو بن جابر سوطه وهب من مكانه وارتفع في الهواء ليلف السوط حول رقبة جوبيتر وهو يقول:

- وأنت ستكون أول أعمال عودتي المباركة.

تجمد الحرس أماكنهم غير مستوعبين أنه يجب عليهم التحرك لحماية مارد مثل جوبيتر، لكن جوبيتر وضع طرف عصاه على الأرض؛ فصُعق عمرو في الهواء ليصطدم بجدار الزنزانة ويسقط على الأرض وفي عيونه نظرة مندهشة، قال له جوبيتر:

- اتبع أمري يا حثالة تخرج من هنا، أو سأستدير وأتركك هاهنا تأكل الحسرةُ جسدَك قطعة قطعة.

قام عمرو وقد تحولت نظرته إلى بعض السخرية وهو يقول:

- وماذا عسى أبا السماء أن يطلب مني؟ هل تريد حارسًا شخصيًّا يا إله العالم؟

- تأكد أن ما أريده منك يتناسب مع حجم إتياني بنفسي إلى هنا، وإنك لَقابل بما أقول أو سأعيدك فيها أبد حياتك.

ولم تمضِ دقائق إلا ورُؤِيَ عمرو بن جابر خارجًا من محبسه ومعه جوبيتر عظيم السماء، ولم يكن هذا ينذر إلا بكارثة.

❉❉❉❉❉❉❉❉❉❉

«الآلهة التي تراها في كل حضارة إنما هم شياطين».

❉❉❉❉❉❉❉❉❉❉

في مكان ممنوع فيه ركضة الشيطان وخطفة الجن، كان عمرو بن جابر يمشي وبجواره جوبيتر ببطء على صفحة البحر، وعلى كثرة ما رأى عمرو في حياته إلا أن ذلك المكان جعل شيئًا كثيرًا من القشعريرة يسري في عروقه، كان المكان في بحر بيرامودا، وهناك طابوران لا يمكنك أن ترى آخرهما من الجن الحارس، وبين الطابورين طريق من

283

البحر يمشي فيه عمرو وجوبيتر، المكان كله كما يمكنك أن ترى في الأفق يمينك وشمالك يطوف به جمهرة من الجن طوافًا بطيئًا منتظمًا مخيفًا، وإذا رفعت رأسك للسماء، سترى مثل عمدان من الإعصار تصل بين السماء والأرض، ثم تتبين أنه ليس إعصارًا، بل هي حشود من الكائنات الطالعة حينًا والنازلة حينًا، كائنات كأنها الملائكة، لكنها ليست كذلك، بل هي من الجن السمَّاع، كل هذا كان يراه عمرو ويرصده بعينيه وهو ماشٍ على صفحة البحر وجوبيتر بجواره يبدو واثقًا، كان عمرو يعرف ويسمع عن هذا المكان وسط بحر بيرامودا، لكنه لم يتخيل كل هذا، لقد كان ذلك مقام الذي عرشه على الماء، كان ذلك حرم أمير النور، الحرم المثلث في بيرامودا، حرم لوسيفر.

فجأة توقف عمرو وكأن ما رآه لا يصح معه أن تمشي، بل فقط يصح أن تقف وتنظر وتنبهر، كان يرى في تلك اللحظة أعلى بناء على سطح الأرض، هرم عظيم يعلو فوق أي علو بلغه إنس أو جن، لكن لم يكن هذا ما ينظر إليه عمرو، كان ينظر إلى شيء أكثر رهبة، شيء فوق الهرم أسقط قلب عمرو الذي ظن أن شيئًا في هذه الدنيا لا يجعله يهاب.

كان الهرم غير مكتمل البناء وكأن رأسه قد قُصَّ، وفوقه هرم آخر، صغير يكمل مكان الرأس، هرم وراءه نور عظيم كأنه الشمس في عِظَمها، لكنه لا يضيء شيئًا مما حوله من سماء وأرض، وفي داخل الهرم الصغير، كانت هناك عين، لم تكن صورة ولا نحتًا ميتًا، بل كانت عينًا حية؛ عين فوقها حاجبها، صارمة جميلة، أيَّما نظرت إليها تجدها ناظرة إليك، ضاقت العين فجأة بصرامة، فانخلع قلب عمرو للحظة ثم تمالك نفسه، قال له جوبيتر:

- أراك تغيرت يا صاحب السوط.

قال عمرو بغضب:

- ماذا تريدون مني يا...

فجأة أحس عمرو بشيء من تحته، بل بأشياء تسبح في عمق البحر أسفله ثم بانت فجأة تحت صفحة الماء وهبَّت خارجة كلها من البحر، فتسمَّر عمرو مكانه، كان هؤلاء الجن الغواص مهيبي المنظر زرق الأجساد، أحاطوا بعمرو وجوبيتر، قال جوبيتر:

- لا تقل ماذا أريد منك، بل ماذا نريد منك، إن الأمير بانتظارك.

كان الجن الغواص صامتين كأنهم قبور وهم يسوقون عمرو وجوبيتر إلى داخل الهرم، قال جوبيتر:

- الهيكل.. كل ما نحن بصدده هنا وما أخرجتك لأجله يتعلق بالهيكل.

- أي هيكل؟

- هيكل سليمان.

وسكت تاركًا عمرو غارقًا في أفكاره، ثم أظلمت الدنيا كلها كأنها الكحل.

285

****

«عين الشيطان تحقد على المساجد»

****

نظر عمرو باستغراب إلى هذه الظلمة المفاجئة، ثم ذهب الظلام وعاد كل شيء كما كان، كانت العين الحية التي فوق الهرم قد أغمضت فأظلمت الدنيا لغلقها ثم أنارت الدنيا لمّا فتحت، هل هذه العين كانت ترمش؟ لم يمهله الوقت أكثر فقد كانا قد وصلا إلى سفح الهرم، الذي كان منظمًا مبنيًّا بعناية وهندسة مدهشة، ثم دخلا إلى الهرم. بهو عظيم بسبع بوابات، وفئات من الجن يدخلون ويخرجون.. جدران مزينة برؤوس شخصيات جنية شهيرة في تاريخ الجن هزمهم لوسيفر، بعضهم ملوك وبعضهم صالحون، فلوسيفر قديم قدم الزمان، تموت القرون وهو لا يموت، ثم انفتحت بوابة في السقف ورفع الجن الغواص أياديهم وارتفعوا صاعدين في الهواء إليها ببطء، وتبعهم عمرو وجوبيتر. درجات يصعدونها وبوابات تفتح لهم، ثلاث عشرة درجة حتى انتهوا إلى الدرجة الأخيرة، فرأوا فيها نفرًا من الجن واقفين منتظمين على شكل ضلعي مثلث لا قاعدة له، توجهوا إلى رأس المثلث فتباعد الجن المنتظمون وأدخلوهما من بوابة هي العظمة ذاتها، أدخلوهم إلى العرش. لوحات ضخمة بلا إطارات، مرسومة على امتداد الجدران، تحكي حكايا من تاريخ الأمير القديم، أغلبها لوحات حربية له وهو يقود جيشًا أو لوحات سريالية تلمس فيها غرورًا ونرجسية واضحة، وجميع اللوحات فيها إذلال للإنسان وحط من قدره، ثم فتحت بوابة في أقصى القاعة ظهر فيها الأمير، تحديدًا ظله، وكأن كل شيء في هذا المكان مصنوع لإبهار من سيأتي، تقدم لوسيفر بضع خطوات حتى جاء النور على وجهه فاستبان. وما رأى عمرو وجهًا مثل هذا، له عين تحدق إليك مباشرة فيصيبك التوتر، نزل جوبيتر على ركبتيه تعظيمًا ونظر إلى عمرو ليفعل مثله لكن عمرو وقف مكانه، لم يكن لينحني لأحد أيًّا كان،

286

نظر لوسيفر إلى عمرو ثم خطا نحوه خطوات بطيئة مخيفة، فتحفز عمرو مكانه، قال جوبيتر:

- سيدي لقد أحضرته كما أمرتني.

اقترب لوسيفر من عمرو ونظر في عينيه، وعلى الرغم من قوة قلب عمرو وقسوته وثباته، فإنه وجد نفسه يشعر بالقلق، وكأن لوسيفر قرأ فكر عمرو فخفَّف من صرامة نظرته وقال لعمرو:

- هل علمت لماذا أنت هنا يا بن تواثا دي دانان؟

نزلت الرهبة في قلب عمرو، ذلك هو اسم القبيلة الجنية التي ينتمي إليها عمرو، وهي قبيلة ملكية إيرلندية تركها وساح في الأرض وأخفى الأمر قرونًا كثيرة حتى يستحيل على أحد أن يعرف له طريقًا، حتى إنه عاش في سبأ واتخذ اسمًا عربيًّا، هذا الكائن يعرف كل شيء بل إنه يبدو من انفعال ملامحه أنه يعرف بماذا يفكر المرء في دواخل نفسه، تمالك عمرو نفسه وقال:

- قيل لي إنني سأعلم إذا أتيت إلى هنا.

حوَّل لوسيفر نظره إلى جوبيتر وقال له:

- قم يا إله السماء ونبئ صاحبنا.

قام جوبيتر بهيبته الرومانية التي تصاغرت أمام حضور لوسيفر وقال:

- تعرف يا ابن جابر أن ثلث بشر هذه الأرض يُسبِّحون بحمدي ويذبحون لي في أعيادهم ويرفعون شعاري في معاركهم، فقد أضللت عقول إمبراطورية الفخامة والعظمة الرومانية الذين لم ترَ الأرض بمثل عظمة حضارتهم.

بدت من عمرو نظرة غير مهتمة وجوبيتر يكمل:

- والعالم كله الآن بقارّاته كافة يعبدوننا نحن الجن ويسموننا آلهةً، ويعملون لنا التماثيل والمحاريب والمعابد، لكن توجد مجموعتان في هذا العالم ما زالتا تعبدان الرب الواحد، إله السماوات والأرض، اليهود والمسيحيون.

بدأ عمرو يهتم وينظر إلى جوبيتر الذي قال:

- رغم أنهم يعبدون الإله الواحد نفسه، فإنهم مختلفون فيما بينهم كاختلاف الليل والنهار، إن أقدس مكان بالنسبة إلى الاثنين هو مكان في شمال جزيرة العرب، يسمونه الأرض المقدسة، تحديدًا جبل فيها يدعى جبل المعبد، نسبة إلى معبد بناه سليمان ملك اليهود وسماه الهيكل، كان الغرض منه تعظيم رب السماوات وتقديم الذبائح له، لكن كما تعلم لقد تهدم الهيكل في قرن سابق ثم أعادوا بناءه ثم تهدم عن آخره مرة أخرى قبل عقود بلا أمل في بنائه ثانية.

هنا تدخل لوسيفر وقال بصوت فيه بحة كأفعى عجوز:

- آن الأوان الآن لإعادة بناء الهيكل، لكن ليس لعبادة الله.

قال عمرو متسائلًا:

- إذن لعبادة من؟

نظر جوبيتر إليه وقال:

- لعبادتي، أنا جوبيتر إله السماء.

اتسعت عينا عمرو، ولوسيفر يقول:

- هذه الأرض المقدسة تتبع اليوم إمبراطوريةَ الروم واليهود مستضعفون فيها، وجوبيتر هو رئيس آلهة الروم وعظيمهم، وإنّا جاعلون الروم يبنون لجوبيتر أكبر معبد بُني لإله على وجه الأرض، وسيبنونه على أقدس مكان عُبد فيه الله رب السماوات،

هيكل سليمان.. ستمضي يا جوبيتر إلى هادريان إمبراطور الروم، وأنت تعرف طريقتك معه جيدًا، هو في زيارة الآن إلى الشام ومصر، ستوعز إليه أن يحابي اليهود، ويبني لهم هيكلهم المقدس على جبل المعبد، يبنيه لهم كما يريدون وبإشرافهم أيضًا، فإذا أكمل اليهود البناء، ستوعز له أن يحول الهيكل اليهودي إلى معبدٍ لجوبيتر، فهذا سيذلهم أكثر ويكسر شوكتهم للأبد.

أحسَّ عمرو بالخطر نوعًا ما، لكنه قال:

- فلتبنوا معبدًا للجراد إذا أردتم، ما أمري أنا بينكم؟

قال جوبيتر:

- إن هناك قبيلة من الجن تحمي جبل المعبد، يسكنون هناك منذ عهد سليمان، منذ ألف عام أو يزيد، يحفظون عهد سليمان كما يدَّعون، ويعبدون رب سليمان كما يدَّعون، يعرفهم الجن باسم ملائك جبل المعبد.

فكَّر عمرو وكأنه يتذكر الاسم وجوبيتر يكمل:

- هؤلاء الملائك لهم تاريخ في ترهيب أي بشر يحاول أن يبني أي شيء في ذلك المكان حتى لو كان بناءً عاديًّا، حتى اليهود لو حاولوا إعادة بناء الهيكل مرة ثالثة فلن يسمحوا لهم، وإنا سنحتاج إلى إبادتهم عن صفحة الأرض قبل أن نبدأ، ونحن نعرف من أنت في حروب الإبادة، وما فعلته في حرب الجنون قد شاع عنك وانتشر.

قال لوسيفر:

- هدِّدوهم بالإبادة أولًا، فإذا لم يستجيبوا لكم فأبيدوهم عن صفحة الأرض، لا أريد فيهم نفسًا يتنفس.

رفع عمرو عينيه بصمت، كان يحب حروب الإبادة هذه ويجد نفسه فيها، الأمر بدأ يروق له رغم عدم اقتناعه بأي من الترهات التي يقولها هؤلاء. قال لوسيفر:

- ابدأ يا جوبيتر كما أمرتك، وإذا أظلمت عليك الدروب واختلطت، سيأتيك رسولي من البشر، فاتبعه ولا تحِد عنه.

واستدار لوسيفر وأعرض بوجهه عنهما، وكان ذلك يعني نهاية الحديث.

****

«رسول الشيطان أتبعه الشيطان»

****

كان متكئًا شاعرًا بالعظمة ومن حوله الأنوار والنغمات الرومانية والرقص، هادريان إمبراطور روما، يجلس والرضا في عينه وهو يعلم أنه يملك نصف الأرض، يتابع الأجساد الراقصة من نساء ورجال، وقلبه متعلق بجسد واحد، جسد رجل، أو شبه رجل، له جسد ناعم كأجساد النساء، شعره طويل ويرتدي ما لا يليق برجل، يرقص وسط الراقصين، على منصة تعلوهم جميعًا، وهادريان ينظر إليه بشغف، ما كانت نظرته إليه نظرة إعجاب أو حب، بل كانت أكبر من ذلك، كان يعبده، دون زيادة في اللفظ أو تشبيه، يجعله رفيقًا له كظله، يسجد عند قدميه ويقبلهما كلما اختلى به، ويقع عليه وقوع الرجل على زوجته، كان ذلك الشاب نسوي الطراز اسمه أنتينوس، وكان هادريان يَعُدُّ أن الإله أوزيريس بروحه المقدسة قد حل في جسد الشاب الوسيم، لم يكن هادريان إمبراطورًا عاديًّا، ولم يكن يسجد لأنتينوس وكفى، بل كان يعبد كيانات أخرى خفية، يكلمها وتكلمه.. شياطين، أكبرها كان يجلس عند رأسه في تلك اللحظة.. جوبيتر، عظيم السماء.

أنتينوس يرقص كالغانية، وعيون شغوفة به غير عالمة بحضور جوبيتر، وعمرو بن جابر ينظر بتقزز إلى كل هذا العفن البشري المتداخل، ثم ارتفع صوت هادريان وقال:

- ارفعوا أصوات النغم والطبول إلى أشدها، وائتوني بشراب.

أكمل الراقصون رقصهم وزاد أصحاب المعازف من حدتها وهادريان يشرب حتى اختمر دماغه وذهب عقله فصار لا يشعر بما حوله وهو بين اليقظة والغفوة، وجوبيتر يقترب منه ببطء، في تلك اللحظة بدأ جوبيتر يدخل إلى أفكار وخيالات هادريان، رأى كيانًا عظيمًا عرفه على الفور، فتماثيله في كل مكان بروما كلها، إله السماء ومالك الرعد، جوبيتر، انكمش هادريان في مقعده كأنه فأر، وجوبيتر يقترب منه ولا أحد يراه سواه حتى صارت عينه في عينه.

كان جوبيتر يرى الشيطان في بيئة تختلف عن البيئة التي حوله يحدثه ويأمره أن يسمح لليهود أن يبنوا هيكلهم، حتى إذا... فجأة حدث هرج في المكان، وتعالت الأصوات، واستفاق هادريان مما هو فيه ليجد عشيقه أنتينوس قد أصابه شيء مثل الجنون، فصار يقوم بحركات عنيفة ويسقط الراقصين من حوله ويضرب نفسه على الأرض كأنما أصابه مسٌّ من الجن، نظر جوبيتر وراءه ليرى أنتينوس يتحرك كالمجنون وعمرو بن جابر واقف فوق رأسه يمسه بمس الجن ويلعب به كأنه سعدان، أرعدت عينا جوبيتر من الغضب وفي لحظة كان يمسك بتلابيب عمرو بن جابر ويصفعه بيد من حديد، وعمرو بن جابر يضحك بجنون من الرضا عما فعل، قال جوبيتر:

– أي أرعن أنت، بل أي سفيه؟

قال عمرو وعيناه تبرقان من الجذل:

– كان مقززًا ويحتاج إلى من يفيقه من قذارته، أما يكفي أن يجعلوه إلهًا؟ بل يقعون عليه أيضًا كالنساء، هذا فوق قدرتي على التحمل.

نظر جوبيتر إلى الإمبراطور هادريان فوجده يستند إلى بعض حاشيته ويقوم بصعوبة ويمشون به إلى منامه، قال عمرو:

– هل تحدثت لهذا المُبتلى؟

– نعم، ولو كنت قاطعتني قبل أن أتم معه ما أريد لكنت نسفتك هنا نسفًا.

– وإلى أين المسير الآن يا إله السحاب؟

– إلى الملائك، ملائك جبل المعبد.

واشتعل فتيل النشوة في جسد عمرو.

292

****

«شهوة القتل لا تشعر بها إلا بعد أن تقتل الثالث»

****

مدينة منظمة مهندسة كأعظم ما تكون المدن، «موريا» مدينة ملائك جبل المعبد، يسيرون في رداءات فاخرة كأنهم اللؤلؤ والمرجان، ولكن يبدو أن تنظيمهم في هذا اليوم قد فسد، فعند بوابة مدينتهم باغتهم دخول شيطانين إلى المدينة بضجة تليق باسميهما، جوبيتر، وعمرو بن جابر، كان الكل يعرف جوبيتر وينظر إليه بطرف العين، فدخول كيان مثل هذا هنا لا يعني سوى شر، وهذا الأشقر ذو العيون المختلة يبدو أكثر منه خطرًا. كان عمرو بن جابر يقول لجوبيتر وهو يتحسس سوطه:

- أليس من الأيسر قطع هذه الرؤوس اليانعة مباشرة؟

- أي حماقة منك تعدو على كلام الأمير، ستعني سنوات طويلة من السجن.

293

قال له عمرو وهو يتطلع في وجوه الناس:

- أميرك وأمير أمثالك، قل لي من يملك هؤلاء القوم؟

نظر جوبيتر إلى جهة غير بعيدة وقال:

- هناك، في المنجم السداسي.

نظر عمرو فرأى مبنى أسود مُطعمًا بعروق خضراء أرضه على شكل نجمة سداسية، وسقفه على شكل نجمة سداسية، وجدرانه كلها على أشكال نجوم سداسية مركبة بهندسة معقدة، قال جوبيتر:

- أنت لا تدري لماذا استعنا بك حتى الآن، لقد طور هؤلاء القوم أمورًا لم يعرفها إنس ولا جن، إنهم إذا أحسّوا بخطر على هذه المدينة برز في السماء جدار من الطاقة يحوطها من كل جهة كالقبة، يحرق كل من يدخل، لا ندري هل طوروه بأنفسهم أم أخذوه من علم سليمان.

كان عمرو ينظر إلى المبنى الذي يقترب وهو يقول:

- وما أمر سليمان هذا؟

أطلق جوبيتر تعبيرًا يدل على الغضب، وقال:

- ألا تقرأ أبدًا يا هذا؟

قال عمرو بلا اكتراث:

- ولماذا أقرأ عن بشر محقورين؟

- أحمق، سليمان هذا ملَك الإنس والجن ووضع عتاة الشياطين في سلاسل من نار لم ينفكَّ بعضها إلا بعد أكثر من ألف سنة من موته، وما زال بعضهم مقيدًا بها.

دُهش عمرو دهشة حقيقية، أَبَشر يفعل ذلك بالجن؟ نفض عن ذهنه التفكير في الأمر وهو ينظر إلى عظمة المبنى والأشعة الخضراء التي تتخلل نجومه، وانفتحت نافذة من المبنى، واهتزَّ فؤاد عمرو بن جابر.

لو أن ذرات الهواء تجمعت وتحركت جميع ألوان الطيف ما استطاعوا رسم صورة أجمل من هذه، عينان نورهما أزرق، تنحدر حولهما سلاسل من حرير أسود تنسدل على جبين أبيض ثم تنحدر إلى عنقٍ أقمر ورداءٍ رقيق أبهر، شابة حسناء تنظر من النافذة بقلق، لم يكن عمرو ممن تأخذ النساء بعقله، بل كان ذا قلب حجري لا يتحرك، لكنه وقف في حضرة هذا البهاء ينظر حتى أنذرته روحه أن يتمالك فنظر بعيدًا، قال جوبيتر:

- تلك إينور، ابنة آمون ملك موريا.

نظر إليها عمرو مرة أخرى، إن لم تكن هذه أميرة فمن تكون؟ أمّا هي فقد سمعت باقتراب شيطانين من الجبابرة.. ففتحت النافذة لتنظر، فلمّا رأت عمرو لم تعرفه لكنها أحست بشيء عجيب تجاهه، كان جوبيتر يقول له:

- احذرها، لقد كانت يومًا من جنود الأمير لوسيفر، ثم تبين للجميع أنها كانت جاسوسة، ولقد فداها أهلها من بطش الأمير بكل ما يملكون تقريبًا.

تعاظمت الفتاة في روح عمرو بن جابر لمّا سمع ذلك، وفجأة انفتح باب المنجم السداسي ودخل الشيطانان إلى الداخل، وقبل أن ينظرا إلى بهاء المكان وفخامته وجدا الملك آمون في البهو واقفًا ووراءه حاشيته، قال الملك بسرعة:

- إن كان ما تريدان خيرًا فخير، وإن كان شرًّا فانصرفا قبل أن تتكلما.

قال جوبيتر بقوة مارد:

- أتيتك من عند أمير النور يوم خلق النور. لوسيفر يبلغك بأن اليهود سيبنون على جبل موريا هيكلهم الثالث، وأنه لو تعرضتم لهم بأي تهويل أو تخويف، سيُباد جنسكم من وجه الأرض.

هنا ظهرت الأميرة ذات العيون الزرقاء والوجه الصبوح وهي تهبط على سلم طويل، قالت لجوبيتر:

– أهذا هو المرتزق الجديد الذي أتيتم به لتخويفنا يا جوبيتر؟

دفقة من الغضب اجتاحت كيان عمرو وقبضت يده على سوطه تلقائيًّا، كان يمكنه أن يرد ويهينها لكنه لم يفعل ذلك، قرر كيانه أنه لا يريد أن يرى هذه الغادة الحسناء مضطربة أبدًا، فلم يرد، ولكنه نظر إليها وقال:

– نعم، هو أنا.

****

«اليهود قتلوا الأنبياء ورفضوا المسيح فسبقوا الشياطين».

****

أيام معدودات وحضَر هادريان إمبراطور المملكة الرومانية بأكملها إلى أورشليم، ووقف على جبل المعبد ووراءه حاشيته يذعنون لأمره ومعه أنتينوس، بجوارهما وقفت طائفة من أكبر أحبار اليهود، وإن حضور إمبراطور روما كلها إلى أي مقاطعة في مملكته لهو أمر عظيم عند سكان تلك المقاطعة، واليهود بالذات كانت تلك الزيارة هي يوم سعدهم، فبعد شدة في المعاملة من الرومان على مر السنين يقف أمامهم الآن إمبراطور نصف الأرض ويقول لهم إنه يريد أن يبني لهم الهيكل ويعيد بناء مدينة أورشليم كلها، أن تجد حلم قرون يتحقق بأكبر رأس في الدولة لهو أمر يبعث في النفس الكثير من السعادة.

كانت عيون جن الملائك تتابع المشهد وكيانهم يكاد يتمزق، لقد قرر ملكهم آمون أن يصمد حتى النهاية ولم يرضخ لأي تهديدات من الشياطين، وأمرهم أن يحيلوا حياة أي عامل يضع فأسًا في هذه الأرض إلى جحيم، لكن يبدو أن الأمر كبير هذه المرة، إنه الإمبراطور شخصيًّا، لكن هذه هي مهمتهم، أن يحفظوا عهد سليمان، حتى يظهر نبي آخر الزمان، كانت إينور وسطهم تسمع ما يدور على ذلك الجبل.

كان اليهود قد أخذوا الإمبراطور هادريان وحاشيته إلى المكان الذي كان عليه معبد سليمان فوق الجبل، ولم تمضِ ساعة إلا وقد أمر حاشيته أن ينظموا إشرافًا كاملًا على حراثة الأرض تمهيدًا لبناء الهيكل. لكن المشكلة كانت في أنتينوس، وجده الجميع يمشي مبتعدًا يتحسس بقدمه مكان المعبد ويحدث نفسه بكلمات المخبولين ويتحرك حركات أنثوية، ثم بدأ يفعل أكثر شيء عجبًا في هذا المشهد... بدأ يرقص ويهز جسده هزًّا مقززًا. تحرك اليهود بعيون مفزوعة إليه، الأرض المقدسة أيها الشاذ، ماذا يفعل هذا الشيء على أرض المعبد؟ لكنهم لم ينطقوا بهذا لأن هذا الإنسان المقزز مقدس عند هادريان، فكتموا في أنفسهم. كان أنتينوس قد أصابته غيرة في نفسه لأن هادريان منشغل عنه فحاول أن يلفت الأنظار بشكل ما، أمسك الإمبراطور بيد أنتينوس ولم يتركه في أثناء كلامه مع الأحبار، هكذا اطمأن الكيان الشاذ.

وبحماسة منقطعة النظير، بدأ العمال تهيئة الأرض لبناء هيكل سليمان، أو هيكل الشيطان، ولم يهنأ أحد بفرحة ساعة واحدة، فكانوا يسمعون أصواتًا كأنها تنبعث من داخل الأرض، أو من الجدران، ويرون ظلالًا متطاولة، فإذا نظروا وراءهم لم يجدوا شيئًا، لقد بدأ ملائك جبل المعبد العمل، ولن يُبنى على هذه الأرض حجر على حجر، إلا على جثثهم.

****

«الشذوذ الجنسي لا يصيب الجينات».

****

بين ستائر الليل المسدلة على صفحة النيل العظيم مشت قوارب حمراء طويلة مزينة بأعلام الروم، تبرز منها رؤوس جنود بخوذات رومانية يمسكون برماحهم بتأهب، يتوسط قواربهم قارب ملكي يتهادى ببطء وعلى متنه إمبراطور روما كلها، هادريان الذي قرر أن يتنزه اليوم

على نهر النيل، ويمكنك أن ترى بعض كبراء اليهود بملابسهم السوداء يحدثونه ويحدثهم بأمر الهيكل، وعند رأس القارب كان يقف الشاذ أنتينوس ناظرًا بوجهه ببلاهة إلى اللاشيء، في ذلك الليل لم يمكن رؤية شيء من الأجواء إلا انعكاس القمر على صفحة النيل، لكن أنتينوس لاحظ التماعًا بين الأشجار، ولم يدرِ ما هو.

وبين تكاثف الأشجار، كان ملائك جبل المعبد ينظرون إلى القارب ومعهم إينور التي لم تكن ترتدي ثوب الأميرات، بل كان رداءً ذا صبغة عسكرية، تذكرت عملها مع جنود لوسيفر لمّا كان هذا الرداء أسود، نفضت عن رأسها هذه الذكرى وهي تنظر إلى قارب هادريان وهو يقترب، فقالت إينور:

– هذا الشاذ هو المفتاح الذي سيجعلنا ننجح في إيقاف بناء الهيكل، فقط إذا أحسنا استعماله.

نظروا إليها بتحفز وقال أحدهم:

– تعلمين أن هذا خفيف الروح عليل العقل وإنه في أيادي الجن مثل الحلوى.

كانت الخطة هي التسلط على عقل أنتينوس ليقوم بعملٍ أحمق، والتسلط على عقل اليهود ليتكلموا ضده أمام هادريان، وكان هذا سهلًا لأن اليهود كرهوه منذ النظرة الأولى ولم يكونوا يحتملون رؤيته، لكنهم يكبحون جماحهم تمامًا ويصمتون حتى لا يغضب هادريان، المفتاح هو اللعب على قدرتهم على كبح ألسنتهم، وعندما رأى أنتينوس ذلك الالتماع، كانت قد بدأت اللعبة.

فتح أنتينوس عينيه وخفق قلبه وهو ينظر بين الأشجار إلى الالتماع الذي بدا له أنه يتحرك، ثم انتفض جسده وارتدَّ إلى الوراء لمّا رأى ظلًّا كأنه ظل شيطان يتطاول على الأشجار ثم يختفي، بدأت دقات قلب أنتينوس تتسارع وجبينه يندى بقطرات عرق باردة مرتعبة، كان يُهيَّأ

إليه أنه يسمع صوتًا ما، وفي الجهة الأخرى كان اليهود ينظرون إليه بامتعاض لم يحسنوا إخفاءه، ثم حدث ما لم يكن بالحسبان، ففجأة وبينما كان أنتينوس يرتجف، تعثرت قدمه وسقط من القارب إلى صفحة النيل، ولم يكن هذا جيدًا، بل كان دمويًّا، فلقد سمع الجميع صوت اصطدام رأس أنتينوس بخشبة القارب.

فزع هادريان وتساقطت دموعه في مشهد مقزز وهو يفقد حبيبه وإلهه، ونظر من القارب ليرى جسد أنتينوس ورأسه يسيل منه الدم، ثم تخبطه القوارب الآتية بعضها وراء بعض، وضع هادريان يديه المرتجفتين بالغضب على القارب ولم يدرِ ماذا يقول، نظرت إينور إلى ذلك المشهد الذي لم يكن بالحسبان، ما كان ذلك في نيتهم، لكنها صرخت بسرعة لرفاقها:

- الآن.

وتعالت أجساد الجن فوق رأس هادريان يوعزون له بأمر، وما أسهل مِن تسلط الجن على شخص غاضب، كانت عين الإمبراطور في البداية غاضبة ثم ظهر فيها فجأة تعبير قاسٍ، وفجأة التفت إلى اليهود وقال:

- أنتم قتلتموه.

سارع اليهود إلى تبرئة أنفسهم، وحدثت مشادة بينهم وبين هادريان، وبوسوسات الجن توتَّر الموقف، لم يقدر أحد اليهود على كتم لسانه فقال:

- ماذا كنت تريد وأنت إمبراطور نصف الأرض بكائن شاذ؟ لقد شوَّه مظهرك، وها هو قد رحل إلى الجحيم.

وكانت تلك هي القشة الذي قضت على حياة هؤلاء اليهود الذين كانوا مع هادريان على القارب، والقشة التي كانت وبالًا على اليهود في الإمبراطورية الرومانية كلها، والقشة التي حطمت حلم بناء هيكل اليهود

للأبد، فبعد أن فرغ هادريان من قتل أولئك اليهود وإلقائهم في النيل، قرر قرارًا لا رجعة فيه، أن هذا الهيكل لن يُبنى فيه حجر واحد.

****

«سيأتي رسولي من البشر، فاتبعه ولا تجِد عنه».

****

كان أكثر ما يكون هادريان على عرشه ساهمًا، فقد اعتاد وجود أنتينوس، حتى إن زوجة هادريان قد اعتادته، حقًّا كان نفسية مريضة، وإن الخراب يعم إذا حكم البلاد ذوو النفوس المريضة، وفي ذلك اليوم كان جالسًا على كرسيه ينظر إلى ساحة قصره وليس في روحه إلا الفراغ، ثم رأى شخصًا قادمًا في الممر المؤدي إلى الساحة، هو وحده كان يراه في هذه اللحظة، فالحرس كانوا يتململون وينظرون إلى الأرض، كان رجلًا يرتدي جُبة طويلة يمشي ببطء ناظرًا إليه، وفجأة وفي ثانية واحدة انخلع قلب هادريان، ذلك الرجل.. أي شيطان هذا بالضبط؟

في لمح البصر كان الرجل واقفًا في منتصف الساحة وكأنه عبر عشرات الأمتار في ثانية، تراجع هادريان على كرسيه، ورأى الحرس شخصًا برز كالظل في منتصف الساحة، يضع جبة على رأسه واختفى ثم برز لهم شخص يرتدي جُبة ويمشي في الممر ببطء، نظر الحرس إلى هادريان ينتظرون أمره بشأن هذا الشخص حتى تحرك اثنان منهم برماحهم ووضعوها أمام صدره. كان الرجل طويلًا عريض البنيان وتبدو في وجهه عين عوراء بشعة، تبسم لهادريان تبسُّمًا غير مريح:

- اجعل حرسك يغادروننا، فإن ما سألقيه عليك لا تحب أن أحدًا آخر يسمعه، وتذكر ثقة جوبيتر بك، وأنت تعلم ما فعلته بهذه الثقة.

بدأ عقل هادريان يروح ويجيء في لحظة محاولًا فهم المقطع الأخير، لا أحد في الدنيا يعلم بأمره مع جوبيتر، قام هادريان وأمر

حراسه أن ينصرفوا وأصبح مع الرجل وحده. تقدم منه الرجل الأعور، فصاح هادريان:

- حسبك هنا.. لا تتقدم.

قبل أن ينهي هادريان كلمته نظر إلى الموضع الذي كان فيه الرجل منذ ثانية فلم يجده، وسمع من أعلاه صوت الرجل وهو يقول:

- أنا هنا لأقدم إليك هدية، ستُرضي عنك الآلهة، وتُرضي عنك جوبيتر الذي خذلته وأخلفت أمره، ويرضى عنك التاريخ.

ارتعد هادريان من ذكر اسم جوبيتر وارتعد أكثر وهو ينظر إلى الكيان الواقف أمامه الذي وجده يهبط من الأعلى في الهواء ببطء وهو يتكلم كأنما هو شيطان، قال هادريان برعب:

- أي.. هدية تلك.

- أنت يا هادريان ستبني الهيكل لكن ليس لأجل عبادة إله اليهود كما قيل لك سابقًا، بل لعبادة جوبيتر نفسه، ستجعل اليهود يُكملون العمل، حتى إذا حرثوا الأرض وصنعوا البناء المتقن العظيم بكل تفانيهم وحبهم له، ظهرت أنت وانقلبت عليهم وسجنتهم وعذبتهم وحوَّلتَ البناء إلى أكبر معبد لعبادة جوبيتر على الأرض كلها، وحوَّلت المدينة المقدسة إلى مدينة يأتيها رواد دين الرومان من كل مكان.

اتسعت عين الإمبراطور وهو يقول:

- مَن أنت؟ هل أنت بشري؟

نظر الأعور في عينيه وقال:

- أنا رسول موفد من عند الآلهة.

توتر هادريان ثم تذكر أمرًا فقال:

- لا أحد يقدر على بناء حجر في ذلك المكان، لقد وصل إليَّ ما حدث هناك، هذا المكان تسكنه الشياطين.

ظهر شبح ابتسامة على وجه الأعور وهو يقول:

- لقد كان تحت جبل موريا شياطين، لكن الآلهة أعدمتهم اليوم.

****

«إذا تحدث الشيطان عن الحرب كان صوته عاليًا،
فإذا بدأت كان أول من يفر».

****

إذا كنت تعيش في مدينة موريا الجنية في تلك الأيام كنت سترى ظاهرة لم يشهدها إنس ولا جن، السماء فوقك تهتز والسحب ترتجف، كانوا قد أقاموا جدار الطاقة لحماية أنفسهم، لكن جيش عمرو بن جابر كان يدكه دكًّا بأثقل أسلحة عرفتها مسالح الجن، ولو كنت في موريا في تلك الأيام لرأيت السماء نفسها تتشقق شقوقًا صغيرة، هي في الحقيقة شقوق في جدار الطاقة من وقع الأسلحة، ولرأيت وجوهًا شيطانية غاضبة تتطلع إليك من وراء الجدار الشفاف وقد أقسمت أن تبيدك لو عبروا إليك، لكن مدينتك موريا لم تكن سهلة، بل كان فيها جنود في كل موضع تحسبًا للمواجهة. نظر الملك آمون إلى ابنته إينور والقلق يملأ تعابير وجهه، قال لها:

- أليس غيرك يصلح لهذا يا ابنتي؟

حركت إينور رأسها نفيًا وقالت:

- لم يعد لدينا سوى حل واحد لنوقف بناء هذا المعبد الشيطاني، أن نحذر اليهود مما يريد أن يفعله بهم هادريان يا أبي، وسأريهم الدليل، سأذهب إلى رجل مخلص منهم أعرفه، سيمون ابن الكوكب، وسأخبره بكل شيء، أنا أعرف مكانه، ولو أرسلتَ أحدًا آخر يا أبي سيضيع الوقت، والوقت يعني هلاكنا.

– إن ابن الكوكب رجل صالح وقوي يا ابنتي، وهو الأمل في الخلاص، كان الله في عونك.

ومن بين ذرات جدار الطاقة، برز ما بدا وكأنه تشكيل لوجه، كأن أحدًا يلتصق بالستار ليخرج منه، وفي الخارج كانت قذائف النار تضرب الجدار ثم تسقط محترقة على الأرض وقذائف أخرى تضرب رعودًا، ومن بين ذرات ذلك الجدار خرجت إينور.

الكل منشغل في التهديم والصراخ، الأرض تئن والسماء تنزف، وإينور تطلع بجمالها كأنها الرحمة الخارجة من رحم تملؤها الدماء، عبرت إينور الجدار بأكثر طريقة خافية ممكنة وخطت خطوة واثنتين ثم وقفت في الثالثة، كان هناك شيطانان من الجن اقتنصاها بعيون ثاقبة وتحركا لقتلها، لكنها لم تكن أميرة ثلج رقيقة، بل كانت جُندية، وبطرقة واحدة من إصبعها اختفت عن أنظارهما، وأخذا يبحثان عنها، ولكن هو وحده كان يراها ويتابعها منذ أن خرجت من الجدار، ورغم أنها تعرف تعازيمها جيدًا، وتجزم أنه لا أحد يراها، فإن ضربة سوط في الهواء أسقطت كل يقينها، ونظرت وراءها فرأته واقفًا بجسده المقاتل المجنون، عمرو بن جابر.

فَقَد عمرو تركيزه في أي شيء ما عدا عينيها، كان ينظر فيهما كيف تتحركان وترتجفان وحفظ تعبيراتهما، كان يتساءل عما يمكن أن تكون هذه الروح الباهرة، نظرت إليه وفي روحها نداءات لا تدري هي نفسها معناها، لكنها نفضتها عن رأسها، هذا هو القائد المجنون الذي يُضرب به المثل، لماذا لا تشعر بالخوف منه؟ أما هو فكان يقبض على سوطه ويستغرب من نفسه، إنها العدو فاضرب ضربتك، ظلت يده تأبى التحرك، فنظر إلى الأرض بانزعاج ثم قال:

– توجهي حيث شئتِ، فلستُ أريد منعك.

تعجبت إينور، لماذا لا يواجهها، لماذا لم يَرُدَّ عليها لمّا هاجمته بالكلام في المنجم السداسي؟ الأرض كلها تعرف جبروته، أمثاله لا يشفقون على أحد، قبضت إينور على يدها فظهرت نجمة سداسية مضيئة حول خصر عمرو، وانكمشت النجمة على نفسها لتقيد حركة عمرو تمامًا واقتربت منه إينور ونظرت بصرامة في عينيه وقالت:

- أنا أعرف نوعك، أنت تظن أنك أقوى من كل أحد، أتظن أنه يمكنك منعي؟

كان عمرو قد سكن للحظة باقتراب وجه إينور من وجهه، وفجأة تحطمت تلك النجمة التي صنعتها إينور كأنها زجاجة، حطمها عمرو ببساطة وهو ينظر إلى عينيها، لم تصدق إينور، فلا أحد يمكنه تحطيم تعزيمة النجمة بهذه الطريقة، وكأنه حطَّم تماسك مشاعرها بهذه الروح التي يملكها، أمسك عمرو سوطه فتحفزت إينور، لكنه كان يثبت السوط في حزامه ويرخي يده ويستدير ليعطي إينور ظهره ويتحرك مبتعدًا، تحركت لتلحق به ثم أوقفت نفسها، ما هذا الذي تفعله؟ فلتلحق بابن الكوكب وتنهي هذه المهمة، نظرت إلى عمرو نظرة أخيرة وهو يغيب في الظلال وسمعت صوته يصرخ في جنوده بشيء ما في غضب مُتصنِّعًا الانشغال عنها، أي شخص هذا بالضبط؟

****

«النظرة الأولى لا تكفي للحب، لكن الثانية تكفي».

****

يذكر التاريخ أن رجلًا يهوديًّا صالحًا قويًّا اسمه سيمون ابن الكوكب، عرف بطريقة ما أن الرومان يخدعون اليهود ويشغلونهم في بناء هيكل للشيطان ومعبد لجوبيتر لتصبح مدينة وثنية، وأن أيادي اليهود هي التي تبني كل هذا، وعلى خلاف المتوقع، ثار اليهود ثورة عظيمة بقيادة ابن الكوكب، ثورة في وجه أكبر إمبراطورية في ذلك الوقت، الرومان.

وعلى خلاف المتوقع، نجحت ثورة اليهود وسيطروا على أرض أورشليم المقدسة وحكموها حكمًا ذاتيًّا، واحتفوا بسيمون ابن الكوكب احتفاءً كبيرًا وعدّوه هو المسيح المخلص، وقالوا إن التوراة بشَّرت أنه «سيجيء كوكب من نسل يعقوب يحطم طرفي مؤاب ويهلك كل بني الوغى ويصنع إسرائيل»، وها هو الكوكب قد أتى وهزم الفاسدين، وحكم ابن الكوكب سنتين من الزمان دولة مستقلة لليهود ذات عملة مستقلة.

وانتصر جدار ملائك جبل المعبد على أي محاولة لكسره وتهديمه، وحفظوا مدينتهم موريا، ومنعوا اليهود من بناء الهيكل الثالث حتى بعد أن استقل اليهود بحكم أورشليم، وكفَّ الشياطين عن الملائك وتراجعوا بعد نجاح ثورة اليهود. ولكن.. قلب الزمان صفحته فاتضح أن الشيطان قد كتب تلك الخطة بحذافيرها، وأن نتيجة ما فعله اليهود كانت كارثية، ففي غفلة من الزمان نزل عليهم مئة ألف جندي روماني بكامل عتادهم وأسلحتهم وغضبهم، وكانت مذبحة حقيقية، وفي أعقاب تلك المذبحة نزلنا لننظر.

جثث يهود لا تتبين وجوههم من دمائهم وجنود الروم يمشون وسطها بأسلحتهم في ساحة واسعة فيها أحبار مصلوبون وقد جفت دماؤهم على الصليب، وجنود رومان آخرون يربطون التوراة في صدور أولئك اليهود المصلوبين ثم يشعلون فيهم النار، من هذا المشهد وحده تعرف ما حدث لليهود في ذلك الزمان؛ بعد هذه المذبحة تحديدًا تفرَّق اليهود في البلاد ولم يعد لهم أي وجود في الأرض المقدسة.

في أثناء المذبحة كانت مصيبة أخرى تحدث للجن عند جبل موريا، فقد توجه الشياطين بقيادة جوبيتر للانتقام من ملائك جبل المعبد، كان هناك ألف جني وشيطان على الأقل يضربون جدارهم حتى سقط وتهدم، ورغم سقوط الجدار استبسل الملائك في القتال حتى مات منهم كثير. ومن وراء الأفق رصدت هذا المشهد عين تفجرت بالغضب، عين

عمرو بن جابر، إن إينور هناك، وأولئك الحثالة يتكالبون على مدينتها، انطلق عمرو بشغف لم يعهده في نفسه، وفي ثوانٍ كان قد نزل أمام وجه الشياطين، رآه جوبيتر فعرف من النظرة الأولى أنه لا ينوي خيرًا، قال له:

- ما خبرك يا بن تواثا دي دانان؟

تجاهله عمرو ونظر بعينيه يبحث عن الأميرة، حتى التقت عينه بعينها فاطمأن، ولم يُضيِّع عمرو لحظة واحدة، فجأة وثب كأنه سهم وأخرج سوطًا من سياط العذاب وتحرك بحركات دائرية شيطانية حول جوبيتر ثم توقف فإذا السوط مربوط حول جسد جوبيتر الذي شد عضلاته بقوة ليتخلص من السوط، لكنه كان مخطئًا في هذه الشدة، فقد اتضح أن سوط عمرو بن جابر حاد كسكين، فكلما شد جوبيتر جسده قطَّعه السوط من كل مكان، ثم أمسك عمرو بمقبض السوط وأدار جزءًا منه فأضرمت النار في كامل السوط. وثب عمرو إلى الوراء وضرب جوبيتر بقدمه في وجهه فسقط وهو يحترق والسوط يقطعه حتى قضى عليه. نظر عمرو إلى إينور التي كانت قد اقتربت منه قائلة:

- أي شيء أنت؟

قال لها وقد تجاهل السؤال:

- الآن تخلصتم من المارد، ما بقي إلا الجنود الصغار.

- لماذا تفعل كل هذا؟

استدار بجسده يتأهب للذهاب ولم يرد عليها، فنادته قائلة:

- أتفعله من أجلي؟

أخذ عمرو يمشي مبتعدًا ولا يقوى على الرد، فنادت إينور:

- أنت قبل جوبيتر قد أتيت بجنودك لتحطم الجدار على مدينتي وكنتُ أنا فيها.

توقف عمرو عن المسير ونظر إلى إينور نظرة لن تنساها وقال:

- لم أكن قد رأيتك مرتين.

***** تمت *****

هنا بوبي فرانك مجددًا، حان الوقت لأريك شيئًا مهمًّا.. فابقَ معي لحظات. سأخترق من كمبيوتري النظام الأمني الخاص بالقصر الرمادي، ثواني معي وستفهم معنى هذا. ستختفي صورتي من هذا التسجيل ليحل محلها صورة البث الحي لكاميرات المراقبة لهذا القصر. انظر.. هذا القصر المنيف في قلب شيكاغو نحن نملكه، أنت ربما لا تعلم أن عائلتي من اليهود الأثرياء الذين يسمون أنفسهم «الريكس دوز» يعني ملوك الرب، نحن نَسْل من اليهود نملك هذا العالم اقتصاديًّا، يَدَّعي أجدادنا أنهم من نسل أكبر كهان معبد سليمان، ولو عرفوا أنني أسلمت سيمحونني عن صفحة الأرض، فغير مسموح ليهودي من هذه الفئة أن يغير دينه.

تعال لأريك مكتبة القصر، دقائق وأنتقل إلى الكاميرا الداخلية، انظر إلى هذه الغرفة الفسيحة التي لا تكاد تصل إلى نهايتها ببصرك، واملأ نظرك من تلك الكتب التي تبدو في تراصّها كأنها هي الجدران، وهذا المجسم العملاق للكرة الأرضية في منتصف الساحة، في الجهة اليمنى هناك كُتب اليهود بتوراتهم وتلمودهم والمشنا والمدراش والكابالا بمجلداتها، وذاك جانب المسيحيين بأناجيلهم بكل إصداراتها، وهناك جانب المسلمين بقرآنهم وكُتب الأحاديث والتفسير والسيرة وغيرها، وهذا جانب السحر وكتبه ومخطوطاته.

في كتب السيرة الإسلامية هناك روايات عن شيء غريب جدًّا، صحابي من صحابة رسول الله لكنه ليس من الإنس، بل صحابي من الجن، يسمونه عمرو بن جابر الصحابي الجني، وهو واحد من أهم الجن الذين أسلموا على يد رسول الله لما استمعوا إلى القرآن، أنا رويت لك

307

بعضًا من قصته مع إينور أيام كان شيطانًا من عتاة الشياطين، لكن مؤخرًا كُشِف عن مخطوطات استخرجها أحد السحرة من أرض اليمن تحكي قصة ملحمية عن عمرو بن جابر وكيف اهتدى إلى الإيمان بسبب إينور هذه، وكيف أنهما بعد سنوات طوال من حرب الجنون الأخيرة تزوجا وسعيا للبحث عن النبي المنتظر محمد ﷺ قبل بعثته وانتظراه طويلًا حتى أرسله الله وأسلما على يده.[1]

تعال لأريك الشيء الذي دخلتُ بك هنا لتراه، هو في الغرفة الملحقة بالمكتبة.. سأنقلك إلى الكاميرا الخاصة هناك. انظر واملأ عينك من هذا المجسم الذهبي، دعني أعرفك، هذا شكل هيكل سليمان كما يؤمن به اليهود. أنا أسميه قلب العالم النابض، لأن أحداث العالم لم تزَل تدور حوله، فعند اليهود هو أول معبد بنوه ليقدموا القرابين والذبائح ليأكل منها الكهنة، وقد كانوا قبل ذلك يقدمونها في خيمة يحملونها معهم أيام التيه في الصحراء بعد الخروج من مصر، لكن هيكلهم هذا تهدم بسبب السبي البابلي، فبنوا الهيكل الثاني. أتاهم النبي عيسى ووجدهم يعملون السوء في الهيكل الثاني ويتعاملون بالربا ويغيرون أحكام الله، فحذرهم أن هيكلهم الثاني هذا سيُدمَّر عقابًا من الله، وبالفعل بعد عيسى بأربعين عامًا، هجم الرومان على أرض اليهود ودمروا الهيكل الثاني تمامًا. حاول اليهود بناءه مرة ثالثة بعد ثورة ابن الكوكب لكنهم فشلوا وهُزموا وساحوا في البلاد بلا هدى وتوقفوا عن تقديم الذبائح، ولن يعودوا لتقديمها إلا بعد أن يبنوا الهيكل الثالث في آخر الزمان.

عند المسلمين لا يوجد شيء اسمه هيكل أو معبد تُقدَّم فيه الذبائح ليأكل منها الكهنة، إنما الذبائح تقدم في أي مكان ويأكل منها الفقراء، والنبي سليمان إنما بنى مسجدًا للصلاة واسمه «المسجد الأقصى»، وهو

---

(1) هذه المخطوطات مفرغة بالتفصيل في رواية ملائك نصيبين.

المكان الذي أُسري بالنبي محمد ﷺ إليه ليلًا ثم عُرِج به إلى السماوات، كان المسلمون يُصلّون ناحيته ثم تغيرت قبلتهم إلى الكعبة.

هيكل سليمان بالنسبة إلى اليهود هو نفسه المسجد الأقصى عند المسلمين الآن، وهو ليس مبنى واحدًا كما يظن الناس، إنما هو حرم أو مجمع كامل من المعالم المقدسة من المساجد والمآذن والقباب والبوائك والآبار حولها سور كبير هو سور الأقصى، أشهر تلك المعالم الجامع القبلي ذو القبة الرصاصية المعروفة ومسجد قبة الصخرة ذو القبة الذهبية الشهيرة. ولم يتبقَّ من الهيكل حسب كلام اليهود إلا جدار واحد صغير في سور الأقصى يسميه اليهود حائط المبكى، يأتونه يتباكون عنده ويبتهلون ويتمنون إعادة الهيكل.

أنت تعلم أو لا تعلم أن اليهود في جميع أنحاء العالم ينتظرون نزول المسيح المُخَلِّص ليعيدهم من شتاتهم إلى الأرض المقدسة ويبني لهم الهيكل الثالث، وأنت تعلم أنه توجد جماعة شيطانية انبثقت من أقذر قلوب بني الإنسان وسموا أنفسهم الصهيونية وادَّعوا اليهودية وهي منهم براء، ابتكروا مذهبًا يهوديًّا جديدًا يقول إنه يجب ألّا ننتظر المسيح المنتظر ليعيدنا، بل نحن سنعيد أنفسنا بأنفسنا إلى الأرض المقدسة حتى ينزل لنا.

دعني أدغدغ عقلك قليلًا وأخبرك بأن المسيح المنتظر عند اليهود، الذي يسمونه «الهاماشيح» سيكون مسيحًا يتبنى عقيدة اليهود التي تعارض عقيدة النصارى في عيسى تمامًا، يعني مسيح اليهود سيكون ضد مسيح النصارى، يعني سيكون عدو مسيح النصارى، فمسيح اليهود سيكون هو الذي تسميه النصارى الأنتيخريستوس (عدو المسيح)، وهو نفسه الذي يسميه المسلمون «المسيح الدجال».

من أجل هذه العقيدة ومن أجل إنزال المسيح الدجال ارتكب الصهاينة أبشع المجازر في التاريخ الحديث، واحتلوا أكثر من ثلاثة أرباع أرض

فلسطين، ما لا تعلمه هو أن إسرائيل تُجهِّز الآن لهدم المسجد الأقصى بكل معالمه لتبني مكانه الهيكل الثالث، لأنهم يؤمنون أن مسيحهم لن ينزل إلا بعد أن يعاد بناء الهيكل، قد لا تصدق لأنك لا تقرأ، لكن إذا قرأت ستعلم أنهم ولأول مرة في تاريخ اليهودية بعد التفرق والشتات، صنعوا مدرسة خاصة لتخريج كهنة يعملون في الهيكل، وهم يدربونهم فيها الآن على كيفية تقديم الذبائح وحرقها وكيفية الخدمة في الهيكل، مدرسة سموها معهد الهيكل Temple Institute، دعني فقط أُضِف إلى معلوماتك أن الكهانة اليهودية توقفت تمامًا بعد هدم الهيكل الثاني، لكن إسرائيل أعادتها اليوم مخالفة جميع اليهود. ذلك بأنهم عينوا منذ سنوات قليلة الكاهن الأعظم للهيكل بالفعل لأول مرة ولم يبقَ على نزول الدجال إلا تجهيز البقرة الحمراء.

يؤمن اليهود أنه لتطهير مذبح الهيكل تمهيدًا لنزول الهاماشيح لا بد من حرق بقرة حمراء لا يكون في جسدها شعرة واحدة ذات لون مختلف عن الأحمر، ولأن الحصول على مثل هذه البقرة أصبح مستحيلًا فبدلًا من أن ينتظروا البقرة لتظهر بالصدفة في أحد القطعان أنشأ الصهاينة برنامجًا كاملًا لتوليد البقر الأحمر.

لكن دعني أخبرك وأبشرك بشيء من علم النبوة، محمد نبي النور -عليه أفضل الصلاة والسلام- هدم كل هذه الآمال في حديث صحيح واضح، فقال: «الدجال يمكث في الأرض أربعين صباحًا يبلغ فيها كل منهل إلا أربعة مساجد لا يقربها، المسجد الحرام ومسجد المدينة ومسجد الطور والمسجد الأقصى».

فخذ مني هذه البشارة النبوية، لقد قدَّس الله المسجد الأقصى ولن يجعل لأحد من الحثالة سلطانًا عليه، وحتى أعظم فتنة على هذه الأرض، المسيح الدجال، لن يقدر أن يقربه، فكل هذا العناء الذي عانته الصهيونية سيأتي ربك عليه ويجعله هباء منثورًا. وما دام قالها رسول

الله، فإن معناها أن الدجال حين يخرج لن يكون المسجد الأقصى محتلًّا من اليهود الصهاينة أتباع الدجال بل سيكون في قبضة المسلمين.

ولعلك تتساءل أنه كيف يمكن لهذا أن يحدث، والصهاينة متجبرون الآن ولا يقدر أحد أن يتكلم ضدهم؟ لكن دعني أخبرك أن هذه الدولة الصهيونية (إسرائيل) التي لم تكمل في تاريخ الأرض حتى مئة عام ستسقط سقوطًا مُدوِّيًا قبل أن تكمل المئة عام، واحفظ حديثي هذا وتذكره. والذين سيسقطونها هم العرب المسلمون الذين ستقوى شوكة جميع دولهم بعد طول تخاذل وضعف، وسيحررون الأرض المقدسة من تلك العصابة المجرمة الصهيونية، ولن يكون هذا بعيدًا، بل إنه سيكون في جيلك أنت، يعني أنت ستشهد هذا في حياتك وستشارك فيه، وكما قلت، احفظ حديثي هذا وتذكره.

(صورة بث الكاميرات الداخلية للقصر تختفي وتحل محلها صورة بوبي فرانك).

مرحبًا مرة أخرى، لم تعد هناك حاجة إلى أن ترى وجهي.

(بوبي يمد يده وراءه ويطفئ النور؛ فتسودُّ شاشة الكاميرا ولا تظهر إلا هيئة بوبي وسط الظلام).

لم أعد أحتاج إلى عينك في شيء، بل سأحتاج إلى ذاكرتك، وستفهم بعد قليل لماذا أطفأت النور، فاللعبة التالية مختلفة جدًّا ولا تحتاج إلى كروت.

القصة التالية أنت قرأتها بالفعل، وهي شديدة الأهمية إلى درجة أنني أخفيتها بعناية بين سطور جميع القصص السابقة. فكما ساح اليهود في الأرض وتشردوا، ساح الأعور في الأرض، كذلك ستجد قصته سائحة تائهة بين جميع القصص السابقة وسأعلمك كيف تستخرجها. كثير من الحضارات شاهدت الأعور عيانًا بيانًا ووصفته وعظَّمته تعظيمًا وصل إلى حد العبادة وبدأ كبراء القوم من الأثرياء واللوردات وحتى من

311

أحبار اليهود والقساوسة في جميع أنحاء أوروبا يتحدثون عن لغز حير أوروبا كلها، رجل يهودي غريب له أوصاف معينة يظهر هنا وهناك كل حين، رجل سمّوه اسمًا مميزًا، اليهودي التائه The Wandering Jew.

سأعلمك كيف تستخرج قصته من بطون القصص السابقة ثم نكمل عليها ونتتبع مسيرة ذلك الأعور الدجال، ونعلم أين هو الآن بالضبط على هذه الأرض.

9

اليهودي التائه

50 بعد الميلاد - 600 بعد الميلاد

لا حاجة بنا إلى المقدمات، أنت هنا لأجل علم مخبوء وأنا هنا أعطيه لك، سنكون أنا وأنت اليوم روحين تتجولان في عالم الرؤى والأحلام.

لقد علمتُ أنك قد شاهدت كثيرًا من القصص قبل أن تأتي إلى هنا، تحديدًا ثماني قصص، في أول سبعة منها كان يوجد أمر يحدث ربما أنت لاحظته وربما لم تلاحظه، ألا تذكر أنه في كل قصة كانت توجد شخصية تحلم حلمًا ما، أو لأكون دقيقًا.. ترى رؤيًا ما؟ ربما أنت لم تهتم كثيرًا، لكن دعني أقُل لك، أنت هنا اليوم لأجل هذه الرؤى. إن كنت نسيتها فاقرأها مرة ثانية، ثم عُد إليَّ مرة أخرى حتى تفهم ما سأخبرك به.[1]

الشخصيات التي رأت هذه الرؤى كانت دومًا شخصيات صالحة، وهم رأوا أحداثًا ستحدث في المستقبل، لم يمكنهم ساعتها أن يفسروها، وربما اختلط عليهم الأمر وظنوها تفسر شيئًا ما في حياتهم، والحق أن هذه الرؤى كانت مزدوجة، تنبئ بأمور مستقبلية وفي الوقت نفسه تفسر أمورًا في حياتهم. هذه الرؤى تحكي عن رجل تائه يتجول في البلدان، سموه أسماء عديدة، ميخا.. السامري.. عدو المسيح.. الهاماشيح.. أنتيخريستوس.. المسيح الدجال.. كلها مسميات لشخص واحد ولد في زمن موسى وأضل البشرية كلها، وسيهبط على رؤس الجميع في نهاية الزمان، وربما تكون أنت ممن يحضرون هذه الفتنة.

في أول أربع قصص كانت الرؤيا التي تراها جميع الشخصيات عن امرأة ترقص وسط جمع من الناس والملك ينظر إليها بشهوة، فيقول لها أن تطلب ما تشاء ولو نصف مملكته، قالت لها الملكة اطلبي قطع رأس ذلك النبي الصالح، وكان هناك رجل أعور هو الذي أوعز في قلب الملكة أن تقول هذا.

---

(1) الرؤى المقصودة ستجدها مكتوبة في القصص السابقة بين علامتي تنصيص«».

وهذه يا عزيزي قصة النبي يحيى، الراقصة الفاتنة هي سالومي، وتلك رقصتها الشهيرة أمام الملك هيرودس الذي أمر بصلب المسيح، والملكة التي كانت تجلس بجوار الملك هي هيروديا التي كانت متزوجة من شقيق الملك هيرودس فطلقت نفسها لتتزوج الملك هيرودس نفسه. وأنت تعلم أن النبي يحيى كان رجلًا شجاعًا، فقال صراحة إن هذا الزواج غير شرعي وتابعه كثير من الناس على هذا، فكرهته الملكة هيروديا، وجعلت ابنتها تطلب قطع رأسه، وفي ساعات هجم الجنود على النبي يحيى في سجنه وقطعوا رأسه بالفعل وجاؤوا به إلى سالومي موضوعًا في طبق من الفضة، بالطبع الأعور الذي أوعز إلى الملكة أن تقطع رأس النبي يحيى هو السامري، وتلك كانت فتنته في زمن يحيى.

في القصص الثلاث التالية كانت الرؤيا التي تراها الشخصيات عن رجل ذي شعر ذهبي يدعو الناس ويبدو أنه كان يُحيي الموتى، ثم رأينا هذا الرجل جميل المنظر يمشي بين الناس ويحمل خشبة وهناك رجل أعور يهزأ به، أنت يا عزيزي كنت ترى قصة المسيح عيسى بن مريم الذي كان يدعو الناس إلى عبادة الله وحده، ورغم أن اليهود كانوا ينتظرون مسيحًا منتظرًا، فإن الله لمّا أرسل لهم عيسى كذبوه وحرَّضوا الملك الروماني على أن يقبض عليه ويعدمه، وبالفعل قبض عليه الملك الروماني ومشى بين الناس حاملًا الخشبة التي سيعلق عليها لينفذ فيه حكم الإعدام.

وبينما كان عيسى يمشي إلى مكان الإعدام خرج له الأعور السامري من بين الناس، وقال له: «لماذا تتلكأ؟» فقال له عيسى مقولة أنزلت عليه حكمًا يشابه ذلك الذي أنزله عليه موسى، فمثلما قال له موسى قديمًا «اذهب فإن لك في الحياة أن تقول لا مساس ولن يقدر أحد أن يقتلك حتى يأتي موعدك»، كذلك عيسى قال له: «اذهب فإن لك التيه في الأرض حتى يأتي موعدك».

ولا تتعجب أن المسيح في هذا المشهد كان يحمل (خشبة) وليس صليبًا وهو يسير إلى إعدامه، فالعالم كله على خلاف في صلب المسيح، اليهود في ضلالهم بأنه مجرد مجرم عُلِّق وقُتِل جزاء على هرطقته،

والمسيحيون على ظنهم أنه صُلِب على صليب وقُتِل ثم قام من الموت بعد ثلاثة أيام، والمسلمون على يقينهم أنه لم يُصلب ولم يقتل بل رفعه الله إليه، ولو سألت المسلمين من الذي صُلب بدل المسيح تجدهم يسكتون أو يختلفون فيما بينهم اختلاف الليل والنهار.

والحقيقة أن المسيح عيسى النبي قد قُبِض عليه بشخصه وليس على شبيه له كما يقول كثير من المسلمين، بل إنه مشى بين الناس عليه السلام حاملًا خشبة طويلة وليس صليبًا كما يقول المسيحيون، وعذبه الجنود عذابًا شديدًا -بأبي هو وأمي- وهو يمشي حاملًا هذه الخشبة إلى مأواه الأخير، ولم ينجُ من العذاب كما يقول كثير من المسلمين، ولمّا وصل إلى مكان الإعدام لم يُغرَز أي صليب في الأرض كما يقول المسيحيون، بل عُلِّق بهذه الخشبة الطويلة على «شجرة». ولو عُدتَ إلى نصوص الإنجيل نفسه، ستجدها تقول بالنص في سفر أعمال الرسل: «إن المسيح عُلِّق على شجرة. والتعليق على «شجرة» هو عقاب المهرطقين».. كما ذُكر في سفر التثنية في التوراة والعهد القديم بالنص. أما الصليب فهو رمز وثني استخدمه السومريون قبل ميلاد المسيح بألف سنة رمزًا للإله السومري تموز أخو الإلهة إنانا. وليس للصليب أي أصل أو ذكر في أي إنجيل مسيحي، فلماذا سيتخذ رب العالمين لنفسه رمزًا يقدسه الناس في المنطقة المحيطة على أنه رمز إله وثني؟ لذلك نفى قرآن المسلمين أن يكون المسيح قد (صُلِب)؛ يعني أن يكون وُضع على (صليب)، ولم ينفِ القرآن أن يكون المسيح قد عُذب أو رُبط على شجرة.

بعد أن عُلِّق المسيح على تلك الشجرة بعض الوقت، ظنه الجنود قد مات فأنزلوه ووضعوه في قبره، لكنه في الحقيقة لم يكن قد مات كما يؤمن المسيحيون واليهود بل شُبِّه لهم، كان قد أُغمي عليه فقط، ولمّا أنزلوه من الشجرة ووضعوه في ضريح خاص، رفعه الله من ذلك الضريح إلى السماء كما يؤمن المسيحيون والمسلمون.

هذه هي حكاية المسيح، أما المسيح الدجال فأين ذهب؟ وكيف تاه في الأرض؟ وماذا فعل بالضبط؟ لهذا أنت هنا، فمثلما أن الأحلام قادرة

على أن تكون نافذة على المستقبل فهي نافذة على الماضي أيضًا، أنا سأريك ما حدث كيفما حدث، فقط أغمض عينيك واغفُ قليلًا، وبينما أنت في الحلم، سأريك كل شيء، وسيمكنني أن أتحدث معك أيضًا وأنت ترى. فلنبدأ اللعب.

✼✼✼✼✼✼✼✼✼

«لا تعتقد أنك كذلك، اعلم أنك كذلك».

✼✼✼✼✼✼✼✼✼

ها أنت هبطت هبوط الأحلام في قلب مدينة السامرة، وهناك حشد من البشر يجتمعون حول رجل واحد ينظرون إليه كما تنظر إلى الآلهة، ساحرًا كان، ليس بغيضًا مثل بقية السحرة بل هو إله، لا تفسير عندهم لما يفعله سوى هذا، فهو يطير في الهواء ويتحرك من مكان إلى مكان بلمح البصر، وله حلاوة منطق عجيبة، وكانوا كلما رأوه ماشيًا في المدينة يحتشدون حوله بإجلال ولا يتركونه حتى يرتفع في السماء كأن الهواء يحمله، كانت ملامحه قوية، له شعر طويل جَعْد، وإحدى عينيه كأنها عنبة طافئة خضراء، وجسد قوي تهابه من نظرة واحدة. كان اسم ذلك الساحر «سيمون ماجوس»، ويُعرف في الإنجيل باسم الساحر السامري، في ذلك اليوم سأله إنسان:

- يا سيدنا ما وجدناك في صحائف التوراة، هل أنت المسيح؟

قال له السامري:

- لا تبحثوا عن شريعة الرب في الصحائف، أفإن ضاعت الصحائف ضاع ربكم؟ ابحثوا عن الشريعة في داخلكم ودعوا الصحائف.

فسأله إنسان آخر بشوق:

- يا عظيمنا لِمَ لا تأتِ إلى ديرنا، فتصلي معنا للرب؟

ظهر شبح ابتسامة على وجه السامري وقال:

- المعابد ليست أحجارًا، أنت نفسك معبد لله.

317

كان السامري يبث دينًا جديدًا نشره في العالم أجمع بعد ذلك، دين الغنوصية. دينًا ذا مبادئ عجيبة، يدور حول إله غير مرئي، انبثقت عنه عدة كيانات إلهية صغيرة، واحد منها خلق العالم، وواحد منها نزل إلى العالم وحل في جسد السامري سيمون ماجوس، فهو يقول عن نفسه أنه تجسيد من تجسيدات الإله، وواحد تجسد وأصبح اسمه الشيطان الذي هو كيان عظيم انبثق من الله وأمره الله أن يختبر الناس، دينًا عجيبًا كان هو البداية التي خرجت منها الهندوسية والبوذية والزرادشتية والمجوسية والدرويدية، حتى إنه دخل في الأديان الإبراهيمية فتحول عند اليهود إلى شيء اسمه الكابالا، وهو شيء أسود لا مجال لشرحه، ودخل في بعض طوائف المسيحية، وفي الإسلام تجده مندمجًا مع بعض طوائف الشيعة الإسماعيلية وبعض طوائف الصوفية.

لم يمضِ وقت طويل حتى أتى اثنان من الحواريين أصحاب عيسى إلى السامرة ليدْعُوا الناس إلى دين الله، كان الحواريان هما بيتر وفيليبس، وقد بث جبريل في قلوبهم الثبات والإيمان بوحي من الله، لذلك يؤمن المسيحيون أن الروح القدس قد حل عليهم، وأيدهم الله بآيات من عنده لتكون ظهيرًا لهم في نشر دينه في الأرض، وأكرم الله الحواريين بأن قذف في قلوب الناس حبهم، فكانوا يشفون الأعرج والمشلول، ويحدثون الناس عن رسول الله المسبح وعن رب العالمين، وبالطبع تعارض ما كان يفعله الحواريان مع خطة الأعور، وفي ذات يوم كما هو متوقع، برز الأعور من مكمنه وظهر أمام الحواريَّين، وحدث اللقاء.

بينما كان بيتر وفيليبس يدعوان إلى ربهما إذ رأيا حشدًا من الناس يتبعون رجلًا أعور قصيرًا يرتدي عباءة يجعلها على رأسه، اقترب منهما الأعور وقال لهما فجأة:

- يا صاحبان، أدخلاني في دينكما.

تهللت أسارير فيليبس وبدأ يحدثه عن دين الله، وأظهرت ملامح الأعور بعض الاهتمام وأظهر أنه آمن لهما، ثم ابتسم ابتسامة شيطانية ومد لهما يده بدراهم فضية ثمينة وقال لهما:

- أريد أن أكون مثلكما، أنتما تفعلان الأعاجيب، أعطياني أنا أيضًا سلطان شفاء الناس ببركة الروح القدس، سأدفع ثمن هذا، فقط قولا لي الثمن.

غضب بيتر وقال له بلهجة عنيفة:

- اجعل فضتك معك يا هذا، إن قلبك ليس مستقيمًا.

خلع الأعور عباءته وقال:

- وماذا إن علَّمتكما بعض الذي تجهلانه؟

بدأ الأعور يرتفع عن الأرض رويدًا رويدًا، والحواريان ينظران إليه بتعجب، وكثير من الناس يهزأ بهما، لكن ربهما لم يتركهما، كان قد أيدهما في كل شيء، ففجأة ولأول مرة في حياته انكسرت ساقا الأعور وهو في الهواء فسقط على وجهه سقوطًا مؤلمًا جدًّا، وبدأ الناس يركعون على أقدامهم ويسجد بعضهم خضوعًا لهذه المعجزة، ومن بين حشود الناس صاح إنسان:

- ارجموا الساحر.

نزلت الأيادي على الأرض والتقطت الحجارة وأخذوا يرمونها على السامري الأعور الذي مشى بصعوبة بالغة بساقيه المكسورتين محاولًا الهرب من المكان كله.

لمّا وصف «محمَّد» ﷺ الدجال في حديث صحيح، قال إنه قصير أفحج الساقين، يعني بينهما تباعد، وكانت تلك الحادثة هي التي أثَّرت في ساقيه، وقال عنه إن إسراعه في الأرض كالغيث استدبرته الريح، يعني سرعته كسرعة السحاب الذي يحمل المطر تحركه الريح، فهو يطير في الهواء، لكنه في ذلك الوقت أصيب بأول صدمة في حياته وكاد الناس أن يقتلوه لولا أنهم لن يُسلطوا عليه.

هرب الأعور إلى روما، وهناك وجد عقولًا وقلوبًا امتلأت بتعاليمه حتى الثمالة، بل إنهم اتخذوه إلهًا بالفعل هناك وسموه الإله «سانجوس» إله

الحكمة والثقة، وبث هناك كثيرًا من غنوصيته فجرت في عروق الناس كالنخاع. ثم ارتحل السامري.

****

«إذا تفرقت الأغنام، قادتها العنزة الجرباء».

****

في ظلمة من الأرض قُرب بحر أزوف، ذلك البحر الصغير فوق البحر الأسود، برز اثنا عشر فارسًا مغوارًا على أحصنتهم يتقدمهم فارس ذو عين عوراء ولحية كثيفة، فارس يُسمي نفسه أودين.

ثلاثة عشر رجلًا لم يخسروا معركة قط، وأودين بالذات كان يُظهر معجزات لم ترِد على خاطر إنسان، وبين شعب جاهل مثل الإسكندنافيين القدامى، انتشرت الأخبار كالطاعون، عن رجل لا يقهر، إذا نزل بفرسانه في حرب أمام أي عدد من الرجال ينتصر، وعمل انتصارات عظيمة على قوم من الجبابرة، وكسب التعاظم هو وأتباعه في عيون الشعب وعدّوهم آلهة لا يهزمون. وكان أودين هو السامري.

اتخذ مدينة أسجارد مقرًّا له ولتابعيه، وهم اثنا عشر كاهنًا يسميهم «الدايار»، وكان الشعب يقدمون لهم قرابين بشرية كالآلهة، أما أودين فقد نشر بين الإسكندنافيين دينًا تغلغل كالوباء، بث في نفوسهم أنه هو الذي أعطى الحياة للعالم وشارك في خلقه وضحّى بعينه في سبيل الحصول على المعرفة والحكمة، ثم كوَّن جيشًا أسطوريًّا من جبابرة مقاتلي إسكندنافيا وأقنعهم أن المقاتل الذي يموت تذهب به الحوريات الفالكريات إلى أرض يتنعم فيها اسمها فالهالا، كان أودين دومًا يرتدي عباءة وقبعة عريضة ومعه من الجن ذئبان هما: «جيري» و«فريكي»، ومن الغربان اثنان هما: «هوجين» و«مونين» يأتيانه بالأخبار.

له 170 اسمًا، كل اسم يعبر عن صفة من صفاته الإلهية، وأقنع متبعيه أنه ستكون في آخر الزمان حرب كبيرة، وأن الآلهة ستخسر هذه

الحرب وينتهي العالم، ولم يقتصر الأمر على إسكندنافيا، بل إنه خدع نصف أوروبا وأوهمهم أنه إله، ومرَّ الزمان وعَبَدَ كثير من البشر أودين، ورغم أن الإنجليز كان أغلبهم تحول إلى المسيحية فإن إيمانًا باطنًا كان لدى الجميع بأن أودين هو مؤسس العائلة الملكية الإنجليزية.. وحتى الأنجلوساكسونيون الذين حكموا إنجلترا أول مرة، عَدّوا أودين هو مؤسس نسلهم، وأول مملكة حكمت السويد عدّت أودين رسميًّا هو أول ملك حكم السويد. بل إن أودين الأعور خلد اسمه في أيام الأسبوع، وسموا يوم الأربعاء على اسمه حتى هذا اليوم، «اودينز داي» التي أصبحت «Wednesday». وبالمناسبة، ابن أودين هو الإله ثور حامل المطرقة الشهير. ولم يمكث أودين كثيرًا في أوروبا، بل انطلق كالسهم إلى مكان آخر، وشعب آخر.

****

«عندما يحكم الحثالة العالم، فقط المزيد من الحثالة سيُولدون».

****

ما زال الأعور اليهودي يجوب البلدان ويطوف بأفكار البشر. كان يغير اسمه ومذهبه في كل مرة لأن الهدف لم يكن توحيد هذه البلدان بل تفريقها، أنت تعلم أو لا تعلم أن البوذية هي رابع أكبر ديانة انتشارًا في العالم، وتحتضنها بلدان آسيا الكبيرة كاليابان والصين وكوريا وتايلاند وتايوان وكمبوديا، فجأة في جميع الأوساط البوذية في القرن الثالث الميلادي برز اسم جديد، ورجل جديد، اللورد مايتيريا Maitreya.

آمنوا جميعًا أنه الامتداد الحي لبوذا المُعلم العظيم الذي هو أعظم من جميع الآلهة، وسيجيء في نهاية الزمان عندما تُنسى تعاليم «الدارما» البوذية، وسيعيد الناس إلى التعاليم الحقيقية، انتشرت هذه الفكرة وأصبحت معتقدًا أساسيًّا في البوذية، بل إن كثيرًا جدًّا من الحروب والثورات قامت بسببها خاصة في الصين، وتأثرت بها كثير من الأديان المجاورة،

بل حتى في العصر الحديث تأثرت حركات غير بوذية بالفكرة وأصبحوا ينتظرون المُخلص اللورد مايتيريا، وذات مرة نشروا صورة لرجل ظهر في كينيا ذي ملامح قاسية ولباس غريب، تجمهر حوله الناس وكان يعمل المعجزات أمام عيونهم، وقالوا إن هذا هو المسيح قد خرج، قالوا إن لورد مايتيريا قد حضر للعالم، لكن تبين أن الأمر فيه شبهة خدعة، وأن ذاك ربما يكون رجلًا عاديًّا أتى لأجل الصلاة. وكان اللورد مايتيريا، هو السامري.

كل هذه الأديان والشعوب تبنت فكرة الكيان المتجسد الذي خلق العالم والمنبثق من الإله غير المرئي، وهو دين لم يخترعه السامري الدجال بل أنشأه لوسيفر في بابل عند النمرود الذي كان هو إله الشمس الذي خلق العالم وزوجته سميراميس إلهة القمر وابنهما هو الإله تموز. وتبنى السامري هذا الدين في مصر منذ أن صار كاهنًا أعظم في الأسرة الرابعة، فأخرج لهم ثالوثًا فرعونيًّا عبده الفراعنة آلاف السنين منذ الأسرة الخامسة وحتى نهاية تاريخ الفراعنة، «آمون» العظيم الإله الذي خلق نفسه واتحد مع الإله «رع»، ثم اتحدا مع الإله «بتاح» خالق العالم، فأصبح الثلاثة واحدًا، والواحد ثلاثة.

انفجرت هذه العقيدة من مصر وبابل إلى العالم أجمع بإيعاز من الرحالة الأعور السامري الذي يصنع المعجزات، ووصلت إلى الهندوسية الذين أصبحوا يقولون إن إلهًا أعظم اسمه «براهمان» انبثقت منه ثلاثة كيانات: أحدها خلق العالم وهو «براهما»، وأحدها يعمل الشر في العالم وهو «شيفا» الذي يعادل الشيطان في الغنوصية، والثالث يحفظ العالم وهو «فيشنو»، وفيشنو هذا سيتجسد وينزل في آخر الزمان ويكون اسمه «كالكا» وسيخلص العالم. ورغم صعوبة الأمر فإن السامري أدخلها في نفوس اليهود، فنتجت فكرة الكابالا وتغلغت في نفوس اليهود وأصبحوا يؤمنون أن الإله غير المرئي «يهوا» انبثقت عنه أربعة كيانات، أحدها كيان اسمه العزير «Yetzirah» وهو الذي خلق العالم.

وأخيرًا، وبعد مئتي سنة من رفع المسيح، في زمن لم يعد فيه حواريون، دخلت هذه العقيدة في دين المسيحيين، فصار الكيان اللانهائي وهو «الآب» منبثق منه الكيان «الابن المسيح» الذي خلق العالم، وانبثق عنهما كيان ثالث أعطى الحياة للعالم وهو «الروح القدس».

لاحظ أن فكرة الانبثاق من الله أو (ابن الله) هذه تسمح لأشخاص من لحم ودم أن يقولوا أو يعتقد فيهم أنهم أحد انبثاقات الله المتجسدة، ثلاثة أرباع الناس في العالم اليوم يؤمنون بهذه الفكرة بصور مختلفة، هندوس، وبوذيون، ويهود، ومسيحيون، وهذه الفكرة هي التي سيستخدمها الدجال لمّا يقول للعالم إنه إله، فهو ليس إلهًا في ذاته، ولكنه أحد انبثاقات الله المتجسدة، وهي العقيدة التي ضربها القرآن بمقتل في آية واحدة جامعة فاضحة: ﴿وَقَالَتِ الْيَهُودُ عُزَيْرٌ ابْنُ اللَّهِ وَقَالَتِ النَّصَارَى الْمَسِيحُ ابْنُ اللَّهِ ۖ ذَٰلِكَ قَوْلُهُم بِأَفْوَاهِهِمْ ۖ يُضَاهِئُونَ قَوْلَ الَّذِينَ كَفَرُوا مِن قَبْلُ ۚ قَاتَلَهُمُ اللَّهُ ۚ أَنَّىٰ يُؤْفَكُونَ﴾.

عقيدة ابن الله أو الكيان المنبثق من الله الذي يتجسد في إنسان من لحم ودم، والذي سيأتي ليخلص العالم في آخر الزمان، هي عقيدة غمرت العالم كله تقريبًا، هكذا سيؤمن البوذيون بالمسيح الدجال لمّا ينزل في آخر الزمان على أنه مايتيريا، والهندوس على أنه كالكا، والمسيحيون على أنه عيسى، ولن يجد أحدهم غضاضة في أن يقول الدجال عن نفسه إنه إله، لأنهم جميعًا يعدّون بالفعل أنه هو الكيان المنبثق الإلهي، وسيؤمن به اليهود لأنه مسيحهم المنتظرِ الهاماشيح الذي قالوا عنه في توراتهم صراحة في سفر المزامير الثاني إن الله يعدّه ابنه الذي انبثق منه، وسيؤمن به كثير من الملحدين بسبب الخوارق التي يعملها، وسيؤمن له كثير من المسلمين خوفًا من بطشه وهو الحاكم المسيخ الذي يحكم ثلاثة أرباع العالم.. وسيكفر به بعض المسلمين لأن محمَّدًا -عليه الصلاة والسلام- هو أكثر من حذَّر منه وحدد أوصافه، وهؤلاء سيحاربونه تحت قيادة رجل من آل بيت رسول الله اسمه المهدي، ولن يقدر الدجال على

الاقتراب من المسجد الأقصى المبارك. ثم سيرحم الله هذا العالم من هذه العقيدة ويُنزل المسيح عيسى ويقتل الدجال، فيؤمن المسيحيون بأن ذاك الدجال لم يكن عيسى، ويؤمن به المسلمون، ويؤمن به اليهود عندما يرون نبوءة المسيح المنتظر قد انكسرت، وعندها تؤمن سائر الأرض بعيسى.

****

«من لا يُقدِّر عملي خلال كل السنين الماضية لا يستحق الحياة».

****

نتهادى أنا وأنت فوق أمواج المحيط الأطنلطي، ذاهبين إلى جزيرة لم يطأها بشر قبلنا، جزيرة الأعور، ففي عالم الحلم يمكننا أن نذهب إلى أي مكان، ها هي الجزيرة هناك، مجهولة للجميع، كأنها نقطة لا تُرى وسط المحيط الشاسع، كل من أرفأ عندها في التاريخ لم يقصدها، بل وجدها قدرًا، ولم يبلغها أحد إلا مرتين، وكلاهما حكى قصته، أحدهما الملاح التائه الفرعوني الذي حكى قصته في بردية شهيرة، والثاني رجل من صحابة محمَّد ﷺ يُدعى تميم الداري.

جزيرة صخرية لا يميزها شيء كما ترى، ولو رأيتها وأنت تمر بسفينة لن تكترث لها. دخلنا أنا وأنت ننظر حولنا، لا تفزعك هذه الحيوانات الغريبة، فنحن في هذا العالم الروحي يمكننا أن نرى الجن، وتلك الحيوانات من حيوانات الجن، أحدها ذلك المشعر هناك الذي يبدو كالغوريلا لكنه يمشي مشيًا يبدو عاقلًا، ذاك الذي سماه أصحاب تميم الداري «الجساسة»، وهي تتحدث كالبشر، وللدجال قدرة على التحدث إلى حيوانات الجن وإظهارهم وتسخيرهم، وكان يُسخِّر جنس الجساسة في إبلاغه بأخبار أي شخص يحط على الجزيرة ليقتله على الفور، إلا إذا شاء أن يتركه لغرض في نفسه.

في وسط تلك الأرض الصخرية برز مبنى صغير أسود يبدو كأنه دير، هذا الرجل يحب الأديرة على الجزر، أنت عرفتَ قصته لمّا أمسك به سليمان عند جزيرة من جزر حنيش وحبسه في تابوت ورماه في البحر،

فهو عندها كان يقطن في جزر حنيش لوجودها بين اليمن ومصر والحبشة، وكان ساعتها يرتحل بين تلك البلدان كثيرًا طلبًا للعلم، وإن هذا الرجل يسعى إلى العلم بنهم عجيب منذ البداية، ولا يوجد علم ظهر في بني الإنسان إلا وهو بارع فيه.

أما الآن في زمن حُلمنا هذا، بعد نحو ستمئة سنة بعد رفع المسيح، وبعد أن بذر الدجال بذور الشر في جميع الشعوب تقريبًا.. أصبح يقطن بجزيرة بعيدة في المحيط الأطلنطي، ويأتي له الجن والشياطين بكل الخبر الذي يريد. ومن بين جنبات حُلمنا هبطنا أمام الدير الأسود، فتحنا بابه المزخرف بنقوش حمراء وسوداء فرأينا أرضية واسعة مرسوم عليها نجمة شيطان عملاقة باللون الأسود والأحمر، وجدران عالية أحدها عليه كلمة «الله» ملطخة بالدم، وآخر عليه تمثال مقلوب للمسيح والدم يسيل من رأسه، وكان الأعور واقفًا عند منصة خشبية قرب تمثال المسيح المقلوب منهمكًا في قراءة شيء ما، وكنا نراه من ظهره.

روحه اليوم مشتعلة بالغضب، فنبي الأميين الذي اسمه محمَّد برز فجأة في وسط أرض بدوية ليس فيها شيء من الحضارة، وفي سنوات قليلة قارب أن يسيطر على جزيرة العرب فكريًّا وعسكريًّا، فنوَّر فيها كل ظلمة، وهدم فيها كل خرافة، وفضح فيها كل شيطان، لم تكن معه معجزات خوارق مثل شفاء الأعمى والأبرص أو إحياء الموتى، لم يشق البحر ويخرج الثعابين، فقط كان يكلم الناس بنور المنطق وقوة الفطرة. قرر ذلك المسخ الدجال أن ينزل بنفسه إلى محمَّد كما نزل لغيره من الأنبياء، ولكن جسده ارتجف فجأة من الرهبة، وارتجفت أجسادنا الروحية نحن أيضًا في هذا الحلم، فقد أتى صوت لاسع من الخلف.

– لن تقدر على محمَّد ولو شققت الأرض شقًّا.

شد الأعور على قبضته والتفت غاضبًا ليرد على محدثه الذي يعرف صوته جيدًا، نظرنا إلى محدثه، مخيف حاد الملامح طويل الشعر، لم يأتِ قبله مثله ولن يأتي بعده مثله، ومن مشاهدتك ما سبق من القصص، أنت تعرف من هو لوسيفر، الجني القديم. قال لوسيفر بعيون هادئة:

325

‏- ما زلتُ أذكر كيف كنت أتخير النُطف البشرية لأخرجك من أكثرها
‏ألمعية، حتى وجدت النطفة المطلوبة ذات يوم في نسل جينون،
‏وبطقس من طقوس النور، وهب زوج غافل امرأته الغافلة لي،
‏فوضعتُ فيها تلك النطفة البشرية التي انتقيتُها، نطفتك أنت يا
‏ميخا.

‏قال ميخا والثورة ما زالت تشتعل في قلبه:

‏- لماذا تمنعني من محمَّد؟

‏رفع الشيطان يديه فانتفض الأعور كأنما صدمه جبل، ووقع على
‏تمثال المسيح المعلق فأسقطه وسقط معه، قال الشيطان:

‏- تعلم أنني بنظرة واحدة أقدر أن أفعل بك ما أريد، فلم تبلغ العلم
‏الكافي.

‏كان الأعور ساقطًا يتألم ألمًا حقيقيًّا ولا يشعر بما حوله، لكنه أحس
‏بشيء على يديه ورجليه، فلمّا تبين وجد نفسه مقيدًا بسلاسل من حديد،
‏ولوسيفر واقف معطيًا له ظهره بلا اهتمام، قال الأعور بثورة:

‏- أي شيء ستفعل بي؟

‏قال لوسيفر دون أن ينظر إليه:

‏- غرورك سيفسد كل شيء، ستبقى هاهنا حتى آذن لك بالخروج،
‏وسيبقى الجن ينقلون لك الأخبار، ونفر مختارون من الإنس
‏سيعملون ما تريده في الأرض، يأتمرون بأمرك، فقد علَّمتك أن
‏اللحظة الوحيدة التي يمكن للعالم كله أن يسجد لك ويعبدك فيها
‏هي لحظة النزول في آخر الزمان.. على أنك الكيان المنتظر، ولن
‏يكون ذلك إلا بعد حين، فما بقي إلا الانتظار.

‏قال الأعور وعينه الخضراء تهتز غضبًا:

‏- ذرني أُفسد قلوبهم كما أفسدت قلوب من قبلهم.

‏استدار الشيطان ونظر إلى الأعور وقال:

- إن نزلت وسط هؤلاء اليوم سيعلقونك على أعلى مئذنة مسجد من مساجدهم، هؤلاء يختلفون عن كل من واجهت، فابقَ كما أنت، وانتظر ما سأفعله فيهم، فإذا تفرقوا وتغيرت قلوبهم وصاروا كغيرهم من الأمم، كان موعد خروجك لهم، ولتنزلن في كل قرية وتعمل فيها ما تشاء، ولن يقدر أحد أن يوقفك، فقوة فكرة المسيح المخلص إذا بدأت لن يقدر أن يوقفها إنس.. ولا جن.

****** تمت ******

والآن يا صاحب سِرّي.. بعد أن تتبعنا بدء العلوم الخفية حتى منتهاها في أيدي المنظمات السرية، وتتبعنا الأعور حتى منتهاه في تلك الجزيرة، وعلمنا أن هؤلاء ينتظرون هذا، بقي لي رسالة أخيرة معك وسفر أخير.

في البداية دعني أكشف لك أمرًا، توجد كتب وألواح من نوع آخر أُخفيت عن العيون، ألواح التوراة اليهودية الأصلية التي تسلَّمها موسى والأناجيل الأصلية المسيحية المكتوبة بأيدي الحواريين، فالمعروف أن أقدم نسخة إنجيل كاملة موجودة في الفاتيكان وهي تعود للقرن الرابع الميلادي، يعني بعد رفع عيسى بـ 400 سنة، وأقدم توراة وجدت متفرقة في كهوف قمران وتعود للقرن الثالث قبل الميلاد، يعني بعد وفاة موسى بأكثر من ألفي سنة. لكن توجد مخطوطات أصلية غير هذه، وتاريخها أقدم بكثير من هذه، وهي محفوظة ومخفية بعناية شديدة في الفاتيكان، لأن إظهارها سيؤدي إلى مشكلات كبيرة لكبار الكهنة والأحبار وسلطتهم الدينية التي يمكن أن يخسروها تمامًا لو أُعلِنت هذه المخطوطات. واحد فقط في هذا العالم من خارج دائرة الأحبار والكهنة عرف موضعها بالفعل.. قبطان اشتهر بغرابة أطواره وعصفوره، وربما هو أعجب قبطان ركب البحر يومًا. وإن لهذا قصة. وهذا القبطان بالذات لا يجوز أن يُشاهَد إلا على شاشة سينما، فدعني آخذك إلى سينما معينة،

لا يكون فيها إلا أنا وأنت.. وسيكون ثالثنا الشيطان. لدينا خمس أوراق تاروت جميلة.

الورقة الأولى هي ورقة محاكم التفتيش، وعليها إنسان يعذبه الكهنة المسيحيون.

الورقة الثانية هي ورقة القراصنة، وعليها قرصان مهيب يقف على كتفه طائر.

الثالثة هي ورقة القرصانة، وعليها صورة قرصانة جميلة جدًّا.

الرابعة هي ورقة الكنز، وعليها قرصان يستخرج كنزًا من مخبئه.

الخامسة والأخيرة هي ورقة الشيطان، وعليها شيطان ذو قرون يحمل بعض المقتنيات الغريبة.

استرخِ الآن وتعال معي.

سفر النهاية

في أشد ضواحي نيويورك ظلامًا، حيث يجتمع سواد قلوب المجرمين مع خفوت المصابيح، في شارع متهالك خالٍ من البشر بعد منتصف الليل ولوحات المتاجر مطفأة، إلا لوحة سينما في وسطهم مكتوب عليها بحروف نيون مرتعشة «Cinema Ja..» وبقية الحروف ساقطة من اللوحة، بوسترات الأفلام التي على الجدار ممحوة، فقد عُرِضت هذه السينما للبيع منذ مدة طويلة وبقيت مهجورة من سنين. داخل السينما مقاعد تآكل ما عليها من إسفنج تصطف تحت شاشة مليئة بالشقوق، وهناك في وسط الصف الأول من المقاعد جلس شخص واحد يرجفه البرد ينظر إلى الشاشة الخالية، بوبي فرانك في آخر لقطات له، وهناك كمبيوتر محمول مفتوح وموضوع على الكرسي المجاور له يسجل كل شيء. فجأة ومضت شاشة السينما بنور أبيض وأخذ نورها يرجف بسرعة بلا سبب، غطى بوبي عينيه بمرفقه من شدة الوميض ولاحظ أن شاشة الكمبيوتر المحمول تومض هي الأخرى بنور أبيض يرجف بسرعة يماثل شاشة السينما بالضبط كأنما هناك مسٌّ أصاب الشاشات. تمتم بوبي وكأنه يكلم نفسه:

– آن للشيطان الأخير أن يهبط، ديكوي.

لاحظ بوبي أشياء كالظلال تتحرك على المقاعد حتى غابت في الجدار، ثم برز ظل واحد في منتصف شاشة السينما.. ظل شخص يتقدم ببطء، تحركت عين بوبي إلى يمينه حيث شاشة الكمبيوتر فوجد عليها المشهد نفسه الموجود على شاشة السينما، الظل الذي يقترب حتى يبدو أنه سيخرج من الشاشة، أخذ بوبي يتمتم بتسابيح معينة مهدئًا نفسه ثم دوّى صوت في الأجواء.. صوت ديكوي.

- في مستوى سفلي تجلس يا بوبي ويجلس البشر على هذه المقاعد كل يوم ناظرين بعيون ساهية عابدة إلى هذه الشاشة العملاقة التي تملك العالم كأنها إله، وإن لهذا الإله ملائكة هم شاشات أيضًا لكنهم أصغر، يحكمون العالم ويسوقون أصحابه كالبهائم.

خرج الظل من شاشة السينما وأصبح يقترب حتى وقف أمام بوبي المتجمد بوجل وهو ينظر إلى مظهره الشيطاني غير المعتاد، بذلة سوداء طويلة أنيقة، شعر مصفف بعناية، ووجه هو أبشع وجه يمكن أن يحمله شيطان، استدار ديكوي عائدًا إلى ناحية شاشة السينما وهو يقول:

- الشاشات هي وعيهم ومعلوماتهم وحياتهم وأصدقاؤهم وحتى عائلاتهم الذين أصبحوا لا يحدثونهم في وجوههم بل يكتفون بالتحدث إلى الشاشات، الشاشات اليوم تسقي عقولهم بما تريد، تفكر لهم وتتاجر لهم بل إنهم لمّا يعشقون تلزم عيونهم تلك الشاشات ويتنهدون كالحمقى، لكن الشاشات لم تقف عند هذا الحد بل أصبحت تفعل شيئًا أشد.

وضع ديكوي يده على وجهه فتحول كالحرباء إلى وجه رجل عادي وسيم وأكمل قائلًا:

- أصبحت الشاشات تسمعهم وتراهم وتكتب أسرارهم في سجلاتها، بل إنها أصبحت تبيعهم هم وأسرارهم لمن يدفع أكثر، ولا توجد قوة على الأرض تقدر على إبعادهم عن الشاشات حتى إن عزموا، لأنهم عبيد يا بوبي وسيظلون كذلك حتى يموتوا، ولن يعرف الناس بموتهم إلا من الشاشات ولن يُعزّوهم إلا على الشاشات.

وضع ديكوي يده على شاشة السينما فكفَّت عن الارتجاف الذي يؤذي العين وأصبح نورها متعادلًا، فقال بصوته الشيطاني:

- الوحيدون الذين كانوا يُظهرون صورًا على الأسطح الزجاجية هم السحرة، فكانت لديهم البِلَّورة والمرآة، واليوم امتلكت هذه الأسطح الزجاجية الأنيقة أعناق البشر كما كان السحرة يومًا يُذلون بها رؤوس الأقدمين.

رفع ديكوي يده مشيرًا إلى بوبي فرانك وهو يقول:

- أنت عرفت كل شيء، ومن يعرف أكثر يموت قبل الذي يعرف أقل، ولولا أنك تقدر على السيطرة على منطق الشيطان ما أتيتك هاهنا وأخبرتك بما أنا موشك على إخبارك به، وذاك -وحقٌّ إبليس- عسير على نفسي، أن أخبر بشرًا بجزء من الحق.

تحولت ملامح ديكوي إلى البشاعة وهو يقول:

- لا أريهم إلا ما أرى، قالها فرعون لمّا كان يسوق الناس، وكذلك نحن نسوقهم، لكنني سأقول اليوم إنني لن أريك إلا الحق، والحق أن هذه الشاشة قد صدَّرت للعالم كثيرًا من أفلام ذلك القرصان الذي أتيت لتشاهد قصته وكلها هراء لا علاقة له بالحق، لأن حكايته الحقيقية بقيت مدفونة ومنسية بين طيات الكتب، وإن هذه الشاشة ستُظهر لك قبسًا من تلك الحقيقة المدفونة، فاعتنِ بكل لقطة ولا تغفل.

10

جاك سبارو

1550 بعد الميلاد - 1600 بعد الميلاد

WHEEL OF FORTUNE
10
INQUISITOR
THE EMPEROR
EL EMPERADOR
IV
L'IMPERATORE
L'EMPEREUR
DE KEIZER
THE DEVIL
DENARI
DENIERS
2
MUNTEN
MÜNZEN

اسودَّت شاشة السينما الكبيرة.. ودون مقدمات بدأ الفيلم: طفلة صغيرة ترتدي فستانًا طويلًا ولا يتبين أي شيء مما حولها، نسمع موسيقى تعزف في الخلفية، بدأت الطفلة تغني بصوت هادئ يوحي إليك بأنه الهدوء الذي يسبق العاصفة: «اذهبوا وأخبروا الملك، أخبروه هذا من أجلي.. إذا كان يملك الأرض كلها، فأنا أملك البحر كله».

يد توضع على كتف الطفلة، وفجأة تظهر الأجواء التي حولها ظهورًا سينمائيًّا، كان المشهد في طريقٍ ومئات الناس قد تزاحمت على أمر ما، نظرت الطفلة فوقها إلى صاحب اليد الموضوعة على كتفها، كان ذلك أبوها يقول لها:

- لا تغني هذه الأغاني السيئة يا موريا، هذه أغاني القراصنة.

وجوه الناس قروية بسيطة، لكن ملامحهم قلقة، هناك مصيبة تحدث، لكن الكاميرا لا تريد أن تظهر لك ما تجمهروا من أجله رغم أنك تسمع صرخات من مكان لا تتبينه.

زادت حدة الصرخات، الناس بدأت تنظر إلى شيء أعلاهم، تحركت الكاميرا لتكشف لك الأمر، الموسيقى بدأت تتحول إلى التوتر، ثم استبان المشهد ونبضَت لك نبضة في الخلفية تعبيرًا عن الفزع.

فهناك أمام ذلك التجمهر برز مجموعة من البشر مربوطة أياديهم خلف ظهورهم ومعلقين يتدلون من منصات خشبية عالية، ومعلقة في أطرافهم أثقال، بينهم شابة جميلة معلقة تحاول التنصل من القيد وتنظر بغضب إلى الجميع، بجوارها امرأة عجوز معلقة واليأس يغزو ملامحها، ورجل كبير في السن معلق هو الآخر يكاد يموت من القهر، وطفل، لا يجاوز العاشرة معلق معهم يرتجف، بدأت الموسيقى تتحول

إلى الكآبة والسوداوية، وعيون الناس ناظرة بغير رضا لكن يملؤها الصمت، من ذا الذي يجرؤ أن يتكلم هنا، أنت في إسبانيا الكاثوليكية، وهذه محاكم التفتيش، وأولئك المعلقون يواجهون حكم الهرطقة، وإن لم يعترفوا سيُحرقون أحياء. كان الناس يتحدثون همسًا ويشيرون إلى الشابة الجميلة المعلقة، يقول أحدهم:

- يا رباه، تلك الكونتيسة عائشة النبيلة، يدَّعون أنها ساحرة.. إن أحكام هؤلاء لا تفرق بين نبيل وخادم.

من بين رؤوس الناس برزت قبعة سوداء مستطيلة تمشي وتقترب من المشهد، ولا تريد الكاميرا إظهار صاحب القبعة.

«نحن الكنيسة الكاثوليكية، برحمة من الرب، أسقف مدينة غرناطة». صوت يصرخ بهذه الكلمات من بعيد، الناس بدأت تنظر بقلق، القبعة ما زالت تمشي بين الرؤوس، لكن اللقطة بدأت تُظهر بعضًا من أعلى الرأس، رجل ذو شعر طويل، لا يظهر منه غير هذا.

«بفحص الوقائع باجتهاد في القضايا المنسوبة إليكم، التي أنتم متهمون فيها بجريمة الهرطقة».

الطفل المسكين المعلق ما زال يرتجف ويتحدر العرق على جبينه حتى إن ارتجافه يبدو واضحًا للناظرين من بعيد، والموسيقى أصبحت حزينة جدًّا. الرجل ذو القبعة يبدو مُهمًّا، ها هو توقف بين الناس بعد أن وجد مكانًا في الصفوف الأمامية.

«وهناك دلائل كافية لتحويلكم إلى الاستجواب والتعذيب، حتى تخرج الحقيقة من أفواهكم».

هنا سقط رأس الطفل أمامه، لا تدري هل هو قد مات أم أنه أُغشي عليه، الناس ترجف قلوبهم وهم ينظرون إليه، قال أحد الرجال مرتجفًا بصوت خفيض:

- أين الله؟ أين الله من كل هذا؟ أين الله؟

التفت صاحب القبعة للرجل وقال له وهو يشير إلى الطفل:

- ها هو.

نظر إليه الرجل بعدم فهم، أظهرت الكاميرا وجه صاحب القبعة، أنت تعرف هذا الممثل، قال وهو ينظر إلى الطفل:

- ها هو الله، معلق على تلك المشنقة.

رفع الرجل عينيه إلى الطفل، لم يكن متأكدًا أنه فهم، أيعني هذا أنه لا يوجد إله، أم أنهم قد قتلوا الإله اليوم بأفعالهم، أم ماذا؟! هنا تحرك صاحب القبعة وتقدم إلى الساحة بطريقة مشي غريبة وعلى كتفه عصفور، ثم رفع يده باستهزاء وهو يقول:

- معذرة لإلهكم، هذه الشابة الجميلة تروق لي، سآخذها.

وعلى الفور ارتفعت البنادق من عشرات الجنود المحيطين بساحة الإعدام، كلها موجهة ناحية هذا الرجل الغريب، أظهرت لك الكاميرا لباسه، حذاء طويل بني فيه حديد، معطف بني وقبعة سوداء وعينان يعلوهما شيء من الكحل. صاح أحد الجنود:

- من أنت يا هذا؟

رفع الرجل الغريب يده مستسلمًا بطريقة واضح فيها السخرية وهو يقول:

- لم أكن أحب أن أذكر اسمي، فهو يُحدث بعض المشكلات.

قال له الجندي بعصبية:

- انطق اسمك أيها الغريب.

قال الرجل الغريب ناظرًا بشيء من التعالي الساخر:

- كابتن جاك سبارو.

صدرت بعض الشهقات من الناس، كان جاك قرصانًا، بل زعيم قراصنة البحر، تحمست عيون تلك الطفلة التي كانت تغني وأبوها يمسكها بشدة.

قال الجندي بشيء من القسوة:

– يبدو أن عدد الضحايا اليوم سيزيدون واحدًا.

مشى جاك سبارو بلامبالاة إلى أسفل المنصة الخشبية وكأنه سيحاول تحريرها، نظرت الجميلة المكممة بشيء من الدهشة إليه، ولكن طلقة قاسية انطلقت في السماء فتوقف جاك. فجأة طار العصفور الذي على كتف جاك فنظر إليه بدهشة مفتعلة، ونظر الناس كلهم إلى عصفور جاك الذي وقف على القائم الخشبي أعلى المنصة وبدأ ينقر بمنقاره على الحبل بشدة كأنه يريد أن يقطعه ويحرر الشابة.

لم يدرِ الجنود ماذا يفعلون، أيطلقون النار على جاك أم على العصفور. صفر جاك تصفيرة عالية، وبدأت ضجة تُسمع من مكان قريب، نظر الناس إلى مصدر الصوت ونظر الجنود، كانت أزمة، فهناك من عند الميناء، نزلت عُصبة من الرجال ذوي الملابس الغريبة والقبعات، تكاثروا في ثوانٍ حتى تظن أنهم يخرجون من البحر، لم يكن هذا ينذر بخير، لقد بدأ الهجوم، هجوم القراصنة.

****

«جاك سبارو أم جاك عصفور».

****

فجأة قبل أن ينتبه الجنود أخرج جاك من جرابه مسدسًا وضرب طلقة في الحبل الذي تتعلق به الفتاة الجميلة وهو يقول:

– أنت بطيء وكسول يا سبارو العصفور.

340

طار العصفور فزعًا وسقطت الفتاة وهي تصرخ من ارتفاع عالٍ فتلقفها جاك على كتفه بعنف فتألمت وبدأ يركض، أخذت الفتاة تتلوى غاضبة وتقول:

- أيها الأحمق ألا تعرف كيف تُعامل سيدة؟

نظرت الفتاة من خلف جاك، وأخذت تحرك قدميها وتقول:

- لن أغادر دون أهلي، أنزلني أيها القذر.

قال جاك وهو يركض:

- انظري إليهم يا كونتيسة.

نظرت الفتاة إلى أعلى فوجدت مجموعة من القراصنة قد تسلقوا وعملوا على فك أهلها، في حين أن البقية يُذيقون جنود إسبانيا درسًا مؤلمًا ببنادق مجنونة وسيوف معقوفة.

ظلت الفتاة تتلوى وتقول:

- أنزلني، أستطيع الركض وحدي.

نقلتنا الكاميرا للمشهد التالي وجاك يضع الفتاة على الأرض في السفينة فتهرع من فورها لتطمئن على أهلها، أخذت تتحسس وجه أخيها الصغير الذي فقد الوعي، كان لا يزال يتنفس فحمدت الله وتنهدت، لكن جاك سبارو قاطعها قائلًا:

- الكونتيسة عائشة، موريسكية، هكذا أصبحوا يطلقون عليكِ بعدما تحول آباؤك عن دين المسيحية ودخلوا دين المحمديين.

صرخت فيه:

- اسمه دين الإسلام أيها الأخرق، ماذا تريدون منا؟

مطَّ جاك شفتيه هازئًا وقال:

- ألا يوجد شكر لجاكي الطيب الذي أنقذك؟

قالت له وهي تنفض ملابسها:

341

- ليس قبل أن نعرف ماذا تريدون منا.

أمسك جاك بورقة تبدو كالبردية المغلقة وقال:

- أنتِ من نبلاء أوروبا الذين يُدعون «ريكس دوز»، أصولكم يهودية ثم تنصَّرتم وفي النهاية أسلمتم.

سكتت عائشة وهي تُسائل نفسها عن كيفية معرفته هذه المعلومة، قرَّب جاك وجهه منها وهو يقول:

- إن السبب الذي تريد الكنيسة التخلص منكم لأجله ليس هو دينكم، بل هو هذا.

وفرد أمامها البردية التي معه، نظرت إليها هنيهة، ثم تحولت ملامحها إلى الغضب وقالت:

- إن هذا ليس من الشرف أن يحصل عليه حفنة من القراصنة، انسَ أن أخبرك بشيء عنه.

- الكنز الكاثوليكي، الصندوق الكبير الذي يحوي بداخله عصا موسى وخاتم سليمان وألواح التوراة وصحائف الأنبياء كلهم وألواح الزمرد وكتاب آدم.. وأشياء أخرى مقدسة مهمة.

صرخت فيه عائشة:

- انسَ الأمر أيها القرصان القميء.

قال جاك بلهجة حاول أن يجعلها مقنعة:

- الكاثوليك هم أشرس أهل الأرض اليوم، وبقاء هذه المقدسات معهم ليس خيرًا لهذه المقدسات، فكري فيها، لقد كادوا أن يقتلوكِ أنت وأهلك بسبب هذه المقدسات، واليوم نحن أنقذناك بسبب هذه المقدسات.

همَّت عائشة بالكلام لكن جاك أسكتها بإصبعه وهو يقول:

- أنتِ لستِ ذكية، نحن لن نبقيها معنا، إنما نحن سنبيعها لمن يدفع أكثر، و...

قاطعته عائشة:

- لن أنطق حرفًا إلا إذا كنتم ستبيعونها للمسلمين العثمانيين.

عمل جاك بوجهه تعبيرًا معجبًا وهو يقول:

- نعم، العثمانيون أغنياء، وسيدفعون حتى دماءهم من أجل هذا.

تنهدت الكونتيسة وقالت:

- الكنز كان في إنجلترا مع عائلة كاثوليكية من الريكس دوز، لكنه نُقِل منذ أيام على سفينة كبيرة متجهة إلى...

سكتت عائشة قليلًا فشجعها جاك على المواصلة وهو يقول:

- إلى أين؟

ترددت قليلًا ثم قالت:

- إلى إسبانيا، سينتقل إلى عائلة كاثوليكية هنا في إسبانيا.

قال جاك ببطء:

- إذن فالكنز الجميل يسافر الآن في هذه الأثناء في البحر.

أومأت عائشة برأسها إيجابًا، فبرقت عين جاك سبارو، كان هذا يعني كل المجد.

****

«إذا رأيت أحدًا لديه شيء مقدس يخفيه، اعلم أنه يفضحه».

****

ركزت الكاميرا على طاولة موضوعة في وسط المشهد، فوقها خريطة قديمة، يد جاك سبارو تمشي بطرف الخنجر على الخريطة فتصنع خطًّا وهو يقول:

ATLANTIC

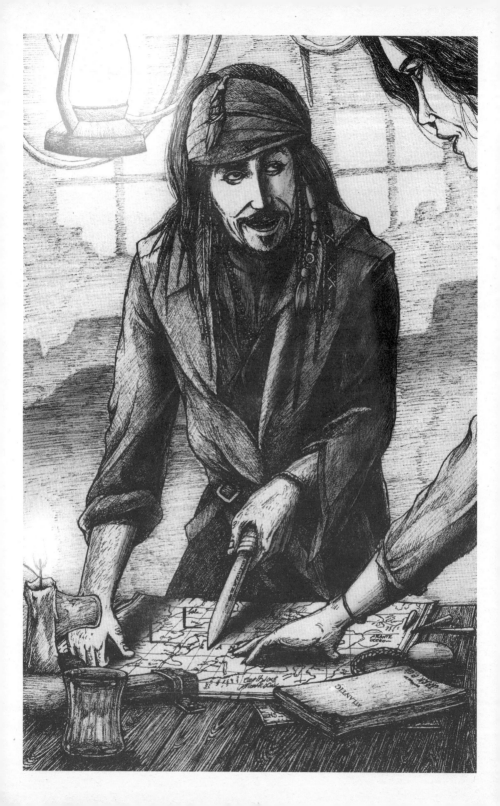

- شهرين، ستحتاج السفينة إلى شهرين لتصل إلى إسبانيا، لنلحق بالسفينة من موقعنا، سنحتاج إلى...

قاطعته عائشة المستندة بكلتا يديها إلى الطاولة:

كانت عائشة تتحدث بقوة وتشرح كيف يمكن اللحاق بالسفينة وجاك

- أسبوعين، في هذا الفصل الرياح في صالحنا.

ينظر إليها بتركيز متعجب، هذه الأمور لا تعرفها امرأة عادية، قال لها:

- من أنت بالضبط؟

رفعت عينيها إليه بثقة وقالت:

- نحن عائلة بحرية أبًا عن جد، كثير من سفن الميناء نحن نملكها.

مطَّ جاك شفتيه بتفهم، وانتقل المشهد إلى ظلمة الليل وضباب في الجو، وأمواج البحر تروح وتجيء بغضب، ووسط الظلمة برزت سفينة متوسطة الحجم تشق صفحة الماء بسكون، عليها أعلام الصليب المعقوف الأحمر الطويل المميز للكاثوليك. تحركت الكاميرا للجهة الأخرى من البحر مع رنة غامضة تثير القلب لتظهر سفينة جاك سبارو السوداء في وسط الليل الأسود، كانت سفينة كل شيء فيها أسود، حتى أعلامها. رفع الكابتن جاك يده بحركة مسرحية ونظرة ساخرة وهو يقول:

- أروني تحية الكنز الكاثوليكي.

برزت مدافع سوداء من نوافذ على جوانب السفينة، وانطقلت كلها دفعة واحدة بوابل من الكرات المتفجرة التي ضربت هيكل السفينة الكاثوليكية بعنف، ووسط هذا الجحيم ظهر صوت بَكَرة تشد حبلًا، نظرت عائشة من سطح السفينة لترى جاك سبارو في ردائه وقبعته السوداء طائرًا في الهواء متعلقًا بحبل ثم أفلته فهبط مباشرة في وسط السفينة الكاثوليكية، على كثرة مزاحه إلا أنه في قتال البحر يتحول إلى شيطان، سمعت صوت بَكَرات تشد حبالًا وعشرات من القراصنة يطيرون ويتساقطون على السفينة تساقط الشهب. لم يكن على سطح السفينة الكاثوليكية أحد، ظل جاك يدير رأسه هنا وهناك بهزلية ثم نظر

إلى عائشة ناويًا أن يعمل حركة ساخرة.. لكنه فتح عينيه عن آخرهما وتراجع بخوف حقيقي. كان هناك برميل يطير في الهواء قادم من سفينته إلى السفينة الكاثوليكية، ولما نظر جاك ناحية البرميل الطائر لمح رجالًا كاثوليكيين ببنادق مختبئين في الدور الثاني وسمع عائشة وهي تصرخ:

- فوقكم يا جاك.

رفعت عائشة بندقية وأطلقت نحو البرميل الطائر لينفجر في وجه الرجال الكاثوليكيين المتخفين، ولم تكن لديهم فرصة لمجرد استيعاب الأمر، فقد توالت البراميل الطائرة وتوالت طلقات عائشة التي تفجرها، والكاثوليك يجرون كالمجانين، نظر جاك ليفهم فوجد اثنين من رجاله على سفينته يحملون البراميل ويلقونها وعائشة تفجرها، وبدل أن يبتهج قال بعصبية صارخًا:

- أيها المعاتيه، هذه براميل الروم (خمر القراصنة).

ضحكت عائشة وقالت:

- أخيرًا وجدت فائدة واحدة لهذا الشراب الكريه.

استدار جاك ساخطًا ورفع مسدساته وأطلق النار في وجه الرجال الكاثوليك الهاربين من البراميل وكأنه يعاقبهم على ضياع الروم، وهجم رجال جاك كذلك وعمَّت الفوضى، ولم تمضِ دقائق إلا والرجال الكاثوليك مقبوض عليهم وجاك يمشي بخطى بطيئة تجاه قبطانهم ويقول:

- أين كنزكم الثمين يا ذا الرأس الثمين؟

تردد القبطان قليلًا فرفع جاك المسدس ووضعه تحت عنقه وقال:

- إن لم تنطق في ثانية سأضغط وأنتقل إلى الرجل التالي لأسأله، هذه لعبة مسلية جدًّا.

تلعثم الرجل وهو يدل على مكان الكنز وانطلق رجال جاك إلى المكان الذي وصفه داخل السفينة وأحضروا صندوقًا ذا مظهر ثمين جدًّا ووضعوه تحت قدمَي جاك، فأشار إلى الرجل بإصبعه علامة أن يفتح

الصندوق. نظر الرجل إلى الصندوق بأسى ثم نظر إلى جاك الذي جهز مسدسه وصوبه مرة أخرى إلى رأس القبطان، صاح القبطان:

– أقـ.. أقسم لك إنني لا أدري أين مفتاح هذا الشيء.

قال جاك بلامبالاة:

– اقتلوهم وسنفتح الصندوق بطريقتنا.

صاحت عائشة التي نزلت إلى السفينة الكاثوليكية:

– دعهم يا جاك، أنا أعرف كيف يُفتح هذا الصندوق.

نظر إليها جاك وانحنى بتحية وقال:

– تفضلي يا كونتيسة.

قالت الكونتيسة عائشة بعزم:

– لن أفتحه إلا بين يدي حاكم عثماني.

نظر إليها جاك مندهشًا فأكملت:

– ولن أفتحه إلا بعد أن يدفع لك ثمنه.

****

«لذة الروم لا يشعر بها إلا قرصان».

****

مشهد سفن كثيرة متتابعة تبحر في ظلمة الليل تحركها الأمواج حركة واحدة فبدت كقطيع من الوحوش البحرية، وقف الكابتن جاك سبارو على سفينة أمامية وهو ينظر بمنظار طويل أسود، لا أحد يصدق أن هذا الشخص المرح هو زعيم كل تلك السفن وزعيم كل أولئك القراصنة، كانت عائشة بجواره تنظر إليه باستغراب، أبعد عينه عن المنظار وقال لها:

– ما بال الكونتيسة تنظر إليَّ، هل أحببتِني؟ ومن ذا الذي لا يحبني؟

قالت له:

– السفينة الكاثوليكية التي ضممتها لأسطولك، ماذا أسميتها؟

347

- جون الصغير.

وقبل أن تسأله عائشة عن السبب رفع جاك معصميه ونظر بمرح وبدأ يغني قائلًا:

- في يوم كان روبن هود في الثانية عشرة، وهاااااي كم كان متواضعًا متواضعًا متواضعًا.

انتقل جاك إلى الجهة الأخرى من عائشة وهو يقول:

- ثم قابل جون الصغير، ورغم أن اسمه الصغير فإن أطرافه ضخمة، وهاااااي كم كان متواضعًا متواضعًا متواضعًا.

تبسمت عائشة وهي تنظر إليه متسائلة، فقال لها:

- جون الصغير هو صديق روبن هود العظيم.

قالت عائشة:

- هل ترى نفسك روبن هود؟

ظهرت على ملامح جاك نظرة مغرورة وقال:

- أيضًا أنا لا أسرق إلا من الأغنياء، لكنني أصبحت أَفضل من روبن هود يا صغيرتي، أنا لديَّ كنز الكاثوليك.

ثم تحولت ملامحه إلى الجدية الساخرة، التي لا يُحسن صنعها إلا هو:

- بالمناسبة.. على ماذا تحتوي تلك المخطوطات والكتب التي في هذا الكنز حتى تكون بهذه الأهمية؟

قالت عائشة بجدية:

- إذا ظهرت هذه النسخ الأصلية للتوراة والإنجيل للعالم سيفقد جميع كهنة العالم مناصبهم.

دُهِش جاك سبارو وقال:

- كيف؟ لماذا؟

قالت الكونتيسة:

- لأن الكهنوت اليهودي والمسيحي إنما هو من ابتداع البشر ليعطوا لأنفسهم سلطة دينية، ولم يفرضها عليهم ربهم، فإن ظهرت هذه النسخ سيكتشف العالم أن النسخ الحالية من التوراة والإنجيل فيها سطور محرفة عن مواضعها تعطيهم سلطة على الشعوب.

بدت ملامح جاك جامدة يتخللها بعض الحزن المفاجئ فتعجبت عائشة وقالت:

- ما بك؟

رفع زاوية فمه بسخرية وقال:

- ما بي؟ أنتِ فقط تقولين أشياء خطِرة.

نظرا خلفهما فإذا هو الفجر ونوره الخافت، وإذا سفينة آتية، انتبهت عائشة لمّا رأتها وقالت:

- أوه.. إنها سفينة من تلك التي يهاجر عليها شعبي الموريسكيون المسلمون المطرودون من إسبانيا لتنقلهم إلى تونس.

مطَّ جاك شفتيه وقال:

- أميرتي هل تصدقين هذا الهراء؟ نحن في البحر ونعرف، هؤلاء الموريكسيون يُباعون عبيدًا.

فجعت عائشة وأمسكت بتلابيب جاك وهي تقول:

- كيف؟ ماذا؟ أنت متأكد من هذا؟

قال جاك وهو يرفع حاجبيه:

- مثلما أنا متأكد من طلوع هذه الشمس.

تحولت ملامح عائشة إلى الغضب ومدت يديها إلى قدمي جاك وسحبت مسدسيه وصوبتهما إلى رأسه وقالت:

- أوقف تلك السفينة فورًا، أنقذ كل هؤلاء، هيا يا روبن هود.

رفع جاك يديه وهو ينظر إليها بإعجاب لم يمكنه إخفاؤه، وقال لها:

- كنت أظن أن المبادئ في هذه الدنيا نادرة.

قالت بحزم:

- بل إن بلاد المسلمين كلها كذلك، أنت فقط لم ترَ إلا قاراتكم المظلمة.

ضيَّق جاك عينيه ونظر إلى أسفل كأنه يتذكر شيئًا، ثم تنهد ورفع يده وقال:

- ارفعوا أعلام القراصنة.

وفي ثوانٍ وجدت تلك السفينة التي تحمل العبيد المسلمين أنها محاطة بأكثر من عشرين سفينة مرفوعة عليها أعلام سوداء تتوسطها علامة الجمجمة، فتوقف قبطان السفينة على الفور، لأنه يعلم، إذا تحرك عقدة واحدة في البحر سينتهي تاريخه ولربما يعيش حياته عاملًا في جوف سفينة قراصنة.

****

«فإذا كان هو أمير الأرض، فأنا أمير البحر».

****

حانة صغيرة ذات دكّات خشبية يجلس عليها رجال ضخام الأجساد ذوو سواعد مشعرة، كنا في قرية كينت الإنجليزية وتلك قرية مهملة لا يقصدها إلا اللصوص وقُطّاع الطريق والقراصنة، الجدران معلق عليها رسمات مهترئة لأشخاص مطلوبين من سنوات، أشخاص كلهم تقريبًا يجلسون في تلك الحانة يضحكون ويشربون الروم، دخل عليهم طفل جلس في دكة خشبية فارغة وحده، لم يشعروا بدخوله، كانوا يتحدثون عن كنز ما أو أسطورة ما ويشتمون كثيرًا، لكنهم سكتوا لمّا دخل عليهم قرصان مثلهم وهو يصيح:

- تعالوا تعالوا، إنه مشهد الإعدام.

الكنيسة الكاثوليكية قررت أن تعدم بعض المهرطقين والسحرة، هرع القراصنة يتضاحكون خارجين من الحانة ليروا المشهد، وكان أحد الذين سيعدمون في هذا اليوم الصياد هو «وارد»، والد الطفل الصغير

الجالس وحيدًا في تلك الحانة، «جاك وارد»، الذي تولدت لديه منذ ذلك اليوم كراهية ناحية كل شيء كاثوليكي مسيحي، ذلك الطفل الذي اشتهر لاحقًا باسم، «جاك سبارو».

يوم مشمس، ومجموعة من القراصنة ذوي الملابس الغريبة يحملون صندوقًا ثمينًا فوق رؤوسهم ويمشون في طرق الدولة العثمانية، ووراءهم جاك سبارو يمشي بطريقته المميزة وبجواره عائشة الموريسكية، كان ينظر إلى الناس، كيف يروحون ويأتون في سلام، بعضهم يعلق الصليب وبعضهم يرتدي طاقية اليهود، ولا أحد يقبض عليهم ولا يحاكمهم على دينهم المختلف، بل إن المطرودين اليهود الهاربين من محاكم التفتيش تُفتح لهم البلاد العثمانية مثلهم مثل المسلمين، قال جاك وهو ينظر إلى عائشة:

- القرصان بربروسا أتى من هذه البلاد، أليس كذلك؟
- بربروسا ومراد رايس وسليمان رايس، كل هؤلاء ليسوا قراصنة بل مقاتلين في الجيش البحري العثماني.

قال لها وهو يتعمد استفزازها:

- هؤلاء كانوا قبل جاك سبارو، ملك البحر.

وصل مسيرهم إلى دار عثمان، قصر حاكم تونس العثماني يومها والمدعو عثمان داي، انتقلت الكاميرا من الأسفل لأعلى في مشهد يظهر جاك واضعًا يده على الصندوق وترتفع الكاميرا لتظهر الحاكم عثمان «داي» وهو ينظر بِحيرة إليه ويقول:

- أنت جاك سبارو ملك البحر؟

مطَّ جاك شفتيه بعُجب بالنفس ورفع إصبعه وقال:

- (كابتن) جاك سبارو.

قال الحاكم وقد تهلل وجهه قليلًا:

- تخيلتك مختلفًا قليلًا يا جاك.

ثم نظر إلى الصندوق وقال:

- قلت لي ما الذي بداخل هذا الشيء؟

قال جاك وهو يعد على أصابعه:

- عصا موسى، وخاتم سليمان، وألواح التوراة، وصحائف الأنبياء السابقين كلهم.

قال له الحاكم:

- من قال لك هذا بالضبط؟

نظر جاك إلى عائشة وهو يقول:

- هكذا سمعنا عنه من المصادر.. التي...

قال الحاكم بجدية:

- عصا موسى وخاتم سليمان ليسا مع اليهود، بل هما مع الدابة التي سيبعثها الله في آخر الزمان.

قالت له عائشة:

- سيدي هذا الصندوق فيه صحائف الأنبياء وألواح التوراة، وإنني من الريكس دوز، العائلات الثرية اليهودية التي تعرف سره، ولقد أسلمت، ولقد حاول الكاثوليكيون إعدامي وأهلي لإخفاء أمر هذا الصندوق.

- افتحي الصندوق.

مدت عائشة يدها، لكن جاك وضع يده على الصندوق وقال:

- الثمن قبل المعاينة صديقي الحاكم، إننا نحتفظ بأهل الفتاة ضمانًا على ألا تفتحه قبل أن نأخذ الثمن.

قال الحاكم عثمان:

- سأعطيك أرضًا في بلادي، وسنبني لك عليها قصرًا، وموانيَ كلها تكون لسفنك، ورجالنا يكونون تحت إمرتك.

غمغم جاك بعينيه وهو يقول:

- والأموال؟

قال الحاكم:

- لك ما تشاء، ليس لأجل هذا الكنز، بل لأجل أن تكون معنا، فأسطولنا يحتاج إليك.

قال جاك وقد بدأ يتأثر ويحاول السيطرة على فرحه:

- وثمن الكنز؟

قال الحاكم:

- دعها تفتحه أولًا.

رفع جاك يده سامحًا لعائشة أن تقترب وتمد يدها وتضغط على مواضع معينة في الصندوق حتى سمع الجميع صوت انفتاح قفل، وفتحت عائشة غطاء الصندوق، وصورت الكاميرا رؤوس الأشخاص الثلاثة من زاوية سفلية وهم ينظرون داخل الصندوق بصمت، ويمكن أن يتبين من رفعة عين جاك أن الأمر ليس بخير.

كان الصندوق فارغًا تمامًا ليست فيه حتى ورقة واحدة، حكَّ جاك رأسه وتبسم الحاكم بضحكة مكتومة وقال لعائشة:

- قلتِ لي إنك من الريكس دوز، وإنهم حاولوا إعدامك لأجل الصندوق، ثم ماذا؟

قالت عائشة:

- ثم أتى جاك وأنقذني أيضًا لأجل الصندوق.

ضحك الحاكم بصوت عالٍ لبضع ثوانٍ ثم قال:

- لا عليكما، كان يجب أن تعلما أن الكاثوليك سيفعلون شيئًا بخصوص الكنز بعد أن أنقذك القراصنة بهذه الطريقة، هم يعلمون كم أن هذا الشيء ثمين والكل يريد الحصول عليه.

قال جاك:

353

- حاكم عثمان، هل العرض الخاص بالقصر والخدم والحشم ما زال قائمًا.

ضحك الحاكم وقال:

- نعم يا جاك، هذا يسعدنا.

قال له جاك:

- والمقابل؟

قال الحاكم:

- أن تجعل حياة الإسبان جحيمًا، وسفنهم مغانم، وتنقذ الأسرى المسلمين عليها وتأتي بهم إليَّ.

طار العصفور الذي كان على كتف جاك ووقف على غطاء الصندوق فأغلقه، ونزلت ستائر السينما معلنة انتهاء هذا الجزء، وظهرت أسماء طاقم العمل.

**** تمت ****

من بين الستائر خرج كيان شيطان الوهم والتضليل ديكوي واقترب من بوبي بخطوات بطيئة وهو يقول:

- تعجبني لمعة عينيك يا بوبي، أنت تعرف جاك سبارو لأن ديزني أنتجت له سلسلة أفلام بميزانية ضخمة هي «قراصنة الكاريبي»، وتعرف أن جاك الحقيقي لم يكن في الكاريبي ولم يكن خبيثًا، لكنها المرة الأولى التي ترى فيها هذا الفيلم، الحقيقة أن جاك سبارو هو أعجب شخصية مرت عليها عيني، منذ أن كان صغيرًا يختلس الطعام من الباعة في مواني فيفرشام الإنجليزية، إلى أن كبر وصار جندي بحرية بريطانية يهاجم سفن الأعداء باسم ملكة إنجلترا ثم انقلب عليها وصار قرصانًا امتلك البحر، حتى أخذته دروب حياته إلى أن يساعد آلافًا من المسلمين واليهود على الهرب من محاكم التفتيش الإسباينة، ثم أسلم في النهاية وصار مجاهدًا مسلمًا في البحر واتخذ اسمًا جديدًا هو يوسف رايس

ولقبوه بجاك عصفور، إن جاك سبارو هو في الحقيقة شخصية أكبر من سلسلة أفلام قراصنة الكاريبي كلها.

لعلك لاحظت كيف قدمنا جاك سبارو تقديمًا هزليًّا في الفيلم ولم نتطرق لقصته الحقيقية، وهذا ليس جديدًا على جاك، فلقد شوه المؤرخون الإنجليز اسمه عبر الزمن وعدّوه ذلك الشخص الشرير الذي انضم إلى دين المحمديين. الكونتيسة عائشة التي رأيتها في الفيلم تعرضت لتشويه أبشع فصوَّرتها القصص الشعبية على أنها عائشة قنديشة الساحرة العجوز الشمطاء والشيطانة التي تفرق بين الأزواج، أما قصتها الحقيقية وانضمامها إلى البحرية العثمانية وإذاقتها أساطيل إسبانيا دروسًا قاسية، كل هذا لن يذكروه، بل سيخفونه للأبد.

اختفى الشيطان ديكوي من موضعه وتلفت بوبي فرانك بحذر بحثًا عنه ثم برز الشيطان جالسًا في الكرسي المجاور لكمبيوتر بوبي، كان يضع قدمه على الأخرى ويمد رأسه ليشعل غليونًا وهو يقول:

- ليس فقط العرب الذين نشوه تاريخهم بل كل من يسبح عكس التيار نشوهه مهما كانت شهرته، ففي عالم صناعة الأغاني لدينا الكثير ممن باع روحه للشيطان، والقليل جدًّا ممن سبح عكس التيار فقتلوه في النهاية مثل بوب مارلي ومايكل جاكسون، هذان كانا يؤمنان بالموسيقى كأنها علاج، وأنه يمكنك فعليًّا أن تعالج مرض العنصرية والكره عبر حقن جرعات من الموسيقى والحب، هذه القيم هي عكس التيار الذي نريده والمليء بالقيم الشيطانية المحمومة، لهذا قُتل هذان الاثنان كل منهما بطريقة تناسبه.

فجأة انطفأت شاشة السينما، فأظلم المكان كله وتحفزت أطراف بوبي وصوت ديكوي يأتي من مكان ما ويقول:

- أنت سبحت عكس التيار يا بوبي، وأنا قلت لك إن من يعرف أكثر يموت قبل الذي يعرف أقل، ويبدو أن حذرك المعهود قد خانك اليوم.

شعر بوبي بالخطر وهمَّ بالقيام متحاملًا على عكازه، لكن شيئًا أوقفه قبل أن يقوم من مقامه، فوهة باردة تلامس صدغه وصوت زمام مسدس يعرفه جيدًا، أغلق بوبي عينيه في حسرة وعضَّ على شفته وهو يسمع ذلك الصوت المبحوح المميز يقول:

- خسرت اللعبة يا بوبي اللعين.

كان ذاك صوت ليوبولد الذي وقف وراء بوبي وبجواره لويب، وبدأت نواقيس الموت تدق في قلب بوبي وهو يسمع لويب يقول:

- كان لا بد أن تفتش ملابسك جيدًا بعد محاولتك الأولى للهرب، فلسنا بالغباء الكافي لنتركك دون أن ندس جهاز تتبع فيها.

شد ليوبولد شعر بوبي وسحب رأسه للخلف ودس المسدس داخل فمه وهو يقول:

- ثرثرتك تنتهي اليوم يا بوبي، لن تحكي بعد اليوم قصصًا ولن تستحضر شياطينًا، نحن هذه المرة لدينا قصة لك، فأرخِ أطرافك جيدًا، فهي آخر قصة ستسمعها في حياتك القذرة، وأنت تعلم أن من يقتله التنظيم يجب أن يسمع هذه القصة بالذات حتى يتذكر ما عاهد عليه التنظيم يومًا.

لديك ثلاث أوراق لعينة يا بوبي اللعين اخترناها لك من مجموعتنا الخاصة.

الورقة الأولى هي ورقة الموت، وعليها شيطان الموت يُقبِّل فتاة عاهرة.

الورقة الثانية هي ورقة المحقق، وعليها صورة محقق يبدو مجهدًا من صعوبة الشيء الذي يحقق فيه.

الثالثة هي ورقة الشيطان، وعليها صورة رجل نحيف لا يبدو ودودًا يجلس على كومة من الجثث.

11

سفاح الأكباد

1888 بعد الميلاد

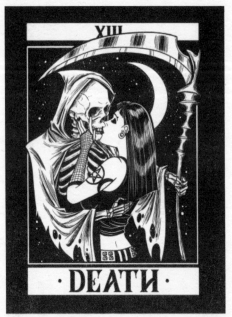

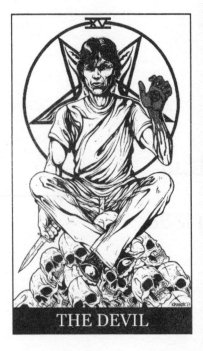

XIII
·DEATH·

XV
THE DEVIL

I · THE GREAT DETECTIVE

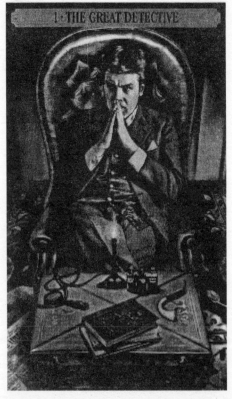

لندن 1888.

ضباب لندن المغلف بروح الصباح، والرصيف المعبق بقطرات الندى تعلوه المساكن الرمادية التي تشرح النفس، ركزت الصورة على الأرض كأن أحدهم نسي الكاميرا، وظهرت أقدام متعجلة تمشي على الرصيف فتبعتها الكاميرا، أقدام شخص يبدو من حذائه أنه شخص غير مرتب، بجواره تمشي أقدام بحذاء لامع ذي مشية أنيقة، كان حديث ما يدور بين الرجلين لكنه غير مسموع.

توقفت الأحذية عن المسير وبدأت الصورة تطلع إلى أقدامهما، وبالفعل كان الأنيق أنيقًا ذا وجه مثلث وجبهة عريضة وشعر بني مرتب بعناية شديدة إلى اليمين وسوالف كثيفة تعطي شيئًا من الوجاهة، دعني أعرفك، «آبيرلين» المحقق الإنجليزي الذي سيعرفه التاريخ ويحفظ اسمه بعد هذه الأيام، بجواره رجل سمين مبعثر قليلًا يمسح عرقه بمنديله كل حين، كان ذاك مساعده «غودلي»، ويبدو أنهما توقفا لأنهما وصلا إلى المكان المنشود.

سمعنا ضجة هادئة، أناس متجمعون ولا يُحدِثون صوتًا عاليًا، لكنك تعرف أنه توجد مصيبة ما، صرخ غودلي في المتجمعين صراخًا أعنف مما ينبغي ليبتعدوا، انكشفت جثة وسط المتجمعين، امرأة في الأربعينيات ملقاة في الشارع، ملامحها تدل على أنها رأت الجحيم ذاته، كدمات في كل مكان في الوجه وأسنان مفقودة، ويوجد من ذبحها وبقر بطنها بقسوة. قال غودلي:

- أي إنسان همجي سفاح مختل هذا؟

نظر أبيرلين حول الجثة وقال بلهجة خبير:

- سفاح نعم، لكن هذا ليس عملًا همجيًّا، لا توجد بقع دماء متناثرة على الجدار، هذا شخص منظم قتلها ثم ذبحها بهدوء وهي مستلقية.

أخرج غودلي مذكرة خاصة به وقلمًا وبدأ يُدوِّن كل شيء، نظر أبيرلين حول الجثة وإلى وجوه الناس، قال له الشرطي المسؤول:

- لقد وجدتها في أثناء مروري ملقاة هاهنا ولم يمسها أحد.

نظر أبيرلين إلى المساكن القريبة، وضيَّق عينيه ناحية نافذة هي الأقرب إلى مكان الجثة وكانت في الدور الأول، صعد أبيرلين مباشرة إلى الشقة، ففتحت له امرأة منتفخة العينين قليلًا يساورها القلق، عرَّفها بنفسه بأناقة فدعته للدخول ببعض الحرج فدخل بهدوء وهو يسألها:

- سيدتي، معذرة لإزعاج راحتك، ألم تسمعي شيئًا ليلة أمس من الشارع؟

قالت المرأة وكأنها وجدت فرصة للكلام:

- أوه.. أنت تقصد المسكينة المقتولة، كم أحزن على هؤلاء المهاجرين، أتوا من روسيا القيصرية وأيرلندا وسكنوا هنا في وايت شابل، ألا يكفي هؤلاء المساكين بؤس الحياة حتى يُرموا هكذا على الطرقات؟

لم يبدُ على أبيرلين أي نوع من الضيق لأنها لم تُجب عن سؤاله أو لثرثرتها، لكنه اقترب من النافذة وأخرج «البايب» الخاص به وأشعله في حكمة وهو ينظر إلى التجمع في الشارع وغودلي يرفع تنورة الفتاة الميتة وينظر تحتها وبعض الناس تعنفه على هذا وهو يجادلهم.. تبسم أبيرلين في نفسه وهو يقول للمرأة:

- ألم تسمعي صوت المسكينة المهاجرة وهي تصرخ أمس؟ أو سمعت أي ضجة؟

قالت له بلهجة صادقة:

- لم أسمع شيئًا على الإطلاق رغم أنني استيقظت عدة مرات؛ فنومي غير منتظم، ما أيقظني هو وصول الشرطة.

أكمل أبيرلين مساءلتها قليلًا ثم استأذن بالانصراف، فنظرت إليه نظرة أنثوية وقالت:

- ألن تعيد الزيارة أيها الوسيم؟

حدق إليها قليلًا ثم قال:

- نعم.. ربما في يوم آخر.

نزل أبيرلين فاستقبله غودلي بثرثرة كثيرة كان أهمها أنه لمّا رفع تنورة الفتاة وجد مكتوبًا عليها «منزل لامبيث»، هذه الفتاة تسكن في أحد تلك المنازل المشتركة، وتلك مساكن فيها غرف صغيرة يسكن فيها أشخاص كثيرون كل واحد على سرير أو كل اثنين على سرير بسعر زهيد جدًّا للفقراء.

في منزل لامبيث كان كل شيء فقيرًا، الجدران والأرض والنزلاء، إن الفقراء يعيشون رغم كل شيء، كانوا قد تجمعوا وعيونهم تقطر بالخوف، كان السيد «هولاند» مدير المنزل هو من يجيب عن أسئلة أبيرلين وأكد أن المقتولة فعلًا كانت تعيش هنا وأن اسمها هو «ماري آن نيكولس» ولقبها «بولي»، قال هولاند:

- بولي كانت مخمورة أمس، والحق أنه لم يكن معها أجرة السرير الذي تنام عليه مع الزميلة «ليلوين»، وهو 4 بنسات، ومن ثم اضطررنا إلى أن نطردها من المنزل أمس.

قال له غودلي بعنف:

- 4 بنسات أيها القميء؟! ها قد قتلها مجرمو الشوارع، أليس في قلبك رحمة؟

- يا سيد، بولي هذه كان معها نقود، لكنها تضيعها على الخمر، كما أنها ليست شخصًا مرغوبًا، زوجها تركها منذ سبع سنوات لما اكتشف عملها في الدعارة، وعائلتها طردتها بسبب كثرة شربها وفسوقها.

بدا أن هناك امرأة حمراء الشعر اسمها «إيميلي» أيضًا تريد أن تتكلم، فسمح لها المدير فقالت:

- بولي المسكينة قابلتني أمس في زاوية الشارع، وكانت مخمورة وقالت لي بصوت ثقيل إنه كان لديها ثمن هذا السرير 3 مرات أمس، لكنها صرفته على الخمر، وأن لديها رجلًا ما ستنام معه وتحصل على النقود ثم تعود بعد ساعات، ويبدو أنه لم ينَم معها وإنما ذبحها.

****

**المحقق ربما ينقذ واحدة، وستبقى سبع
سبع عاهرات صغيرات يتسولن لأجل شلنات،
واحدة تبقى في المحكمة ثم يحدث قتل.**

****

أقدام أبيرلين وصاحبه تهرع على أرض لندن المبتلة من أثر ليلة ماطرة، فهناك مصيبة ثانية حدثت بعد الأولى بأسبوع، جريمة فزع منها الكبير قبل الصغير، «آني شابمان» العاهرة السمينة وُجدت مذبوحة وبطنها مبقور وأمعاؤها موضوعة على كتفها. منظر مقزز، جاءت الشرطة سريعًا وحملت الجثة إلى المشرحة، كان غودلي يهرول وهو يقول:

- أهذا العاهر يصطاد العاهرات فقط؟

قال له أبيرلين وهو يسير متعجلًا بجانبه:

- ويقتلهن باحتراف وبلا صوت على الإطلاق ويمثل بجثثهن.

وصلا إلى وجهتهما، شارع هانبوري حيث حصلت الجريمة الشنعاء، كانت الجثة قد أخذها الطبيب الشرعي، لكنك ترى الكآبة والذعر في عيون الماشين في ذلك الشارع، نظر أبيرلين إلى المكان، شارع رئيس به محال كثيرة، فرصة أن يرى أو يسمع أي شخص أي شيء هي أكبر حتمًا، ظل المحققان يسألان ويتحريان من أصحاب المحال والبيوت حتى ظهرت امرأة، كانت عجوزًا مذعورة تضم بيدها رداءها وتقترب من المحققين بخطوة مرتجفة، قالت العجوز:

362

- سيـ.. سيدي، أنا رأيتها.

قال غودلي بصوت أفزع المرأة:

- تحدثي ماذا رأيتِ بالضبط؟ وما اسمكِ؟

أوقفه أبيرلين بإشارة حازمة بيده واقترب من المرأة بهدوء وسألها:

- سيدتي، عيناكِ لدينا غالية، فأخبرينا ماذا رأت تلك العين؟

تنهدت العجوز وقالت:

- كنـ.. كنت ذاهبة إلى.. سـ.. سوق سبات.. سباتيفيلد، حين رأيت هذه المرأة واقفة مع شخص أنيق يرتدي قبعة سوداء دائرية، وقال لها: «هل ستفعلين؟»، فردت عليه: «نعم».

قال لها أبيرلين باهتمام:

- كيف كان وجهه؟

قالت المرأة باهتمام:

- رأيته من ظهره، وهي كانت تقف بمواجهته فرأيتها من وجهها.

كان غودلي يسجل في مفكرته الصغيرة. شكر أبيرلين المرأة وربت على كتفها ثم قال:

- ستأتين معنا إلى المشرحة لتتعرفي على السيدة المقتولة.

كانت مهمة صعبة جدًّا أن تقنع عجوزًا مذعورة بهذا، لكنه وعدها أن يعطوها كثيرًا من المهدئات قبل أن ترى وجه الجثة.

في المشرحة كان الطبيب يقف أمام الجثة الثانية ممتقع الوجه محتارًا، وقال لأبيرلين فور أن رآه:

- هذا الوغد بارع بالسكين، بل هو أبرع مني.

وضع أبيرلين إصبعه على شفته في علامة للطبيب ليسكت وأدخل العجوز، ورأت العجوز وجه شابمان المليء بالكدمات، ولحسن الحظ لم يكن في الوجه تقطيع هذه المرة، فتماسكت العجوز وقالت:

- نعـ.. نعم.. هي هي.

أخذ غودلي المرأة العجوز ليخرجها من الباب وكان الطبيب يقول بصوت خفيض لأبيرلين:

- هذا الشخص بقر بطنها وأخرج منها الرحم ولواحقه من الجهاز التناسلي وأخذه معه، ضربة واحدة فقط بسكينه أخرجت كل هذا، إنه جراح، هذا مؤكد، لا أحد لديه هذه الخبرة، الأعضاء المحيطة بالرحم لم تتأذَّ، حتى الطبيب المتمرس لا يمكنه فعل هذا في أقل من ربع ساعة.

قال أبيرلين وكأنه يكلم نفسه:

- ضع في الحسبان الضوء القليل في ذلك الشارع ليلًا والتوتر لأنه يفعل هذا بنصف عين، فالعين الأخرى تراقب الشارع.

قال له الطبيب:

- وهناك شيء آخر، هذا الرجل أخذ ثلاثة خواتم كانت ترتديها المراة، هدا واضح من اصابعها.

انصرف المحققان والحيرة تغزوهما، رجل أنيق ماهر محترف سريع لديه علم بالتشريح يصطاد العاهرات، قتل الأولى والثانية بالطريقة نفسها وأخذ رحم الثانية وخواتمها، بدأت القضية تثير نفس أبيرلين وروح التحدي الكامنة فيه، وأسرع في الخطا ناحية الوجهة التالية، منزل كروسينجهام، آخر سكن معروف للمقتولة الثانية. قبل أن يدخلا وجدا تجمعًا عند بوابة المنزل وضجة ما كأنها شجار، دخل غودلي عليهم صارخًا ولم تمضِ دقائق إلا وهدأ الكل أمام حضور المحققين، سارع أحد الرجال يقول للمحقق:

- يا سيادة المحقق أنا ستانلي صديق شابمان الضحية المسكينة الثانية، وكنت أدفع لها ثمن سريرها ولقد تأخرت عليها الأيام الماضية، فطردها هؤلاء المبغوضون في آخر ليلة، تحديدًا هذا الرجل المدير دونوفان هو الذي طردها. وهذه المرأة البدينة هناك

تشاجرت قبل أسبوع مع شابمان وضربتها على عينها فأحدثت تلك الكدمة الكبيرة في عينها والظاهرة حتى يوم وفاتها.

همَّت المرأة البدينة بالرد بغضب لكن أبيرلين رفع يده بحزم وسأل:

– لماذا ضربَتها المرأة في عينها؟

قال الرجل وقد اعتراه بعض التوتر:

– من أجلي.. تصارعت المرأتان عليَّ.

صرخ غودلي في الرجل وهو يمسكه من ياقته:

– أيها الأخرق.. أتظن نفسك بروميل حتى تذبح امرأة صاحبتها وتستخرج أحشاءها ورحمها من أجلك؟

قالت البدينة تدافع عن نفسها:

– سيدي لقد كان شجارنا على صابونة في المطبخ، وهذا الرجل لا علاقة له بأي شيء، ولقد تصالحنا بعد هذا، أنا رأيت شابمان في يوم موتها هناك عند ذلك الزقاق، كانت تبدو في حالة نفسية سيئة، وقالت إنها ذاهبة لإحضار بعض النقود من ستراتفورد مكان رزقها في الدعارة وإلا لن تستطيع البقاء في المنزل.

قال أبيرلين بلهجة عتاب:

– إذن فقد طردتم المرأة في ليلة موتها؟

قال صاحب النزل السيد دونوفان:

– نعم.

قال له أبيرلين:

– كيف كان سلوكها؟ هل كانت تشرب كثيرًا؟

قالت «ليزا» مديرة المنزل وهي تعدل نظاراتها:

– نعم ولقد تركها زوجها قبل سنوات بسبب هذا، ولم تتجه للدعارة إلا بعد الانفصال، وربما كان الانفصال بسبب هذا.

تنهد أبيرلين وهو يقول:

- هذا يقرع جرسًا آخر، تلك هي نفس قصة بولي الضحية الأولى تقريبًا، قل لي، ماذا كان لقب آني شابمان؟

قال ستانلي:

- آني المظلمة أو آني سيفي.

بدأت أفكار أبيرلين تروح وتجيء، ثم سمع الجميع صوت فتى يدخل إلى الفناء ويحمل جريدة ويصيح بصوت عالٍ:

- سيد دونوفان، سيدة ليزا، لقد أرسل السفاح رسالة للعالم.

توقف الفتى وعيونه تنظر في عدم فهم إلى كل هؤلاء الملتفين حول دونوفان حيث استداروا جميعًا ونظروا إليه وإلى الجريدة بفضول كأنه يحمل صحائف أعمالهم.

****

المحقق ربما ينقذ واحدة، وستبقى سبع عاهرات صغيرات يتسولن لأجل شلنات، واحدة تبقى في المحكمة، ثم يحدث قتل.

****

رسالةِ من جاك السفاح:

«عزيزي رئيس الجريدة..

ما زلت أسمع في الأخبار أن الشرطة أمسكت بي، ضحكت كثيرًا وأنا أسمعهم يقولون إنهم على الطريق الصحيح لحل القضية، وتلك النكتة التي لا يكفون عن ترديدها عن صاحب المعطف الجلدي، سأنزل بساحة العاهرات ولن أكف عن ذبحهن حتى أكتفي. لقد كان العمل الأخير عظيمًا، لم أعطِ فرصة لتلك السيدة حتى لتصرخ، ستسمعون عني قريبًا. حاولت أن أضع بعض الدم في قارورة لأكتب به هذا الخطاب لكنه تجلَّط سريعًا. الحبر الأحمر كافٍ على أي حال. في المرة القادمة سأقطع آذان السيدات وسأرسل المزيد للشرطة. سكيني رائع وحاد، وأود أن أبدأ العمل فور أن أحصل على الفرصة، حظًّا سعيدًا. جاك السفاح، اسمحوا لي بأن أستخدم هذا الاسم الأنيق».

قال غودلي وهو يطوي الصحيفة بغضب:

- هؤلاء الثعالب يسبكون كلمات مثيرة لزيادة مبيعات جريدتهم الحقيرة، سنزورهم ونحيل حياتهم جحيمًا.. ها؟

نظر غودلي إلى أبيرلين الذي أخرج من جيبه مشطًا صغيرًا وأخذ يصفف شعره، غودلي يعرف أن أبيرلين يفعل هذا لما يكون متوترًا، قال أبيرلين بغتة:

- كلام الصحف عن هذه الجرائم ليس طبيعيًّا، إنهم يصنعون قضية عامة، لم يكونوا يتحدثون بهذا الحماس في القضايا السابقة التي عملنا عليها مثل أولئك المقتولات اللاتي وجدنا أجسادهن بلا أيدٍ ولا أرجل، الصحافة لا تفعل هذا إلا إذا...

نظر إليه غودلي بتساؤل فأعاد أبيرلين المشط إلى جيبه وقال:

- إلا إذا جاءتهم أوامر بفعل هذا، وقاتل سفاح لا يمكن أن يرسل رسالة كهذه ويتحدى العالم إلا إذا كان محميًّا.

- يا أبيرلين.. هذه الصحيفة كاذبة، حركة رخيصة لزيادة المبيعات.

قال أبيرلين بحزم:

- أريد كل الصحف التي صدرت من أول هذا الشهر وحتى اليوم، كلها بلا استثناء، المحلية والدولية.

وفي ذلك المكتب تحت مروحة السقف الخشبية التي تُحدث ظلالًا بدورانها، كان أبيرلين منهكًا وشعره غير مرتب وهو ينظر في كومة من الجرائد يراجعها كلها، وغودلي مستلقٍ على كرسي وجفناه ينغلقان بإرهاق ونُعاس، وفجأة قال أبيرلين وهو ينظر إلى جريدة في يده:

- أيها الببر، هل تعرف الأمير ألبرت فيكتور؟

اهتز غودلي قليلًا وهو يفيق من غفوته وقال:

- لا أذكر.. ما به؟

- هل يهمك بعَدِّك إنسانًا إذا عرفت أن الأمير فيكتور هذا سافر منذ عشرة أيام إلى يوركشاير في استضافة بعض النبلاء وأنه سيغادرهم اليوم إلى مدينة يورك للصيد لمدة أسبوع؟

- عزيزي أبيرلين، يبدو أنك تحتاج إلى النوم.

وأغلق غودلي جفنيه تكاسلًا لكن أبيرلين قام من مكانه وقال:

- اجمع لي كل المعلومات المتاحة عن هذا الأمير، أريد معلومات حقيقية، وعن كل الجراحين القريبين منه، هذا الخبر لا يوضع في الجريدة هكذا إلا إن كان له غرض، قد يكون لأجل إبعاد الشبهات عنه.

نظر غودلي بعدم اقتناع وهمّ أن يقول شيئًا لكن أحد المحققين دخل المكتب وقال لأبيرلين وهو يلقي أمامه عدد اليوم من تلك الجريدة:

- انظر، لقد أرسل السفاح جاك المختل رسالة أخرى.

أخذ أبيرلين الجريدة بسرعة وقرأ:

«عزيزي الرئيس.. أنا لا أستخدم الترميز عندما أريد أن أعطيك نصيحة، ستسمع غدًا عن أعمال جاكي القبيحة في جريمة مزدوجة، سأحاول أن أرسل لك أُذن العاهرة هذه المرة. جاك السفاح».

وضع أبيرلين الجريدة وهو شارد وقال:

- جريمة مزدوجة!

****

واحدة تبقى في المحكمة، ثم يحدث قتل،
ست عاهرات صغيرات سعيدات أنهن على قيد الحياة،
واحدة مشت إلى جاك، ثم أصبح هناك خمس.

****

بعد عدة ساعات من هذا الحديث كان بائع الجواهر العجوز يجلس في عربته يقود حصانه بسكون الليل متجهًا إلى ساحة دوتفيلد، لاحظ العجوز أن بوابة الساحة مفتوحة على مصراعيها فدخل، لكن حصانه توقف بلا

سبب مفهوم وهو يميل برأسه إلى اليسار، مد العجوز عنقه ليرى ما أوقف الحصان، كان الظلام حالكًا وعيونه لا تساعده في التمييز، يوجد شيء ما ساقط على الأرض، أخرج العجوز كبريتًا وأشعله ليرى، فجع قلبه للحظة، هناك امرأة مستلقية على الأرض، هرع العجوز إلى الحانة القريبة وأخذ يصرخ في الجالسين أن يُحضِروا شموعًا ويأتوا لينظروا.

خرج الناس من الحانة بتوتر ومعهم شموعهم لتتبين لهم جثة امرأة ميتة على الأرض وبركة من الدماء تحتها.

بدا العجوز في غاية التوتر ولم تمضِ ساعة إلا والمحققان أبيرلين وغودلي قد أتيا، وضع أبيرلين يده بحرص ليتحسس الجثة، كانت مذبوحة كالعادة وأسنانها متكسرة، ولكن ما أثار توتره هو أن أذنها مقطوعة، قال أبريرلين لزميله:

- لقد قطع أذنها بالفعل كما قال في الرسالة، لم تكن رسالة مزيفة.

قال غودلي وهو يلهث:

- لم يبقر بطنها هذه المرة.

نظر أبيرلين حوله وقال:

- لم يكن لديه وقت ربما، أو...

من بين خيوط الظلام دخل شرطي مذعور إلى الساحة وهو يصرخ:

- جميع القوات تتحرك إلى ميدان ميتري، جاك السفاح ضرب ثانية.

****

واحدة مشت إلى جاك، ثم أصبح هناك خمس؛

أربع وعاهرة، أنا وثلاث.

****

أقدام تركض على أرض لندن المذهولة، صاحب الحذاء الأنيق يبدو متوترًا أكثر من زميله السمين هذه المرة، في ميدان ميتري كانت الجثة

BAR

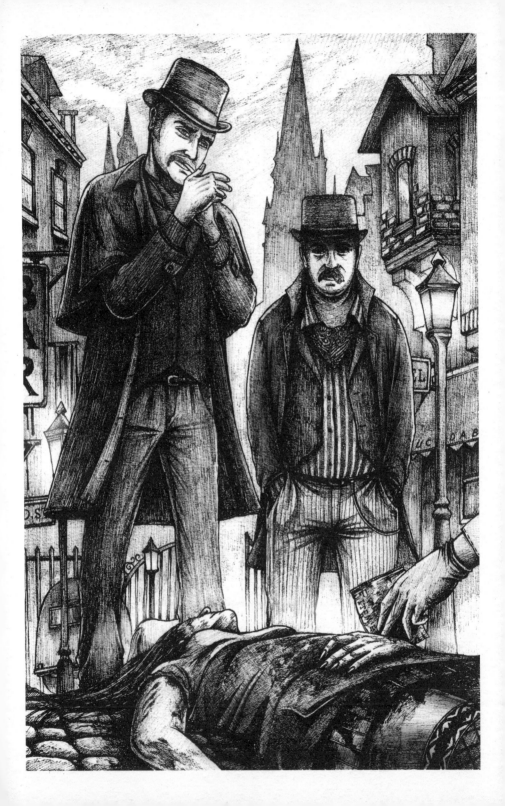

الرابعة أكثر بشاعة من الجميع، مذبوحة مبقورة البطن أمعاؤها موضوعة فوق كتفها ولا يوجد جزء فيها إلا وفيه طعنة أو قَطْع، وبنظرة خبيرة من أبيرلين إلى البطن المبقور، كان واضحًا أن الكلْية مأخوذة، تحدرت ذرات عرق متوتر على جبين أبيرلين، هناك شيء غير عادي في كل هذا.

قاتل ماهر يتحدى الجميع وهو يعلم أن الشرطة ستكون أكثر تحفزًا بعد رسائله وتحديه، ورغم ذلك نفذ جريمتين بمنتهى الدقة، ويجد كل الوقت ليأخذ كلية، وفي المرة السابقة أخذ رحمًا قصها بمنتهى الإحكام، ترى هل يكون الظهر الذي يعتمد عليه أقوى من الشرطة نفسها؟ قال غودلي:

- انظر.. الكلْية منزوعة، لماذا ينزع المختل هذه الأشياء من العاهرات؟

وضع أحد الرجال يده على كتف أبيرلين وهو يقول:

- سيدي، هناك شيء تحتاج أن تراه.

وعلى بعد ثلاثة شوارع صغيرة، كان هناك جزء من رداء المقتولة الرابعة مرميًّا على الأرض، تفحَّصه أبيرلين جيدًا، هناك دماء عليه كأن أحدًا مسح به الدم عن سكينه مثلًا، لكن ما فجع قلب أبيرلين وصديقه وقلوب كل من كان هناك هو كلمة مكتوبة بالطبشور على الحائط فوق الإزار بالضبط: «اليهود هم الذين لن يُلاموا على لا شيء». وكانت كلمة اليهود مكتوبة بطريقة غريبة هي Juwes وليس Jews

****

أربع وعاهرة؛ أنا وثلاث.

سأشعل المدينة بالنيران،

وسيكون هناك اثنتان.

****

قام غولدي السمين يحك صلعته وهو ينظر إلى العبارة المكتوبة بالطبشور، ثم قال:

- معذرة ولكن ماذا يعني هذا بالضبط؟

قال له أبيرلين:

- ألا ترى الكلمات؟

- بل أرى، لكن ما معنى العبارة نفسها، هل يعني أن اليهود سيلامون أم أنهم لن يلاموا.

تنهد أبيرلين وقال له:

- عزيزي.. نفي النفي إثبات، أزِل من العبارة كل النفي ستفهم، عندما أقول لك أنا لا أحب ألا أشتهر، إذا أزلت النفي كله ستكون أنا أحب أن أشتهر.

ركز غودلي قليلًا وهو يقرأ ببطء:

- إذن ستكون.. اليهود هم الذين.. سيلامون.. على شيء.

- نعم بالضبط.

تناقشا قليلًا ثم تأهبا للانصراف، ولمّا كانا قد أوشكا على الابتعاد جاءت عربة شرطة مسرعة تجرها الخيول، نزل منها رجل مهيب يرتدي الزي العسكري، كان يصرخ بشيء ما في الجنود حوله، استتند أبيرلين بظهره إلى جدار المنزل القريب حتى يتخفى وفعل غودلي مثله غير فاهم، أشار إليه أبيرلين أن يصمت، كان الرجل المهيب هو «تشارز وارين» مدير شرطة سكوتلانديارد كلها، كان يتكلم مع المحيطين بحدة ويقول لهم:

- أزيلوا هذه العبارة عن الجدار، لا نريد أن نصحو على حرب أهلية مع اليهود، إن الشعب حساس بما يكفي ضدهم.

مسح رجال الشرطة العبارة حتى اختفت تمامًا، كان الرجال يحاولون إقناعه أن يزيلوا فقط كلمة اليهود، لأن هذا يمكن أن يكون دليلًا مفيدًا، لكنه أصر على مسح كل شيء.

****

سأشعل المدينة بالنيران، وسيكون هناك اثنتان؛

عاهرتان صغيرتان

ترتجفان من الخوف في مدخل دافئ عند منتصف الليل.

****

التهبت أرواح الناس في وايت شابل وفي لندن كلها، الجرائد لفحت النيران في القلوب فانقلبت الشوارع رأسًا على عقب، الكل يبحث عن جاك السفاح، كبار التجار أنشؤوا فريقًا من المتطوعين يطوفون في الليل يساعدون الشرطة في البحث عن القاتل وسموا فريقهم لجنة اليقظة.

في ليلة من ليالي عملهم المعتادة بينما كان رجال لجنة اليقظة يدورون في الشوارع بحثًا عن جاك السفاح والشرطة في دورياتها المكثفة وفي كامل استعدادهم.. حدث شيء ما هناك عند منزل رئيس لجنة اليقظة نفسه.

جورج لاسك، تاجر أثاث ورئيس لجنة اليقظة التي تبحث عن السفاح، كان لاسك مذعورًا لأنه لاحظ رجلًا ملتحيًا يقف أمام منزله كل يوم يراقبه، فبلَّغ الشرطة.. وها هو يراهم يدورون حول منزله يحرسونه. رأى لاسك من الشباك رجل البريد «إيفانز» الملول أتى بوجهه غير المكترث ووضع طردًا في صندوق بريد لاسك ثم غادر ليضع بريد الجيران. حرَّك لاسك جسده المترهل ماشيًا ناحية الصندوق وأخرج الطرد بقلق ودخل به بيته وبدأ يزيل الغلاف البني حول الطرد. وكأن لاسك قد رأى الشيطان ذاته فانتفض راجعًا إلى الوراء وهو يبعد يده عن الصندوق برعب وتقزز. فهناك، وبداخل الصندوق الكئيب، كانت هناك مفاجأة. نصف كلْية بشرية مغموسة في خمر، وورقة تجاورها مكتوب عليها بحبر أحمر دموي:

«عزيزي مستر لاسك..

أنا أرسل لك نصف الكلْية التي أخذتُها من المرأة الرابعة، النصف الآخر من الكلْية قليته وأكلته وكان رائعًا، ربما أرسل لك السكين الدامي الذي استخرجتها به إن انتظرت بعض الوقت.

التوقيع: أمسك بي إن استطعت.. مستر لاسك».

وبينما كانت مشاعر لاسك مذعورة كان عقله يحاول تهدئته وإقناعه أن الأمر كله مزيف، وبأيادٍ مرتعشة سلَّم لاسك الصندوق إلى الشرطة وكشف الأطباء على الكلية جيدًا، وكتبوا أنها كلية يُسرى لامرأة من النوع الذي يشرب كثيرًا، وأنها مصابة بمرض كلوي اسمه مرض برايت، وكانت تلك هي أوصاف الضحية الرابعة إليزابيث سترايدر نفسها التي نزع القاتل منها كليتها.

****

عاهرتان صغيرتان، ترتجفان من الخوف في مدخل دافئ عند منتصف الليل. سكين جاك يلمع، ولم يتبقَّ سوى واحدة.

****

تحفزت عيون الناس بعد أول جريمتين فأصبح عدد الشهود الذين شهدوا في الجريمة الثالثة والرابعة كبيرًا، مركز شرطة سكوتلانديارد كان كخلية النحل، واسم جاك السفاح يذكر على كل لسان، في ذلك المكتب بزاوية المكان قال أبيرلين وهو كبير محققي سكوتلانديارد:

- الأمر أصبح فوضويًّا جدًّا، الشيطان يتحرك بسرعة ويتحدى الجميع، لكنه لن يفلت من بين يدي.

صاح غودلي بحماسة:

- هيا اصعد وأنِر الدنيا يا عظيم، دعنا نُعِد الأيام الخوالي، ها، أخبرني بما لدينا حتى الآن.

مطَّ أبيرلين شفتيه ووقف أمام جدار معلق عليه خريطة شوارع بدائية وقال لمساعده البدين غودلي:

- هنا كانت تعيش العاهرة الأولى ماري آن التي قالت إنها ذاهبة لتنام مع رجل لإحضار النقود، ولم تعُد لأن الرجل الذي ذهبت إليه ذبحها.

رسم أبيرلين علامة إكس حمراء أولية ثم قال:

- العاهرة الثانية آني شابمان أيضًا طُرِدت من هذا المنزل الفقير، وقالت إنها ذاهبة لتنام مع رجل لإحضار النقود، لكن هناك عجوزًا شاهدتها مع رجل ذي قبعة ذبحها واستأصل رحمها.

رسم أبيرلين رسمًا كاريكاتوريًّا لرجل يرتدي قبعة على نقطة في الخريطة ورسم جواره علامة إكس ثانية ثم قال:

- إليزابيث سترايد المقتولة الثالثة، كانت قصتها محظوظة لأن هناك كثيرًا شاهدوها يوم موتها بعد تحفز الناس في كل الشوارع، فهي خرجت قبل قتلها بساعات، ثم قابلت رجلًا قصيرًا لديه شارب يرتدي بذلة أنيقة وقبعة دائرية، وكانا يمارسان التقبيل.

- الرجل نفسه ذو القبعة يتكرر هنا أيضًا.

أكمل أبيرلين:

- بعد التقبيل العميق مع صاحب القبعة مشت إليزابيث إلى هذا الشارع، وهناك شوهدت مع رجل يرتدي معطفًا أسود وقبعة بحارة، وكان يُقبّلها، وقال لها: «أنت ستقولين أي شيء اليوم عدا صلواتك».

- أهو الرجل نفسه ذو القبعة الدائرية أم واحد آخر؟

- بل واحد آخر، وصف القبعة يختلف كما ترى، والملابس.

رسم أبيرلين رجلًا ذا قبعة بحارة عند نقطة أخرى في الخريطة، ثم قال:

- ثم شوهدت هنا تستند بظهرها إلى الحائط والرجل ذو قبعة البحارة يقول لها: «لا لا، ليس الليلة، في ليلة أخرى».. وبعد التقبيل والحركات الماجنة، مشت إليزابيث إلى هنا.. وهو الشارع الذي ماتت فيه.

رسم أبيرلين علامة إكس حمراء ثالثة على موضع في الخريطة وقال:

- هنا رآها شخص من المارة تقف مع رجل ذي شارب بني وقبعة سوداء ومعطف طويل يتحدث إليها ثم يحاول أن يسحبها إلى الزقاق فصرخت، وكان هناك رجل آخر في الجهة الأخرى من الشارع يشعل بايب ويراقب بهدوء.

قال غودلي وهو يحك خده:

- يعني لدينا أكثر من جاك سفاح يعملون معًا وليس واحدًا؟

قال أبيرلين بصوت خافت بعض الشيء:

- نعم، وكلهم يستندون إلى ظهر أقوى من الشرطة نفسها، أنت رأيت مدير الشرطة يمحو تلك العبارة، وهذا يخالف كل الأعراف في عملنا، هذه العبارة فيها الحل يا غودلي، لا بد أن نفهم معناها الحقيقي.

استدار أبيرلين للخريطة وكتب كلمة Juews في موضع معين منها ثم سأله غودلي:

- وماذا عن الرابعة، تلك التي وجدنا كليتها منزوعة ووجدنا هذه العبارة مكتوبة فوق إزارها؟

376

- الرابعة كاثرين كيلي هي أشدهم تمثيلًا بجثتها، خرجت من هنا وأخبرت حارس الشارع أنها تعرف جاك السفاح وتريد أن تبلغ عنه، فحذرها الحارس أن يقلتها جاك لكنها تجاهلته.

رسم أبيرلين علامة إكس رابعة وقال:

- عند هذا الشارع رآها ثلاثة رجال تتحدث مع شخص ذي شارب أسود يرتدي جاكيتًا واسعًا وقبعة مزركشة ووشاحًا أحمر حول رقبته، بعدها يبدو أن هذا الرجل ذبح كاثرين واستأصل رحمها وكليتها كما أفاد الطبيب، وأرسل القاتل كليتها لرئيس لجنة اليقظة في بيته.

قال غودلي بتساؤل:

- هل الضحية الثالثة والرابعة عاهرات أيضًا؟
- نعم، عاهرات، وقصة حياة الأربع متماثلة تقريبًا.
- قلتَ إن من فعل هذا لا بد أن يكون أقوى من الشرطة، أتقصد.. يا إلهي.. أتقصد شخصًا من العائلة المالكة؟ ألهذا كلَّفتني بجمع تلك المعلومات عن ذلك الأمير؟
- هات ما وجدت عنه.

قال غودلي وهو يستخرج مفكرته الصغيرة وقال:

- الأمير هو حفيد ملكة إنجلترا، في الظاهر هو نبيل أنيق وأمير، لكنه في الباطن ذو نزعات جنسية غريبة وله فضائح مع نساء غريبات، لكن الملكية الإنجليزية دائمًا تغطي على هذه الأمور بكل الطرق، طريقة كلامه توحي لك مباشرة أن لديه حالة نفسية غريبة، طبيبه الخاص هو الجراح صديق العائلة الملكية «ويليام جول».

ابتسم أبيرلين وقال:

- تأكد أيها الببر أنه لو كان ما في بالي صحيحًا، أترى ملف جاك السفاح هذا؟ أترى هذه القمامة بجوارك؟ سنضعه فيها وسنغلق أفواهنا إلى الأبد.

****

ثمان عاهرات صغيرات، لا أمل لهن في الجنة،
المحقق ربما ينقذ واحدة، وستبقى سبع..
سبع عاهرات صغيرات يتسولن لأجل شلنات،
واحدة تبقى في المحكمة، ثم يحدث قتل.
ست عاهرات صغيرات سعيدات أنهن على قيد الحياة،
واحدة مشت إلى جاك، ثم أصبح هناك خمس؛
أربع وعاهرة، أنا وثلاث.
سأشعل المدينة بالنيران، وسيكون هناك اثنتان
عاهرتان صغيرتان، ترتجفان من الخوف
في مدخل دافئ عند منتصف الليل.
سكين جاك يلمع، ولم يتبقَّ سوى واحدة،
وآخر واحدة هي اليانعة أكثر، لأجل فكرة جاك عن المرح.
«آخر رسالة من جاك السفاح»

****

عاهرة جميلة في شارع ميلر تبدو في العشرينيات نابضة بالحياة، فتحت نافذة غرفتها بعد غروب الشمس وبدأت تغني: «مشاهد من طفولتي لا تنفكُّ تأتي على بالي، تعيد إلى نفسي أيام كنت فيها فَرِحة». كانت تُهَمْهِم في البداية ثم علا صوتها بالغناء والماضون في الشارع ينظرون إليها بنصف عين ولا يكترثون.

ماري جين كيلي تملك وجهًا مشرقًا يجعلك قد لا تصدق أنها عاهرة. واحدة بمثل هذا الجمال يمكنها أن تصل إلى أي شيء.. لكن ملابسها

الفقيرة وحالة غرفتها يقنعانك أن الجمال ليس وحده يقوى للوقوف في وجه الحياة.

«كنت أركض بين المروج في طفولتي سعيدة، ولا أحد بقي ليسعدني الآن في جنبات هذا البيت القديم».

بدأت بائعة الزهور الجالسة في زاوية الشارع تنزعج من غناء كيلي، وتأهبت لتقوم وتحيل يومها جحيمًا، لكن زوج بائعة الزهور العجوز الجالس على كرسي خشبي مهترئ قال لها بحدة ضعيفة وهو يتكئ على عصاه:

– أنتِ أيتها البومة العجوز.. دعي الفتاة الفقيرة بحالها.

في ذلك الوقت أتت جارة كيلي ونظرت بلا اكتراث إلى كيلي وهي تغني ثم دخلت إلى المبنى ودلفت إلى بيتها، وقبل منتصف الليل بقليل خرجت الجارة من غرفتها، والغريب أن كيلي كانت ما تزال تغني بحرقة: «لكن مهما مضت بي الحياة سأظل أحمل ذكرى.. هذه الزهرة البنفسجية التي قطفتها من قبر أمي».

في أول ساعات الصباح جاء مُحصِّل الإيجار يقرع باب غرفة ماري جين كيلي، لم ينتبه للدم المتجلط على الأرض، قرع مرة واثنتين ولم يرد عليه أحد، فتحرك ليحاول النظر من النافذة إلى الداخل، وكاد يغمى عليه مما رأى. ولم تمضِ نصف ساعة إلا وقوات الشرطة قد أتت أمام الباب والمحقق السمين غودلي معهم يحاولون فتح الباب ولم يستطيعوا؛ فأخذ غودلي فأسًا وأخذ يضرب الباب حتى كسره، وظهر المشهد الذي كان ختام ألعاب جاكي القبيح. ماري جين مستلقية على سريرها أو ما بقي من ماري جين، ذبح في الرقبة والبطن مفرغ من أحشائه، الأرض مغطاة بالدم كأنها مسبح وكل عضو داخلي من أعضاء الفتاة ملقى في مكان.

وفي مكان آخر كان المحقق أبيرلين في حالة رثة يجلس على كرسي بين رفوف لا تنتهي من الكتب، كان في مكتبة وايت شابل يحاول أن يقرأ

أي شي له علاقة بكلمة Juwes المكتوبة على الجدار، إن مرتكب هذه الجريمة هي جهة قوية لا تخاف من الشرطة، بل إن مدير الشرطة نفسه يغطي على عملهم ويمسح الكلمة التي قد تشير إليهم، وهذه الجهة لها علاقة باليهود بشكل ما، لكن اليهود أصلًا مكروهون في المجتمع وليس لهم سلطات كبيرة هنا، فكيف يتفق الأمر؟

بدأ أبيرلين يفتح التوراة وكتب اليهود علَّه يجد أي شيء له علاقة بهذه الكلمة فلم يجد، وأتت مسؤولة المكتبة الهزيلة تريد أن تقول له في حرج إن الوقت قد انتهى وإن المكتبة لا بد أن تُغلَق، فرفع لها أبيرلين يده بشارة شرطة سكوتلانديارد في إرهاق، فابتسمت بحرج وهزَّت كتفها ولم تتكلم وأخرجت من جيبها مفتاحًا وأعطته له وقالت:

- سيدي هذا مفتاح المكتبة، لا تنسَ أن تغلق المصابيح حتى لا يطردوني من هنا أرجوك، شكرًا لك.

مرت الساعات عليه وهو يفتح القواميس ليتابع أي كلمة تبدأ بالحرفين Ju حتى تسلل اليأس إلى جوانب نفسه رويدًا رويدًا، وفجأة هب واقفًا، وهو ينظر يمينًا وشمالًا في الرفوف، قال:

- أيتها الفتاة الهزيلة، تعالي إلى هنا.

ثم تذكر فجأة أنها غادرت، وأخرج المفاتيح من جيبه ينظر إليها بشرود، ثم بدأ يبحث عن كتاب معين أو كتب معينة، لقد وجد الحل.. أو أوشك. الأمر لم يكن ليخطر على بال أحد بالفعل، ظل ينظر إلى الرفوف ويتعثر في الكتب التي يلقيها على الأرض حتى وجد الكتاب المنشود، كان يحدق إلى صفحات الكتاب ويقرأ، Juwes هي كلمة تطلق على ثلاثة أشخاص: جوبيلا Jubela وجوبيلو Jubelo وجوبيلوم Jubelum، وهم في القاموس الماسوني ثلاثة عمال خسيسون من ضمن الاثني عشر عاملًا الكبار في هيكل سليمان، وهم خسيسون لأنهم قتلوا الماستر الأعظم للهيكل «حيرام أبيف»، ذهبوا إليه وحاولوا أن يأخذوا منه سر

العمارة الذي استأمنه عليه سليمان لكنه رفض حفظًا للأمانة فقتلوه ومثلوا بجثته، أخرجوا أحشاءه ووضعوا أمعاءه على كتفه اليسرى.

ظل أبيرلين يحدق إلى الكتاب برهة.. الأمعاء على الكتف اليسرى.. هذا مثل الذي حدث في الضحية الرابعة.. والأحشاء المستخرجة.. هذا مثلما حدث مع جميع الضحايا.. استكمل النظر والقراءة، تبين أن هذه القصة هي حكاية يستخدمها الماسونيون لتعليم أعضائهم الحفاظ على الأسرار، فالداخل في الماسونية يقسم وهو معصوب العينين أنه لن يفشي أسرارًا وإلا سيُقتل ويؤخذ قلبه وتُستخرَج أحشاؤه وتُوضَع أمعاؤه على كتفه اليسرى مثلما حدث مع حيرام أبيف.

كان أبيرلين يقلب الأمر يمينًا ويسارًا، الماسونية هي التي أحدثت الثورة الإنجليزية في بلده قبل قرنين من الزمان، وهي التي أدخلت اليهود إلى بلاده مهاجرين من كل مكان، الماسونية هي التي تتحكم باللوردات الحاكمين لإنجلترا من حلوقهم، لأنها هي مَن أوصلتهم إلى العروش، وهي التي يمكن أن تزيلهم عنها، لكن.. قال أبيرلين لنفسه بصوت مسموع في وسط المكتبة: «أي عبث هذا؟ ما علاقة العاهرات؟ لكن لحظة، أيعقل أن...».

❋❋❋❋❋❋❋❋

«نحن في الماسونية لسنا تنظيمًا سِريًّا، فكل الناس يعرفوننا، إنما نحن تنظيم يمتلك أسرارًا، ويوجد فرق»

تشارلز وارن

❋❋❋❋❋❋❋❋

تابوت أسود من خشب رخيص مرفوع على الأكتاف متجه ناحية مقبرة سان باتريك الكاثوليكية، بداخله فتاة عاشت وحيدة، وماتت وحيدة، لا يوجد أحد من عائلتها أو أقاربها في الجنازة، رغم أن الجنازة تأجلت عدة مرات، قد يغادرك الناس وأنت حي وتموت ولا يشعر بك أحد،

لكن ماري جين كيلي ماتت موتًا لا يخطر على بال شيطان، حتى إنهم عانوا كثيرا في جمع أجزائها معًا في التابوت، كان بعض رجال الكنيسة يمشون في الجنازة وبعض نزلاء السكن الذي كانت تعيش فيه، كذلك المحققان أبيرلين وغودلي.

أجفان أبيرلين كانت منتفخة جدًّا وكأنه لم ينَم في الليلة الماضية أبدًا، في حين كان غودلي في كامل يقظته، نظر أبيرلين إلى مراسم الدفن ومطَّ شفتيه كعادته ومال على غودلي وقال له:

- هل عرفت إجابة السؤالين الذين طلبتهما منك أمس؟

تحركت يد غودلي إلى مفكرته الصغيرة ففتحها بلا اعتناء وهو يقول:

- تشارلز وارن مدير شرطة سكوتلانديارد الذي مسح العبارة من الحائط هو ماسوني قديم، ولم أجد محفلًا من محافل لندن الماسونية إلا وله عضوية فيه، بل إنهم يعدّونه الماستر الأعظم لماسونية لندن.

هزَّ أبيرلين رأسه بتفهم وقال:

- وماذا عن ويليام جول جراح العائلة المالكة؟

نظر غودلي إلى المفكرة وقرَّب رأسه منها وقال:

- نعم وجدته مدرجًا في محفل ساليزبوري الماسوني.

نظر أبيرلين بعيون متعبة إلى صديقه غودلي وقال بنصف ابتسامة:

- يبدو أنه لن يمكننا أن نعيد الأيام الخوالي يا صاح، انسَ هذه القضية.

ابتسم غودلي ثم حاول إخفاء البسمة لأنهم في جنازة وقال:

- فقط التلميح بأن الماسونية لها علاقة بالأمر جعل مدير الشرطة يمحو العبارة، ماذا سيحدث فيمن يقول هذا صراحة؟ سنفقد أعضاءنا يا عزيزي، ومعدتي غالية عليَّ.

- مدير الشرطة لم يمسح العبارة لأنها تشير إلى الماسونية، فمن كتبها يعلم أنه لا أحد سيربط بينها وبين الماسونية، لأنها شيء داخلي في عقائدهم لا يعرفه العامة، لكنه مسحها لأن الكلمة قريبة من كلمة اليهود، والماسونية لا تقبل أن يؤذى اليهود بأي شكل.

- ماذا ستكتب في تقريرك؟

- سأكتب أشياء غير واضحة، لا يمكنني أن أقول إن المنظمة الملكية الماسونية في إنجلترا قتلت خمس عاهرات تغطية على الفضيحة الجنسية للأمير فيكتور حفيد الملكة، الموالي للماسونية، وإنها قتلتهن على الطريقة الماسونية التي تُنفَّذ فيمن يفشي الأسرار.

قال غودلي وهو ينظر إلى المُعزّين يَتْلون الصلوات:

- مسكينات هؤلاء العاهرات، هل تظن أنهن سيدخلن الجنة؟

قال أبيرلين وهو واضع يديه في جيبه:

- لن تعرف أبدًا أيها الببر.. فأنت لن تدخل الجنة أصلًا.

قال غودلي بغضب:

- مه، ماذا تقصد يا وغد؟

استدار أبيرلين ومشى بغير اكتراث ويداه في جيبه تاركًا القضية كلها في الضباب، ولم يعرف أحد هوية جاك السفاح، ولن يعرف.

***** تمت *****

في غرفة صغيرة بأحد المخازن المهجورة كان بوبي فرانك ملقى على الأرض وبجواره وقف ليوبولد ولويب بقامتيهما الطويلتين ونور مصباح السقف الخافت يتراقص فوق رأسيهما كأنهما نُذُر العذاب، قال ليوبولد:

- كل مَن يفشي سرًّا واحدًا لدينا يموت يا بوبي ويُمثَّل بجثته، ما بالك بك أنت وقد سطَّرت جميع هذه الأسرار للعامة؟

قال لويب:

- أنت حضرت طقس حيرام أبيود هذا يا لعين، فكل من ينضم لتنظيمنا الماسوني يؤديه في الدرجة الأولى، ألا تذكر لمّا وضعوا على عينك عصابة وطوَّقوا حبلًا حول رقبتك وساقوك كالبهيمة في مشهد تمثيلي وقالوا لك إن هذا يرمز إلى اعترافك بأنك في حالة فوضى وأنك أعمى لا ترى الآن وأنك تقبل أن تقودك الماسونية إلى ما تريد.

مد ليوبولد عصا كانت معه ودفع بها رأس بوبي في إهانة وقال:

- أخبرني يا لعين فكلي فضول، أكنت تعلم هوية جاك السفاح قبل هذا؟

نظر بوبي إلى الأرض وهو يميل رأسه كعادته وقال:

- لم يكن يعنيني أمره بل كنتُ معنيًّا بتشارلز وارن، رئيس الشرطة الماسوني الذي مسح العبارة التي قد تدين اليهود عن الجدار.

قال ليوبولد:

- ولماذا يعنيك أمره أيها اللعين؟

رد بوبي:

- الكهوف التي حدثتكما عنها سابقًا في قصة آدم والتي تختفي تحت الأرض المقدسة، مكتشفها هو تشارلز وارن في أثناء خروجه في عملية اسكتشافية بأمر المحفل.

قال لويب وهو يرتدي قفازات بلاستيكية:

- فليكن يا صغيري، هل تشم هذه الرائحة القادمة من الحمام؟ هذه رائحة الأسيد الذي سنلقيك فيه بعد دقائق، أنت تعلم أن هذا

الأسيد إذا مس الجلد فقط يأكله، فجسدك القذر سينصهر في دقائق حتى آخر عظمة لعينة تملكها.

سكت بوبي وبدأت دقات قلبه تتسارع، فقال له ليوبولد:

- قل لي يا بوبي أليس لك أمنية أخيرة؟

أغمض بوبي عينيه وألقى إليهما كلمة وقعت عليهما كالصاعقة، قال:

- ليست أمنية، بل معلومة.. إن جميع التسجيلات التي سجلتموها بكمبيوتري هذا أو بجهاز تسجيل الصوت في الهرم ليست لها أي قيمة.

رفعه ليوبولد من ياقته بغضب وقال:

- ماذا تعني يا ألعن من أنجبت هذه الأرض؟ هل كان كلامك كذبًا؟

قال له بوبي وهو يغمض عينيه بقوة:

- لم أكذب في حرف واحد، ولكن بث الكاميرا بالصوت والصورة الذي سجلتما فيه حديثي بكل هذه الأسرار كان ينتقل تلقائيًّا إلى شخص معين لينشره على الملأ حتى يعلم الناس هذه الأسرار.

ضربة حذاء عنيفة جدًّا أصابت وجه بوبي فشجَّت وجهه ولويب يقول له:

- كيف فعلت ذلك يا شيطان؟

قال بوبي والدم يسيل من جبهته:

- البرنامج المخفي نفسه في أي كاميرا كمبيوتر أو هاتف يشتريه الناس ويرسل صوتهم وصورتهم إلى الجهات التي تعلمانها، أنا سيطرت على هذا البرنامج الخفي ووجهت البث الذي يعمله إلى شخص معين لينشرها.

صاح لويب:

- أين هذا الشخص أيها اللعين؟ انطق أو سأنتزع منك جميع أحشـ...

قاطعه بوبي:

- لا حاجة إليك بهذا فقد نشرها ذلك الشخص بالفعل.

أطلق ليوبولد سبَّة قبيحة ثم رفع بوبي من شعره بعنف شديد ووضعه على كرسي خشبي وبدأ يقيد له ذراعيه خلف ظهره ونزل لويب على الأرض يقيد قدميه بغلٍّ وصاح:

- جهِّز الكاميرا يا ليوبولد، آن أوان إعدام هذا الحقير.

هرع ليوبولد يحضر الكاميرا وثبتها على الطاولة أمام الكرسي الذي يجلس عليه بوبي وضبط جميع إعداداتها ليبدأ البث الحي على أحد مواقع الإنترنت المظلم بعد نصف دقيقة، ثم ارتدى كل واحد منهما قناع عجل شيطاني أسود اللون ووقفا بجمود على جانبي كرسي بوبي، وبدأ عداد الكاميرا يعد تنازليًّا حتى بدأ البث.

ظهرت أمام متابعي ذلك الموقع القذر صورة بوبي فرانك وهو جالس على الكرسي وبجواره شابان يرتديان أقنعة عجول ويمسك أحدهما بشعر بوبي بعنف ويقول:

- لأجل عيونكم اللعينة التي دخلت تشاهد هذا الفيديو، اليوم نقدم لكم إمتاعًا لن تحلموا برؤيته حتى في أبشع أحلامكم؛ سنعدم هذا الفتى المصاب بالتوحد بإلقائه في الأسيد ونترككم تشاهدون أطرافه وهي تذوب طرفًا طرفًا.

بدأ سيل من القلوب والإعجابات ينهال على الفيديو وتسارع عدد المشاهدين بجنون وبرزت على الشاشة تعليقات على طراز «أعدموا الفتى اللعين» أو «ابدؤوا الحفل». أمسك لويب بالكاميرا وقربها من وجه بوبي وقال له:

- ألقِ كلماتك الأخيرة يا لعين، فأنت في الدقيقة الأخيرة من حياتك.

نظر بوبي إلى تعليقات المختلين الذين يطالبون بقتله وهم لا يدرون أصلًا من هو ولا من هذان إنما هي شهوة الدم فقط، وعلى عكس المتوقع من شخص سيُعدَم، نظر بوبي بحزم إلى الكاميرا وقال:

- تسمعون ناقوس الخطر يدق بعدي أربع مرات، كل مرة يدق الناقوس في كتاب يملأ الدنيا جدلًا، فإذا دق الناقوس الثاني من الأربعة، ستشاهدون الإشارة بأعينكم، وستعرفونها عندما ترونها لأنها تدعوكم إلى أن تجتمعوا، فإذا رأيتموها فاتبعوها ولا تحيدوا عنها، فوالله إن جيلكم هذا سيقلب الطاولة على رؤوسهم وتؤرخ به نهاية خطتهم القذرة بالفشل، فتأهبوا وانتظموا وتكتلوا واملؤوا الدنيا نورًا كما ملؤوها ظلامًا.

نزلت صفعة على وجه بوبي أنزلت الدماء من زاوية فمه، وسحبه ليوبولد من شعره وسحله على الأرض ولويب يصور حتى وصل به ليوبولد إلى الحمام، ثم كمَّم فمه تكميمًا متينًا حتى لا يصرخ، واتسعت عين بوبي من الرعب وهو يرى الأسيد أخضر اللون الذي يملأ حوض الاستحمام، فأغمض بوبي عينيه وتمتم بكلمات الشهادة ثم استدار ونظر مرة أخيرة إلى الكاميرا وابتسم بحزن ثم عاد ينظر إلى حوض الاستحمام وليوبولد يمسكه بعنف ويرفعه تأهبًا لدفعه بطريقة معينة في الحوض، وصورت تلك الكاميرا أبشع مقطع لقتل إنسان في تاريخ هذا العالم.

سفر الختام

- أنا لا أدري أي شياطين لعينة تحكم هذه المدينة.

قالها المحقق ريكس واتسون بصوت مسموع وهو جالس على مكتبه شارد الذهن بين دخان غليونه الموضوع على منفضة السجائر والدخان المنبعث من فنجان القهوة الخاص به، كان هو رئيس التحقيق في قضية اختفاء بوبي فرانك، التي تحولت بعد مرور سنة إلى قضية قتل بعد أن اكتشف الأهالي جثة معدومة الملامح تخرج من بحيرة وولف، وبالبحث والتحري الدقيق كُشِفت هوية الجثة، وأنها تعود إلى روبيرت يعقوب فرانكس الملقب ببوبي فرانك، الذي اختفى منذ سنة كاملة بلا أثر، وقد تبين أن الجثة غُمِست في محلول الهيدروكلوريك المركز لإخفاء ملامحها.

كان المحقق ريكس غاضبًا لأنه وبعد تحقيق بارع تمكن من معرفة هوية القاتلين ليوبولد ولويب بعد أن كُشِفت نظارة طبية بجوار البحيرة تبين من قياساتها أنها تخص ليوبولد ابن الملياردير اليهودي، وبالقبض عليه اعترف ودل على شريكه في الجريمة لويب ابن عم بوبي فرانك، ورغم القبض عليهما واعترافهما ورغبة ريكس في تنفيذ عقوبة الإعدام عليهما فإن عائلتهما الثرية عيَّنت لهما أفضل محامٍ في الولايات المتحدة كلها.. الوحش «كلارنس دارو»، واليوم بالذات حصل لهما هذا المحامي على حكم مخفف بالسجن.

أخذ المحقق ريكس رشفة من قهوته ثم مد يده إلى صندوق صغير مفتوح بجواره وبه أكوام من المخطوطات القديمة المكتوبة بلغات قديمة منها العبرية ومنها اليونانية والعربية، كان ذاك هو الصندوق الذي أُخِذ من الغرفة التي عذب فيها ليوبولد ولويب بوبي فرانك، وكان

يحوي مخطوطات تبدو شديدة الأهمية وكلها مجلدة بعناية ومختومة بختم المحفل الماسوني الأعظم في نيويورك، وكان ريكس يُسائل نفسه عن سبب ومعنى وجود هذه المخطوطات مع بوبي فرانك.

أخرج ريكس المخطوطات وأخذ يطالعها واحدة واحدة، لم يفهم شيئًا من تلك اللغات الغريبة إلا مخطوطة واحدة فقط كانت مكتوبة باللغة الإنجليزية وبخط أنيق ومرتب للغاية، كان عنوان المخطوطة «ما خفي من نبوءات نوستراداموس»، ومُوقَّعة بما يبدو أنه توقيع نوستراداموس نفسه أشهر عراف في التاريخ، وملصق على المخطوطة ورقة صفراء مكتوب عليها بخط بوبي فرانك «قيد التحقيق لغرابة المحتوى».

بدأ المحقق ريكس يقرأ المخطوطة وملامحه تتغير، تتسع عيناه حينًا ويبتلع ريقه بصعوبة حينًا آخر حتى نسي قهوته وغليونه وعينه تلتهم السطور ودقات قلبه تزداد حتى سمع طرقًا على الباب فصاح:

- ادخل.

وفور أن عرف المحقق ريكس هوية القادم، قام من مكانه بسرعة احترامًا وتحية، كان ذاك الملياردير اليهودي يعقوب فرانك والد المقتول بوبي، كان يملك جسدًا ضخمًا ووجهًا يهودي الملامح يبعث الرعب في النفس، قال له يعقوب:

- جئت أشكرك أن عرفت هوية القاتلَين اللذين أنهيا حياة ابني.

قال له ريكس بشيء من الغضب:

- كنت أريد الإعدام لهما لولا المحامي «دارو».

ظهرت ابتسامة غير مريحة على شفتي يعقوب فرانك وهو يقول:

- كانا سيأخذان حكما بالبراءة إذا أردنا لهما ذلك، فهما من أبناء التنظيم، لولا أنهما رأيا شيئًا واحدًا جعلنا نقرر وضعهما في الحبس مدة 99 عامًا.

بدأت دقات قلب ريكس تتسارع وهو لا يدري لماذا يقول له يعقوب هذا الكلام الذي ليس له إلا معنى واحد شديد السوء، وقال بصوت متردد:

- ماذا تعني؟ وما هذا الشيء يا سيد يعقوب؟

قال يعقوب ببطء:

- هذه المذكرات التي في يدك.

أحنى ريكس رأسه لينظر إلى المذكرات ثم رفع عينيه إلى يعقوب و... انبعثت طلقة من مسدس ضخم في يد يعقوب لتفجر رأس المحقق ريكس تفجيرًا في وسط مكتبه عيانًا بيانًا، ووضع يعقوب المذكرات في الصندوق وحملها خارجًا، ولم يجرؤ شخص واحد في أمريكا على أن يرفع قضية على يعقوب فرانك، رئيس التنظيمات الماسونية في أمريكا بأكملها.

12

موعد المجيء

يكتبها: ميشيل نوستراداموس

1566 بعد الميلاد – 2200 بعد الميلاد

I

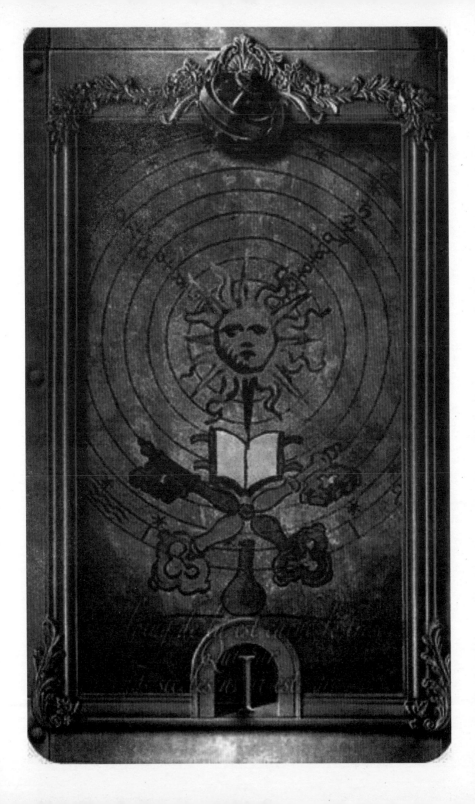

بريشة أمسكها بين أصابعي أُثير قلوب الرجال وأحرك عواطف النساء، آتيهم من طرائق في وجدانهم أعمق من طرائق الدين، طرائق أسميها الوعي الجمعي. الشموع حولي والأدوات القوطية والعباءة السوداء، والكلمات الغامضة التي تحتمل أكثر من معنى، كلها أدوات جعلت هؤلاء الجهلة يعطونني أموالهم ونفوذهم. برعت في هذه اللعبة حتى إن ملكة فرنسا كاثرين دي ميسي أصبحت أكبر داعم لي، وأصبحتُ أنا المستشار الروحي لابنها الأمير تشارلز، هل تعلم معنى المستشار الروحي؟ أنا لا أعلم، لكن لا بد أن تقال كلمة كهذه تثير الخيال والفكر، وإذا أشعلتهما في نفس بشري حصلت على انتباهه.

جعلت لنفسي اسما موحيًا يتفق مع ما أريد الوصول إليه، نوستراداموس، لا أعدُّ نفسي دجالًا، فأنا أعرف الدجالين وكيف يحصلون على أموال الناس ويعطونهم الكذب، أنا لا أعطي الناس كذبًا بل حقًّا، لكنني أقدمه بصورة خاصة، لو كان لديك علم طبي وقدمته لشخص ما هنا في أوروبا المُظلمة وشُفي به ثم انصرفتَ من عنده سيظن أنك محظوظ، لكن إذا ضيقت عينك وأشعرته أنك تتواصل مع كائنات روحية عالية، وقدمت له المعلومة نفسها وشفي بها، ستصير عنده نبيًّا، وهذا ما أفعله هنا مع هذا الشعب الغوغائي. مشيت في أنحاء القرى التي لا يصل إليها الأطباء، بعباءتي السوداء وخبرتي الطبية، أحارب أوجاعهم وأعلمهم كيف يحفظون أنفسهم من الطاعون. المتنبئ والعالِم الروحي يحترمونهما هنا ألف مرة أكثر من الطبيب، بل إن الطبيب لو فشل في علاجهم يلعنونه، ولو فشل الكاهن في علاجهم يقولون إن الخطأ في أنفسهم.

بالعلم وحده كتبتُ كتاب «القرون» الذي لم يعد في هذه الأنحاء مكان إلا يتلوه، ليس علم الأفاكين الذين يجولون البلدان وينظرون في النجوم بحكمة زائفة، بل علم النبوءات الحقيقي. كل من يتنبأ بالمستقبل دجال، خذها من فم نوستراداموس، لا توجد طريقة في العلم الظاهر أو الباطن

تجعلك ترى ما سيحدث قبل أن يحدث، لطالما آمنتُ بهذا، لكنني ورثت عن أجدادي اليهود مكتبة هائلة من الكتب، وكنت كلما أطالع شيئًا من سطورها وصفحاتها تضعف في يقيني هذه الفكرة. تعلمت أنه في هذا العالم لا أحد حقًّا تنبأ بشيء ثم حدث كما قال، إلا الأنبياء.

التوراة، الإنجيل، القرآن، أنا أعلم الناس بالكذب، يمكن لليهود أن يزيفوا نبوءة قالها موسى مثلًا، لتتفق مع شيء يحدث معهم في عصرهم، أو يزيف المسلمون مقولة في عصر معين يدّعون أن محمدًا قالها، هذه الألاعيب أنا «الماستر» فيها، لكن أن يتحقق حدث معين بعد قرون طويلة من النبوءة المكتوبة في أحد الكتب، فهذه نبوءة حق، وتلك الكتب ملأى بها. من وسط كل نبوءات الحق هذه، كانت تُوجد نبوءة واحدة تتردد في جميع الكتب المقدسة، نهاية هذه الأرض، ونزول رجل شنيع منتظر، سيحكم هذا العالم كله بالفتنة، ويضلُّ أممًا وعقولًا، يَتَلَوَّن لهم كالحرباء ويريهم أمورًا يستحيل على بشري أن يمتلكها، إلا أن يكون إلهًا، وسيعبدونه ويذلون له جباههم، خوفًا وطمعًا، أفنيت نفسي بين تلال الكتب ولفائف المخطوطات لأعرف إجابة سؤال واحد، متى سيأتي هذا الشيطان.. وبعد سنوات عرفت. كل شيء مكتوب في علم النبوءات، مكتوب بالنص.

كتبت كل شيء عرفته في كتابي «القرون»، تحديدًا في الفصل الأخير والقرن الأخير، كتبت 58 بيتًا كاملًا، لكنني سرعان ما حذفت هذه الأبيات لأن الكنيسة الكاثوليكية لن ترحم، فسرعان ما سيكتشفون كيف وصلتُ إلى هذه النبوءة، وعندئذٍ سيُقطع عنقي أو أعلق على صليب لأكون عبرة. لم أحرق هذا الجزء المحذوف، لكنني احتفظت به، لينتشر من بعدي، يفهمه من يفهمه، وينساه من ينساه. وسأكتب بهذه الريشة كل شيء، متى يكون موعد نزول ذلك المسيح، في أي سنة تحديدًا من سنوات هذا العالم. وللمرة الأولى في نبوءاتي سأكتب كيف استخرجت النبوءة من بطون الكتب. وسنبدأ بكيف، ثم متى.

****

«القراءة توصلك إلى أعلى مما يوصلك له الدجل والعلم الزائف».

****

بدأ كل شيء عندما وجدت في مكتبة أجدادي نسخة من التوراة مكتوبة عام 600 قبل الميلاد ذكر فيها الآتي: «سيأتي زمان يصدر فيه أحد الحكام أمرًا ببناء أورشليم، وبعدها بـ 483 سنة سيأتي المسيح المنتظر، ثم سينقطع هذا المسيح عن العالم وتُدمر أورشليم بعده ثانية».

وبالفعل بعد كتابة هذه النسخة من التوراة بسنوات طويلة جدًّا، أصدر الإمبراطور كورش الأمر ببناء أورشليم بعد خرابها الأول بعد السبي، وبعدها بـ 483 سنة بالضبط نزل المسيح عيسى مُحققًا النبوءة بالحرف، ورغم ذلك كذَّبه اليهود الذين كانت النبوءة مكتوبة في كتبهم أصلًا، فرُفع المسيح إلى السماء، وبعده دُمرت أورشليم. من وقتها وقد اعتمدتُ الكتاب المقدس مرجعًا للنبوءات الحقيقية.

في المكتبة نفسها وجدتُ مجلدات مكتوبًا عليها «حكمة محمَّد»، فهمت أن هذه هي التي يسميها المسلمون «السُّنة»، ترجم أسلافي الأوائل في هذه المجلدات، كل أقوال محمَّد الصحيحة سندًا، وقسموها حسب الموضوع وسموها «حكمة»، مجلد واحد منها فقط هو الذي أثار اهتمامي، مجلد مكتوب عليه «علم آخر الزمان»، مجلد كامل من الأحاديث يتحدث فيها محمَّد عن النبوءات التي ستحدث بعد وفاته وحتى آخر الزمان، لم أستطع أن أمنع عيني أن تقرأ المجلد بكامله، محمد هذا هو الرجل الوحيد في التاريخ الذي له كل هذا الكم من النبوءات التفصيلية، وكلها كانت تحدث كما قال بالضبط.

وجدته في حديث صحيح يدخل عليه صاحب له يلبس بردة مرقوعة، فلما رآه محمَّد قال، وكأنه يرى مستقبل هؤلاء الأصحاب الفقراء: «كيف بكم إذا غدا أحدكم في حُلة وراح في حُلة، ووضعت بين يديه صحفة ورُفعت أخرى، وسترتم بيوتكم كما تُستر الكعبة؟ قالوا: يا رسول الله نحن يومئذٍ خير من اليوم، نتفرغ للعبادة، ونكفى المؤنة. فقال محمَّد: لا! أنتم اليومَ خير منكم يومئذٍ».

وها هم المسلمون قد أصبحوا دولة كبيرة نعدُّها دولة النور الوحيدة في العالم، تملك أكثر من ثلثي العالم، يعيشون برغد وهناء وحرية حقيقية لكل دين، كيف لرجل فقير في صحراء جزيرة العرب حوله أصحاب فقراء لا يجدون حتى البُردة، ثم يقول لهم في عدة نبوءات إنهم

سيذوقون رغد العيش وسيفتحون الروم وفارس وهما أكبر قوتين في الأرض وقتها، ويمر التاريخ ويحدث مثلما قال بالضبط.

كنت أظن أن مثل هذه الأحاديث ربما تكون مزيفة أو كتبها المسلمون المتأخرون، لكن بقراءة المزيد من النبوءات والنظر في تاريخ كتابة الكتب المحفوظة الأصلية، أيقنت بلا شك أن هذه نبوءات حق، وجدت محمَّدًا يقول لأصحابه مثلًا في حديث صحيح: «لتفتحنَّ القسطنطينية، فلنعم الأمير أميرها، ولنعم الجيش ذلك الجيش»، كان أول ظهور لهذا الحديث في كتاب كَتَبَه رجل يدعى الإمام أحمد، ومخطوطته هنا عندي أخذها أجدادي من مكتبة المسجد الأقصى، الإمام أحمد مات سنة 855 ميلادية، وفتح القسطنطينية كان في زمن محمد الفاتح عام 1453، أي بعد ظهور كتاب الإمام أحمد بنحو ستمئة سنة. عندها أصبحت أحاديث محمد والقرآن بالنسبة إليَّ من مراجع النبوءات الحق.

****

«لو فتحت أبواب الحقيقة ستعلو في درجات النور،
ولن تصل إلى المنتهى».

****

إذا تشابهت نبوءتان في كتابين مقدسين لطائفتين تملك كل واحدة منهما نصف الأرض تقريبًا، فإن هذه تكون نبوءة أشد موثوقية من غيرها، ومن بين سطور الإنجيل تطابقت نبوءة مع حكمة محمد، وكانت هاتان النبوءتان المتطابقتان هما أول طرف الخيط الذي يدل على موعد مجيء ذلك الرجل الخبيث. سأذكر النصين كما هما، لتُعْمِل أنت فكرك فيهما.

جاء في إنجيل متّى، الإصحاح 20:

«ملكوت السماوات يشبه رجلًا خرج **من الصبح** ليستأجر عمالًا لحقل نبات الكرم الخاص به، فاتفق مع العمال على دينار في اليوم وأرسلهم إلى حقل الكرم، ثم خرج نحو الساعة الثالثة من النهار، ورأى عمالًا آخرين قيامًا في السوق بطالين، فقال لهم: اذهبوا أنتم أيضًا إلى حقل الكرم فأعطيكم ما يحق لكم. فمضوا، وخرج أيضًا نحو الساعة السادسة والتاسعة من النهار وفعل ذلك، ثم نحو الساعة الحادية عشرة

من النهار خرج ووجد عمالًا آخرين قيامًا بطالين، فقال لهم: لماذا وقفتم ههنا كل النهار بطالين؟ قالوا له: لأنه لم يستأجرنا أحد، قال لهم: اذهبوا أنتم أيضًا إلى حقل الكرم فتأخذوا ما يحق لكم.

فلما كان المساء، قال صاحب حقل الكرم لوكيله: ادعُ العمال وأعطِهم الأجرة مبتدئًا من الآخرين إلى الأولين. فجاء أصحاب الساعة الحادية عشرة وأخذوا دينارًا دينارًا، فلما جاء الأولون ظنوا أنهم يأخذون أكثر فأخذوا هم أيضًا دينارًا دينارًا. وفيما هم يأخذون تذمروا على صاحب الحقل قائلين: هؤلاء الآخرون عملوا ساعة واحدة، وقد ساويتهم بنا نحن الذين احتملنا ثقل النهار والحر، فأجاب وقال لواحد منهم: ما ظلمتك، ألم تتفق معي على دينار؟ فخذ الذي لك واذهب، فإني أريد أن أعطي هذا الأخير مثلك، أوليس يحل لي أن أفعل ما أريد بمالي؟ أم أن عينك شريرة لأني صالح؟ هكذا يكون الآخرون أولين والأولون آخرين، لأن كثيرًا يُدعون وقليلين يُنتخبون».

انتهى النص الأول، وهو يبدو حكمة للمفاضلة بين أجور العباد حسب رغبة الرب، لكن جاء النص الثاني من حكمة محمد ليفسر النص الأول ويلقي طرف الخيط.

يقول محمد في حديث صحيح: «إنما **بقاؤكم وأجلكم** في أجل مَن سلف ومضى من الأمم **كما بين صلاة العصر إلى مغرب الشمس**، وإنما مَثلكم ومثل اليهود والنصارى كرجل استعمل عمالًا على أجر معلوم، فقال من يعمل لي **من غدوة أو بكرة إلى نصف النهار** على قيراط قيراط؟ **فأوتي أهلُ التوراة التوراةَ، فعملوا بها إلى نصف النهار** على قيراط قيراط، فلما انتصف النهار عجزوا عنها، وقالوا: لا حاجة بنا إلى أجرك الذي شرطت لنا وما عملنا باطلًا. قال لهم: لا تفعلوا، أكملوا بقية يومكم ولكم الذي شرطت.

فاستأجر آخرين وقال: من يعمل لي **من نصف النهار إلى صلاة العصر** على قيراط قيراط؟ **فأوتي أهلُ الإنجيل الإنجيلَ، فعملوا به من نصف النهار إلى صلاة العصر** على قيراط قيراط، فلما بلغوا صلاة

العصر عجزوا وقالوا: لك ما عملنا، فقال أكملوا بقية عملكم، ما بقي من النهار شيء يسير، فأبوا. فاستأجر قومًا، وقال: مَن يعمل لي **من صلاة العصر إلى أن تغيب الشمس** على قيراطين قيراطين؟ **فأُعطيتمُ القرآن، فعملتم به حتى مغرب الشمس** على قيراطين قيراطين.

قال أهل التوراة والإنجيل: ربنا هؤلاء أقل عملًا منا وأكثر أجرًا، فقال الله تبارك وتعالى: هل ظلمتكم من أجركم شيئًا؟ قالوا: لا، قال: فهو فضلي أوتيه من أشاء» كما ترى، آية الإنجيل وحديث محمد يتحدثان عن نفس الفكرة ، أفواج من العمال، كل فوج يعمل ساعات معينة ثم في النهاية تحدث مفاضلة بين الأجور ثم يتظلم بعضهم فيرد الرب بأن هذا فضله يوزعه كما شاء.

****

«ولو نزلتَ في قبو ظلمات الجهل ستنحدر
حتى لا تقدر على الصعود ثانية».

****

سأكتب مذكراتي هذه وسأورثها أولادي، وسينقلونها إلى مَن يثقون به جيلًا بعد جيل حتى تصل إليك، دعني أُعطِك طرف الخيط الذي سنبدأ به، والذي ربما تكون قد كشفته وحدك.

النبي محمد دقيق جدًّا في كلماته دومًا، بل إن المسلمين يأخذون كلامه شريعة، ولقد قال في هذا الحديث: «إنما **بقاؤكم وأجلكم في أجل من سلف** ومضى من الأمم...»، فهو ينص ويحدد أن **عمر أمة الإسلام بالنسبة إلى تاريخ بني آدم** كلهم هو كذا.

أمة الإسلام هذه ستنتهي حسب كلام محمد في حديث صحيح آخر، عندما يبعث الله ريحًا طيبة تقبض روح كل مؤمن وكل مسلم في آخر الزمان، ويكون هذا بعد أن ينزل المسيح عيسى بن مريم وينتهي حكمه بسبع سنوات بالضبط، عندها تنتهي أمة الإسلام ولن يبقى على الأرض إلا شِرار الناس، وعليهم تقوم الساعة في زمن لا يعلمه إلا الله.

GICS
•PROPHE

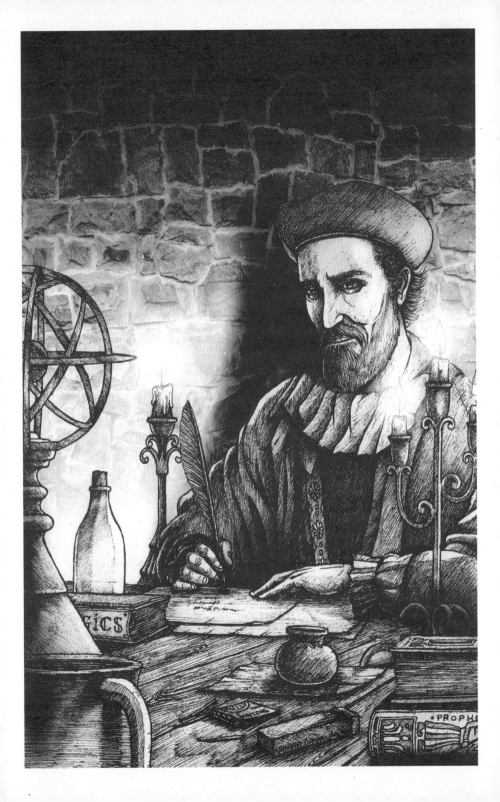

لأن محمدًا يقول في حديث صحيح آخر: «يخرج الدجال في أمتي، فيمكث أربعين ليلة فيبعث الله عيسى بن مريم فيطلبه فيهلكه، ثم يلبث الناس بعده **سنين سبعًا**، ليس بين اثنين عداوة، ثم يرسل الله ريحًا باردة من قِبل الشام، فلا يبقى على وجه الأرض أحد في قلبه مثقال ذرة من إيمان إلا قبضته، حتى لو أن أحدكم دخل في كبد جبل لدخلت عليه حتى تقبضه، ويبقى شرار الناس يتهارجون فيها تهارج الحمر، فعليهم تقوم الساعة».

فلو عرفنا عمر أمة الإسلام ومتى ستنتهي، سيكون يسيرًا أن نعرف متى نهاية حكم عيسى، لأنه ينتهي تمامًا قبل سبع سنوات من نهاية أمة الإسلام.

وسيكون يسيرًا أن نعرف متى تكون بداية حكم عيسى، الذي يبدأ بالضبط منذ قتله المسيح الدجال، لأن محمدًا يقول في حديث صحيح آخر: «يمكث ابن مريم في الأرض بعد قتل الدجال **أربعين سنة**».

وسيكون يسيرًا أن نعرف بعدها متى ينزل المسيح الدجال، لأن النبي محمدًا يقول لمّا سألوه عن مدة لبْثه في الأرض، قال في حديث صحيح: «**أربعون يومًا**».

حاول أن تعيد النظر في الحديث، وتعرف عمر أمة الإسلام هذه قبل أن أخبرك.

****

«الحقيقة تضيء نورًا في قلبك لمّا تسمعها».

****

خذها من فم نوستراداموس، أول شيء تفعله لتفسير أي نبوءة قالها نبي، هو أن تحدد بالضبط ماذا يقصد النبي بالألفاظ التي قالها في النبوءة، ليس حسب زمنك أنت بل حسب زمنه هو ومقصده هو وتعاليمه هو.

دعنا نشرح الألفاظ أولًا، ثم نشرح النبوءة.

أولًا، قبل كل شيء.. ما معنى النهار عند محمد، وما معنى غدوة أو بكرة، وما نصف النهار عند محمد؟

كلمة **غدوة** يمكن تفسيرها حسب حديث صحيح: «خرج علينا رسول الله -ﷺ- **ذات غداة بعد طلوع الشمس**»، فالغداة أو الغدوة هي أول النهار عند طلوع الشمس. كذلك كلمة **بكرة** لها المعنى نفسه، قال محمَّد في حديث آخر: «اللهم بارك لأمتي في **بكورها**»، وكان إذا بعث سرية أو جيشًا بعثهم **أول النهار**، فالبكرة والبكور هو أول النهار وهو طلوع الشمس.

فالنهار عند محمد **حسب الحديث هو من شروق الشمس إلى مغرب الشمس، أو تحديدًا صلاة المغرب.** ونصف النهار عند محمد هو بالضبط نصف المدة بين الشروق وصلاة المغرب، ويكون قرب صلاة الظهر، وهو وقتٌ نهى محمد أمته عن الصلاة فيه، فقال في حديث صحيح: «إذا انتصف النهار فأقصر عن الصلاة حتى تميل الشمس، فإن جهنم تسجر نصف النهار».

الآن، بعد أن فهمنا الألفاظ يمكن أن نكمل. محمَّد يقول في النبوءة: «وإنما مَثلكم ومثل اليهود والنصارى...»، وأصبح يحدد مدة عمل كل أمة من الأمم الثلاث بالساعات. **اليهود عملوا بالتوراة بعد أن تسلَّموها كاملة، «أوتي أهل التوراة التوراة...» من الشروق إلى نصف النهار. ثم لمّا اكتمل نزول الإنجيل على النصارى، «أوتي أهل الإنجيل الإنجيل...»، عملوا به من نصف النهار إلى صلاة العصر. ثم لمّا اكتمل نزول القرآن على أمة** محمد، **عملوا به «من صلاة العصر إلى مغرب الشمس، يعني من صلاة العصر إلى صلاة المغرب.**

ما فائدة كل هذا؟ فلتعمل كل أمة عددًا معينًا من الساعات، أين النبوءة في هذا أصلًا؟

النبوءة هي قوله في أول الحديث: «إنما بقاؤكم وأجلكم في أجل من سلف ومضى من الأمم كما بين صلاة العصر إلى مغرب الشمس»، فهو يقول إن عمركم يا أمة الإسلام سيكون كأنه المدة بين صلاة العصر إلى صلاة المغرب، إذا علمتم أن عمر اليهود كان من الشروق إلى نصف النهار، وعمر النصارى كان من نصف النهار إلى صلاة العصر.

تبقى المعضلة كيف نُحوِّل العمر الذي بالساعات في الحديث إلى عمر بالسنوات؟

واجهتني مشكلة وأنا أفسِّر هذه النبوءة بوصفي مُنجِّمًا وعالم فلك، النهار أصلًا يطول ويقصر حسب الصيف والشتاء، ويختلف طوله أيضًا حسب مكانك على سطح الأرض، فمواقيت صلوات المسلمين لا يمكن أن نحدد لها مبدأ ثابتًا نتبعه لنحسب به مفردات النبوءة، ولكن محمدًا اختار ألفاظه بعناية فائقة وقفتُ أمامها مستعجبًا بوصفي عالمًا في النجوم.

مهما طال النهار أو قصر، ومهما اختلف موضعنا على سطح الأرض دائمًا تكُنِ المدة بين نصف النهار وصلاة العصر هي 56 % من المدة بين الشروق إلى نصف النهار، **يعني مهما حصل سيكون عمر النصارى حسب هذه النبوءة هو 56 % من عمر اليهود.**

ومهما طال النهار أو قصر، ومهما اختلف موضعنا على سطح الأرض دائمًا تكُن المدة بين صلاة العصر إلى صلاة المغرب هي 44 % من المدة بين الشروق ونصف النهار، **يعني مهما حصل سيكون عمر أمة الإسلام هو 44 % من عمر أمة اليهود.**

ويمكنك أن تنظر في مواقيت الصلوات أينما كنت في أي بلد وفي أي فصل من السنة، وستتأكد من هذه النسب بنفسك.

الآن يمكن أن نبدأ الحساب، المدة الوحيدة المعروفة تاريخيًّا والموثقة والمتفق عليها الجميع هي عمر النصارى، وهي حسب هذه النبوءة منذ

أن أوتي أهلُ الإنجيلِ الإنجيلَ حتى أوتي أهلُ القرآنِ القرآنَ، يعني من آخر سنة لعيسى عند اكتمال الإنجيل تمامًا حتى آخر سنة لمحمد عند اكتمال القرآن تمامًا، وهي 600 سنة بالضبط منذ رُفع النبي عيسى عام 33م حتى آخر سنة من حياة محمد وهي سنة 633م.

وما دام أن عمر أمة النصارى هو 56 % من عمر أمة اليهود، فبما أن عمر النصارى 600 سنة، فعمر اليهود هو 1071 سنة.

وما دام أن عمر أمة الإسلام هو 44 % من عمر أمة اليهود، فعمر أمة الإسلام هو 471سنة.

لكننا الآن في عام 1566م، واكتمل القرآن في آخر سنة من حياة محمد وهي 633، يعني مر من أمة الإسلام حتى زمني هذا 933 سنة، ما يعني أن النبوءة خاطئة، لكنني سرعان ما اكتشفتُ حديثًا آخر فسَّر كل شيء.

يقول محمَّد في حديث صحيح آخر: «إني لأرجو ألا تعجز أمتي عند ربها أن يؤخرهم نصف يوم».

فمحمد دعا ربه أن يؤخر أمته نصف يوم، يعني يزيد إلى عمرهم الذي قدره لهم نصف يوم، ونصف اليوم هو من الشروق لنصف النهار، يعني مقدار عمر اليهود بالضبط في الحديث الأول.

بجمع الحديثين نجد أن عمر أمة الإسلام سيكون 471 (العمر المقدر لأمة الإسلام) + 1071 (نصف اليوم الزيادة وهو مقدار عمر اليهود) يعني سيكون الناتج 1542 سنة، يعني ستنتهي أمة الإسلام عام 2175م.

حتى تكون هذه النبوءة صحيحة لا بد أن تنجح في مواجهة التاريخ، فهل كان عمر اليهود منذ اكتمال نزول التوراة حتى اكتمال نزول الإنجيل هو 1071 سنة؟

ماذا يعني محمَّد بكلمة التوراة أصلًا؟ نحن اليهود أنفسنا نختلف في تفسيرها، فالتوراة عند البعض تعني الشريعة أو أسفار موسى الخمسة فقط، وعند البعض الآخر تعني بقية أسفار العهد القديم من شريعة وأسفار الرسل الثمانية.

محمد يعني بكلمة التوراة أسفار موسى الخمسة وأسفار الرسل الكبرى أيضًا، لأن القرآن يقول ويؤكد أن محمدًا مُبَشَّرٌ به في **التوراة** لمّا قال: ﴿الَّذِينَ يَتَّبِعُونَ الرَّسُولَ النَّبِيَّ الْأُمِّيَّ الَّذِي يَجِدُونَهُ مَكْتُوبًا عِندَهُمْ فِي التَّوْرَاةِ وَالْإِنجِيلِ﴾، والنبوءة الوحيدة عن محمد في التوراة هي في سفر «إشعياء» الذي يقول: «هو ذا عبدي الذي أعضده، مختاري الذي سُرَّتْ به نفسي، وضعت عليه روحي فيُخرج الحق للأمم، لا يصيح ولا يرفع **ولا يُسمَع في الشارع صوته**، لا يكل ولا ينكسر حتى يضع الحق في الأرض وتنتظر الجزر شريعته»، وهو يوافق ما قاله الحديث الصحيح عن محمَّد الذي يقول فيه أحد أصحاب محمد: «إنه لموصوف في التوراة ببعض صفته في القرآن: (يا أيها النبي إنا أرسلناك شاهدًا ومبشرًا ونذيرًا، أنت عبدي ورسولي، ليس بفظ ولا غليظ **ولا صخاب بالأسواق**)».

وعليه، فالتوراة بالنسبة إلى محمد هي أسفار موسى الخمسة وأسفار الأنبياء اليهود الكبار كذلك، وهؤلاء الأنبياء الكبار عاشوا بعد سليمان في زمن انقسام مملكة إسرائيل إلى شمالية وجنوبية.

الطريقة التاريخية الوحيدة التي تحسب يقينًا تاريخ مملكة اليهود المنقسمة هي معرفة متى كانت مملكة سليمان غير المنقسمة.

مملكة سليمان كانت من النيل إلى الفرات، يعني هو كان يملك جزءًا من أرض مصر، وبالفعل، يذكر التاريخ وجود أسرة فرعونية غريبة كانت تعيش جنبًا إلى جنب مع الفراعنة، لكنها مختلفة قليلًا، لأن ملوكها يحملون أسماء يهودية، مثل: يعقوب وقورا وغيرها، وكانت تملك الجزء الشمالي الغربي من مصر، يعني من النيل إلى الدلتا، وهي الأسرة السادسة عشرة، وكانت تابعة لحكم الهكسوس المالكين للشام، يعني

هذه الأسرة كانت تابعة لحكم سليمان، ومدتها من 1650 قبل الميلاد حتى 1580 قبل الميلاد.

فزمن سليمان هو **1650 قبل الميلاد.**

ما يزيد من تأكيد هذا التاريخ، هو أنه يتوافق مع آية في القرآن تقول إنه لمّا امتلك اليهود الأرض المقدسة **كاملة**، كان ذلك في السنة نفسها التي تحطمت فيها آثار آل فرعون، يقول القرآن: «وأورثنا القوم الذين كانوا يستضعفون مشارق الأرض ومغاربها التي باركنا فيها، وتمت كلمة ربك الحسنى على بني إسرائيل بما صبروا ودمرنا ما كان يصنع فرعون وقومه وما كانوا يعرشون».

تحطُّم آثار آل فرعون حسب التاريخ الفرعوني كان في زمن أحمس الذي قال إنه حاول ترميم كثير من الآثار الفرعونية التي دُمِّرت فجأة بفعل عاصفة رهيبة، وهذا يوافق ما قاله علماؤنا عن انفجار بركان «ثيرا» عام 1600 قبل الميلاد، الذي أحدث عواصف رهيبة نزلت على مصر فدمرت آثار الفراعنة.

هكذا تتوافق التواريخ الجيولوجية مع التاريخ الفرعوني ومع نصوص القرآن ومع نبوءة محمد عن عمر اليهود، فانفجار بركان «ثيرا» جيولوجيًّا في 1600 قبل الميلاد يتوافق مع تاريخ الأسرة الفرعونية السادسة عشرة التابعة لسليمان، وهذا ما حكته آية تدمير آثار الفراعنة في القرآن لما قالت إن هذا التدمير حصل عند امتلاك اليهود الأرض المقدسة كاملة في عهد سليمان.

بما أن تاريخ سليمان هو 1650 قبل الميلاد، سيكون تاريخ آخر الرسل الكبار هو بعد سليمان بـ 579 سنة حسب سجلات اليهود، يعني في 1071 قبل الميلاد بالضبط.

فلم تكذب النبوءة المحمدية لما قالت إن عمر أمة اليهود منذ اكتمال التوراة في زمن آخر الأنبياء الكبار بعد سليمان حتى مجيء المسيح عيسى في سنة 1 ميلادية هو 1071 سنة.

407

إذا كانت أمة الإسلام ستنتهي عام 2175 بنزول الريح الطيبة التي تقبض روح كل مسلم، فإن حكم عيسى حسب الحديث المذكور سابقًا سينتهي قبلها بسبع سنوات، يعني عام 2168م. ويكون بداية حكم عيسى وقتل المسيح الدجال قبل ذلك بأربعين سنة، يعني عام 2128م. ويكون نزول الدجال قبل هذا بأربعين يومًا، يعني في سنة 2127م.

وقبل الدجال بسبع سنوات حسب أحاديث محمد الصحيحة، ستحدث الملحمة الكبرى كما سماها محمد، وهي التي توافق في نبوءات الإنجيل الحرب الكبرى «هرمجدون»، يقول محمد في حديث صحيح بين الملحمة وفتح المدينة ست سنين، ويخرج المسيح الدجال في السابعة. يعني ستكون الملحمة الكبرى هرمجدون في 2120م.

في أول الملحمة الكبرى هذه سيخرج شخص اسمه المهدي، يقول محمد في حديث صحيح: «المهدي مني، أجلى الجبهة، أقنى الأنف، يملأ الأرض قسطًا وعدلًا، كما مُلئت ظلمًا وجورًا، يملك سبع سنين». يعني سيكون خروج المهدي سنة 2120م.

وما قبل هذا لن يكون سلام، بل ستحدث في المئة سنة السابقة لخروج المهدي علامات ذكرها محمد، مثل: كلام السباع والجمادات، وعودة الخلافة على منهاج النبوة بعد أن تكون قد زالت من بلاد المسلمين، واقتتال ثلاثة على كنز العرب كلهم أبناء خليفة، وخروج الرايات السود، وانحسار الفرات عن جبل من ذهب، وحصار الشام والعراق، وفتنة الأحلاس وهي حرب كبيرة، وفتنة السراء يخرج فيها رجل يزعم أنه من آل بيت محمد وهو كاذب، ثم فتنة الدهماء يصبح الرجل فيها مؤمنًا ويمسي كافرًا، ثم خراب يثرب، بعده تكون الملحمة وخروج المهدي والدجال، ولهذا شأن آخر، ومذكرات أخرى.

هذه المذكرة الصغيرة التالية وُجدت في غرفة بوبي فرانك، وأحببت أن أعرضها كما هي عرضًا منفصلًا عن الرواية، لأنها تبدأ قبل أحداث الرواية.

0

نجم هوى في ستار الليل

7500 قبل الميلاد - 7000 قبل الميلاد

كانت تنظر إلى «لوسيفر» نظرة حب لا شك فيها. اقتربت منه وشعرها الأبيض ينسدل على كتفيها كسلاسل الفضة، لها ملامح عذبة ذات مسحة من إيمان تتخلل وجهها وعينيها الرماديتين، اسمها «واضية»، زوجة «لوسيفر» الأولى. كان هو ساهمًا ينظر من إيوانه إلى أرض عدن فلم يشعر باقترابها، قالت له:

- اليوم هو اليوم المنتظر بعد ألفين من السنين يا «سامايل».

التفت إليها بملامحه الساحرة لمّا سمع اللقب الذي نادته به، ولمحت في عيونه لمحة غرور، فابتسمت، إن لم يكُن أمير النور سيشعر بالغرور اليوم فمن غيره! فبعد كل الملاحم التي مرَّ بها وتركت أثرها في وجهه، اليوم فقط هو يوم تمجيده وضمه وصعوده إلى الملأ الأعلى من الملائكة ومنحه اللقب الملائكي، سامايل. قال لها:

- أتدرين ما الذي يشق على نفسي لمّا أتذكر كل ما مررنا به؟

سارعت بالانتباه إلى ما سيقول، فقال لها:

- حرب الجنون الأولى، بكل ما فيها من نيران ودماء، لمّا اقتتل كل صنف من جن على الأرض، كلها كانت دماء ذريتي، بل ذريتنا أنا وأنتِ.

وضعت يدها على كتفه، وقالت له:

- لقد أذن الله لك وأنت أول الجن وأبو الجن أن تقاتل كل من أفسد في الأرض من ذريتك، أنت طردتهم إلى جزائر البحور وأطراف الجبال، وجمعتنا كلنا وكل من آمن بالله هنا في هذه الأرض المباركة أتلانتيس، واليوم تُجزى من ربك خيرًا.

412

سكت «لوسيفر» وعاد إلى شروده، وفور حلول الشفق الأحمر قبل فجر ذلك اليوم، ارتقى «لوسيفر» في السماء التي بدأ ظلامها يطلع كأنه نجمة الصبح، ورداؤه الملون تحركه الرياح، وعيونه إلى أعلى ناظرة بحزم يتطاير حولها شعره الأسود، كان مُتجهًا إلى أرض بكة ليصعد منها إلى موضع الملأ الأعلى.

وهؤلاء ملأ من الملائكة يلتقون في البيت المعمور فوق سماء بكة، يدخله كل يوم سبعون ألفًا من الملائكة يصلون فيه، فإذا خرجوا لا يعودون إليه إلى يوم القيامة، واليوم أصبح «لوسيفر» واحدًا من الملأ الأعلى. كان شرفًا عظيمًا لم يُمنح لأحد من قبله ولا بعده، أتت إلى ذهنه فجأة وهو يقترب من البيت المعمور مشاهد من نيران ودماء، من حرب الجنون الأولى، وتذكر ابنه «لاقيس»، فاعتصر الألم قلبه. تحسس جرح وجهه، ثم نفض عن ذهنه كل تلك المشاهد لمّا رأى ما هو مقبل عليه، جسر فخم لا يكاد يرى نهايته، يعلو فوق بناء من فضة بيضاء، وسُحُب ذات اليمين وذات الشمال، ورغم كل الكبر الذي في نفسه فإن قلبه خفق بانبهار مما رآه وهو يمشي على ذلك الجسر وينظر إلى أسفله، عشرات الآلاف من الملائكة مسبحين ومقدسين يطوفون حول بيت من ياقوت داخل البيت المعمور اسمه بيت العزة، يسمع زجل تسبيحهم بكل ما فيه من حروف السين من قولهم «قدوس، قدوس، قدوس، وسبحان الله وبحمده وسبحان الله العظيم»، كان هذا هو ما يقال عليه ملكوت السماء.

أبعد «لوسيفر» علامات الانبهار عن ملامحه، واستعاد كل ما في نفسه من خُيَلاء وهو يجتاز ذلك الجسر ويدخل إلى قدس الأقداس، كان مكانًا ساميًا شريفًا، فيه أربعة أعمدة، اثنان متقاربان واثنان متباعدان، ثم سقط قلب «لوسيفر» بغتة، وانتقل نظره من الانبهار بالمكان إلى الانبهار بأهل المكان، رأى جبرايل، وإسرافايل، وهاروت، وماروت، وملائكة السيرافيم والكيروبيم، وعزير، والخازن مالك، ثم رأى ملك الموت، فانقبض قلبه، كان ملك الموت ينظر إليه نظرة خاصة، نظرة

استأصلت قلبه، فنظر بعيدًا عنه، هؤلاء الملائكة لهم خُلُق عظيم كريم يهزم عين أي أحد، لكن ما في قلبه من كبرياء كان أقوى من أي مظهر، كان يرى نفسه أجلَّ من جميع الملائكة، هو وصل هنا إلى الملأ الأعلى رغم كل ما وضعه الله في قلبه من شهوات، أما هم فمخلوقون هنا، واليوم هو يوم تشريفه، وكل هؤلاء بعظمتهم هنا لأجل ذلك.

****

بعد ترسيم أمير النور في الملأ الأعلى، شعر الجميع بضجة في المكان وتوقفت جميع همهمات التسبيح والتقديس، ونظر ملائكة الملأ الأعلى إلى بوابة قدس الأقداس تلقائيًا كأنهم ينتظرون انفتاحها، وفُتحت بالفعل، ودخل ملاك، عظمتهم جميعا في كفة، وعظمته في كفة أخرى، حتى «لوسيفر» لم يسطع منع شهقته، كان ذلك هو الملاك «ميكايل»، يأتيهم بأمر ربهم، ومباشرة قال «ميكايل» دون مقدمات:

- قضى ربنا الرحمن أنه جاعل في هذه الأرض خليفة.

سبَّح الملائكة وقدَّسوا، واتسعت عين «لوسيفر»، وأراد أن يتكلم، لكن رهبة «ميكايل» أسكتت فيه كل نية للكلام. واختصم الملأ الأعلى ذلك الاختصام الشهير، كل منهم يبدي ما يهتدي إليه، و«ميكايل» يرد، و«لوسيفر» صامت مقطب الجبين حاد القسمات يأكله الحقد، أخليفة غيرُه في الأرض؟ في البداية ظن أن هذا أمر سيحدث متأخرًا ربما بعد أن يموت هو، لكن أحاديثهم تدل على أنه أمر عاجل، ظل يغلي بالفكر حتى قال فجأة:

- أيجعل الله في الأرض من يُفسِد فيها ويسفك الدماء، ونحن نسبح بحمده في الأرض ونقدس له؟

سكت الجميع ونظروا إليه، قال «ميكايل»:

- وما يدريك أنه سيُفسد يا سامايل؟

قال «لوسيفر» مباشرة:

- ألم يقل سيجعل فيها خليفة؟ يعني حاكمًا، وتنصيب حاكم يستلزم وجود شعب له، وما الغرض من وضع حاكم عليهم إن كانوا كلهم من الصالحين المسالمين؟ إن وجوب تعيين حاكم على شعب يعني أنهم سيعتدي بعضهم على بعض.

تدخل جبرايل وحسم الجدل، فقال:

- إن ربكم قبل ألفي عام، أنزل عليكم «طه»، وأنزل عليكم «يس»، وإن فيهما سردًا لقصص أمم من خلقه، ليسوا من الجن، وإن فيهم مفسدة عظيمة وسفكًا للدماء.

أكَّد السيرافيم والكيروبيم سماع تلك السور، وقالوا:

- إنَّا لمَّا سمعناها، قلنا طوبى لأمة ينزل هذا عليهم، وطوبى لألسن تتكلم بهذا، وطوبى لأجواف تحمل هذا.

فأيقن الكل أن الخليفة الذي سيجعله ربهم في الأرض، سيُفسد وسيسفك الدم، ربما أكثر من مفسدة الجن. وتنزل الله وكلمهم قُبُلًا، يعني من أمامهم يسمعون صوته ولا يرونه، وهكذا كان يكلم الله أول مخلوق من خلقه في كل جنس، رحمة به لأنه الذي سيبلغ رسالاته مباشرة لجنسه، يكلمه قُبُلًا، وكل أولئك الملائكة هم أول المخلوقين من أجناسهم، و«لوسيفر» كذلك. نظر بعضهم إلى بعض، وقال واحد منهم:

- يا رب، ما الحكمة من أن تجعل في الأرض من يُفسد فيها ويسفك الدماء، وإنا يا ربنا نُسبِّح لك في هذه الأرض، ونقدس لك فيها بكرة وأصيلًا؟

فقال لهم ربهم جملة واحدة: «إني أعلم ما لا تعلمون».

****

كان ملك الموت طائرًا كطيران الملائكة في لباس أسود مهيب، يجوب أركان الأرض يقبض من ترابها، فكان أول موضع قبض منه هو كهف

«مكفيلة»، وهو كهف مروع خارج الجنة، كان يقبض من مواضع معينة، يتخير التربة ثم يخلطها، فقبض تربة بيضاء وسوداء وحمراء، ثم عاد إلى الجنة، فوضع على التراب ماءً خلطه من أنهار الجنة الأربعة، حتى صار طينًا، فوضعه حيث أمره الله، وهناك وجد «لوسيفر». نظر ملك الموت إلى لوسيفر، فارتعدت أوصاله لحظة، ثم تمالك نفسه وقال للملك:

- ما عهدناك تحمل الطين، بل إن من تفرغ من قبض روحه يدخل الطين ويُدفن.

قال له الملك:

- ألم يأتِك أمر الله يا سامايل؟ ألم يقضِ أن يجعل في الأرض خليفة؟
- بلى.
- فقد علمنا من هو ذلك الخليفة، اليوم قال ربك للملائكة إنه خالق بشرًا من طين.

اتسعت حدقتا «لوسيفر» دهشة، وفي قلبه استعرت نيران السخط، خليفة من الطين المهين؟ ظهر شيء من الامتعاض على وجهه لم يستطع أن يخفيه، فقال له الملاك:

- أتدري أن الأرض قد استعاذت بالله لمّا أتيتُها أقبض منها ترابه، فقلت لها إنني أعوذ بالله أن أرجع ولم أنفذ أمره، يبدو أن الأرض تظن كما نظن أن هذا الخلق فاسد.

نظر إليه «لوسيفر» والأفكار تزدحم في قلبه، فأومأ برأسه ومشى مبتعدًا، لكنه لم يترك ذلك الموضع أبدًا، كان يحوم حوله ويعود له كل حين ينظر إلى ذلك الطين اللازب المتماسك، ومر الوقت أيامًا حتى صار الطين حمًا، يعني طينًا أسود، فزاد امتعاض «لوسيفر»، حتى أتى يوم الجمعة، كان متوجهًا إلى موضع الطين لينظر إليه، فسقط قلبه بين قدميه.

ثلاثة أجساد وجدهم مصورين من طين مسنون ناعم مصقول يابس، سوّاهم ربهم بديع السماوات والأرض، ممددون على أرض الجنة، مرتدون لباسًا باهرًا أنزله الله عليهم لسترهم، «آدم» و«حواء» و«ليليث»، ولم يقدر «لوسيفر» أن يبقي فمه مغلقًا، كان يراهم للمرة الأولى، ظل فاغرًا فاه، ترتجف شفتاه.

اقترب من جسد آدم تحديدًا، ونظر إليه ببُغض، من أي شيء أنت! طين؟ لأي شيء خُلقت؟ كان يحدث نفسه ويطوف بآدم، ثم فجأة مد يده وضرب جسد آدم ضربة، فسمع صلصلة الطين اليابس، فارتفع حاجباه بذهول، قال في نفسه: هذا خلق أجوف، لا يتمالك، والله لو سُلِّطتُ عليه لأهلكنه، والله لو...

- قال ربك لمّا خلق هذا الخلق، إن رحمتي سبقت غضبي.

فُجع «لوسيفر» لما عرف الصوت، ونظر وراءه بسرعة، فإذا هو الملاك العظيم «ميكايل»، قال له الملاك:

- إني أبلغك رسالات ربي، قال الله إنني خالق بشرًا من صلصال من حمأ مسنون، فإذا سوَّيتُه ونفختُ فيه من روحي فقعوا له ساجدين.

كانت المرة الأولى التي يفقد «لوسيفر» فيها تمالكه الشهير، وبدأت عينه ترجف وألف فكرة تجتاحه. سجود؟ وتكون القبلة ناحية هذا الشيء؟ واشتعل عقله، ما كان يمكنه أن يعصي وهو في وسط الجنة، فمن يعصِ هنا يُطرد، فلم يملك إلا أن يقول:

- بُلِّغتَ رسالات ربك يا ميكايل، وأنا تلقيتها.

ولم يلبث أن أتى ملائكة من خزنة الجنة حملوا الأجساد الثلاثة، ومشوا بها يخرجونها من الجنة، ورغم كل ما في نفس «لوسيفر» من سخط، فإن مشهد إخراجهم من الجنة أعاد له شيئًا من اتزانه، وبدأ يفكر لأول مرة منذ خُلق؛ يفكر بالشر.

****

كانت تُوجد ضجة في الملأ الأعلى في ذلك اليوم، و«لوسيفر» يقف على ذلك الجسر، ينظر تحته وفوقه وفي كل مكان، داخل الملأ الأعلى وخارجه، ليس هناك موضع إلا وفيه ملاك يشغله، الكل يتحرك بسرعة في توافق كالطير بحركة مائلة من أفق السماء إلى البيت المعمور، ثم يتفرقون ويتساقطون طيرانًا إلى الأرض إلى ذلك الموضع الذي يرقد فيه جسد آدم، وخفقان أجنحتهم يصنع تيارًا يكاد يعصف بلوسيفر الواقف يتمسك بالجسر وينظر بحسد، كل هؤلاء نازلون إليه، إلى ذلك البشر، لم يكن يستطيع أن يحصي عددهم، لكن تدفقهم لا ينتهي. سمع خطوات على الجسر فاستدار، فرأى الملاك «ميكايل» بهيبته التي لا توصف، قال له الملاك:

- إنه وقت السجود يا لوسيفر، بعد حين يتنزل ربك، ويهبه نفخة من روحه.

لم يردَّ «لوسيفر»، لكنه أمال رأسه بطريقة اعتادها، ثم استند إلى الجسر وهبط إلى الهواء نازلًا إلى حيث المشهد، كادت السماء أن تسقط، ليس فيها موضع قدم إلا وفيه ملاك واقف، صفوف دائرية بعضها خلف بعض إلى مد بصرك، تعلوها صفوف مثلها من الأرض إلى أعلى طبقة في السماء، ملائكة بأصنافٍ وأطوارٍ، كان جسد آدم ممددًا وسط كل هؤلاء بمنتصف أرض عدن خارج الجنة، وليس بجواره جسد «حواء» ولا «ليليث»، كانا قد أُخذا ووُضعا في أماكن متفرقة.

كانت هيئة آدم الآن قد اختلفت، لم يعد طينًا يابسًا، بل صار لحمًا ودمًا، فلقد قال الله للطين كُن فكان، وبقي مستلقيًا على تلك الأرض لحمًا ودمًا بلا روح، و«لوسيفر» ينظر والملائكة بتأهب، والكل مأمور أن يسجد فور أن تسري الروح في «آدم»، وفجأة هبَّ «آدم». ارتفع ظهره عن الأرض فجأة جالسًا، لكن لم يسجد أحد، لأن «ميكايل» لم يسجد، لم تكن الروح قد نُفخت بعد، ولم تلبث لحظة النور الإلهي أن حدثت،

وتنزلت حضرة ربك، وفجأة رفع «آدم» رقبته ووجهه إلى السماء، ونزلت روح من ربك فنُفخت في فمه، فكان أول ما جرت الروح في قدميه فالتصقتا، وسجد «ميكائيل» لربه عز وجل والقبلة كانت آدم، وخرَّ الملائكة من بعده كلهم سجدًا، و«لوسيفر» واقف لا ينحني، ينظر إلى ملكوت السماء وهم يسجدون، ثم حدث شيء غريب.

لمّا وصلت الروح إلى ظهر آدم انتصب ظهره، واشتد إلى الداخل وانتفضت كتفه اليُمنى، فانتثر من ظهره فيض من ذرات بيضاء غزيرة، عشرات البلايين منها، وأخذ الله رب العالمين من نوره فأفاض عليهم، وقال «ذرَّ ذراتهم للجنة يعملون بما شئت من عمل، ثم أختم لهم بأحسن أعمالهم فأدخلهم الجنة ولا أبالي»، ثم انتفضت كتف آدم اليُسرى فانتثر من ظهره فيض من ذرات سوداء وفيرة، وقال الله «ذرَّ ذراتهم يعملون بما شئت من عمل، ثم أختم لهم بأسوأ أعمالهم فأدخلهم النار». كانت سيقان «لوسيفر» ترتعد من المشهد، ويكاد يسقط على وجهه، ثم عملت الذرات كلها شيئًا غير متوقع، انطلقت بغتة كلها بعيدًا عن المكان، وتحركت أجنحة «لوسيفر» المرتجفة، وتابعتهم.

بلايين الذرات هي ذرية آدم كلها منذ بدء الخليقة إلى يوم القيامة، طارت كلها كأن لها قدرة ذاتية حتى حطت في أرض تجاور أرض بكة، أرض تسمى نعمان عند جبل عرفة، وظهرت أجنحة «لوسيفر» من وراء الجبل يلهث حثيثًا لمشاهدتهم، انتظمت الذرات كلها صفوفًا خلف بعضها وفوق بعضها من الأرض إلى السماء كصفوف الملائكة، أكثر من مئة بليون ذرة أحصاهم «لوسيفر» بنظرات، ثم انفرجت الذرات وأعادت التنظيم فصارت أزواجًا مصفوفة، كل ذرتين بجوار بعضهما، ثم صوَّرهم ربهم في هيئاتهم التي سيكونون عليها في الأرض، ورآهم «لوسيفر» يتمثلون، كان المشهد نفسه مهيبًا إلى درجة أنه استند بركبتيه إلى الجبل بعد أن عجزا عن حمله.

ألوان عديدة وملامح مختلفة، لا يكاد يتشابه اثنان فيها، وطبائع جمة متباينة وملابس متنوعة، من أجسادهم ترى القوي والضعيف، ومن لباسهم ترى الغني والفقير، وكل واحد وضع الله له وبيصًا من نور بين عينيه، فمنهم من يغرقه النور ومنهم من ينتشر منه، ومنهم من يصل نوره إلى عنقه أو إلى صدره، ومنهم مظلم لا يكاد يبين منه نور، وفوق نور كل واحد مكتوب عمره، ومكتوب فيه البلوى التي سيبتليه بها في الدنيا، وصوَّر في وسطهم آدم، كان مشهدًا غزيرًا ثريًّا، لملم «لوسيفر» رداءه وانطلق إلى المشهد الآخر لينظر إليه، مشهد الملائكة، فرأى أعدادهم أكثر بأضعاف من عدد الأرواح المصورة في عرفة، ذلك لأن الله أمر لكل واحد من ذرية آدم بثلاثة ملائكة من الملكوت، واحد يأمره بالخير واثنان يكتبان أعماله، نظر «لوسيفر» إلى كثرتهم في السماء، وكان أغلبهم واقفين إلا نفرًا منهم في الأمام كانوا جالسين جِلسة القيام من السجود، ينظرون إلى «آدم» الذي كانت الروح ما زالت تتابع فيه.

****

في جنبات روح آدم كان يشعر ويرى ويسمع، ولم تكن روحه قد اكتمل سكنها في جسده، قال الله لآدم وهو في طور الروح:

- يا آدم، إنا عرضنا الأمانة على السماوات والأرض والجبال فأبين أن يحملنها وأشفقن منها فهل أنت آخذها بما فيها؟

قال آدم:

- يا رب، وما فيها؟

قال له ربه:

- إن أحسنت جُزيت، وإن أسأت عوقبت.

فحمل آدم الأمانة وهو في طور الروح التي ظلت تتابع في جسده، فمارت وطارت حتى صارت في رأسه، ففتح عينيه وانثنى ثم فعل شيئًا عجيبًا؛ عطس.

فألهمه ربه فقال آدم:

- الحمد لله رب العالمين.

فكانت أول كلمة نطق بها إنسان، خُلق متعلمًا للكلام عارفًا بالله ربه، فقال له الله يكلمه قُبُلًا لأنه أول خلقه من البشر، «يرحمك الله يا آدم»، ثم قال له ربه:

- يا آدم، اذهب إلى أولئك الملائكة، إلى هؤلاء الملأ الجلوس منهم، فقل السلام عليكم.

فمشى آدم إليهم وهم جالسون، فقال:

- السلام عليكم.

فردّوا عليه السلام.

فقال له ربه:

- يا آدم، هذه تحيتك وتحية بنيك.

فعلَّمه ربه أول شيء السلام، وأنه مخلوق للسلام وبالسلام، كان «لوسيفر» ينظر إلى هذا والحنق يحرقه في حلقه، ألا يفترض أن يكون فاسدًا؟ يُعلِّمه السلام، ويعين له ولكل واحد من ذريته ملكًا يأمره بالخير؟!

ثم قال الله لآدم يمتحنه:

- قبضت لك يديَّ يا آدم، فاختر أيهما شئت.

فخشع آدم، وقال بفهم عالٍ:

- اخترت يمين ربي، وكلتا يديْ ربي يمين مباركة.

فخُلق تقيًّا ساميًا، ينزه ربه عن كل صورة، عالمًا أنه ليس كمثله شيء، وبقدرة الله نظر آدم فوجد كأن فوهة قد فُتحت أمامه في الهواء، فنظر فيها فإذا هو يرى مشهد الذرية الواقفين منتظمين في أرض عرفة، ويرى نفسه مصورًا وسطهم، في حين هو واقف أصلًا في أرض

عدن، نظر إليهم وتمعن، فرأى تفاوت أحوالهم بين الغنى والفقر والقوة والضعف، فقال:

- يا رب، لو سوَّيت بين عبادك.

فقال له ربه:

- إني أحب أن أُشكَر.

فنظر وتمعن فرأى فيهم الصحيح والأجذم والأعرج والأبرص، فقال:

- يا رب، لمَ فعلت هذا بذريتي؟

- كي يشكروا نعمتي يا آدم.

فنظر، فإذا قوم منهم في مقدمة الصفوف عليهم أنوار عظيمة، فقال:

- يا رب، مَن هؤلاء الذين عليهم النور، فإني أراهم أظهر الناس نورًا؟

- هؤلاء الأنبياء والرسل يا آدم من ذريتك، الذين أرسلهم إلى عبادي.

ونادى الله كل روح وقفت في ذلك المشهد:

- يا بني آدم، ألست بربكم؟

قالوا:

- بلى.

قال:

- فإني أشهد عليكم السماوات السبع والأرضين السبع، وأشهد عليكم أباكم آدم، أن تقولوا يوم القيامة لم نعلم، أو تقولوا إنا كنا عن هذا غافلين، فلا تُشركوا بي شيئًا، فإني أرسل إليكم رسلي، يذكرونكم عهدي وميثاقي هذا، وأنزل عليكم كتبي.

قالوا:

- بلى شهدنا، نشهد أنك ربنا وإلهنا لا رب لنا غيرك، ولا إله لنا غيرك.

وعلَّم الله آدم أسماء (يعني صفات) كل من كان عليهم النور من ذريته، وكانوا الأغلبية الغالبة من ذريته، فقليل فقط من ذريته كان

يغشاهم ظلام. وأمر الله آدم أن يشير إلى أهل النور الغالبين هؤلاء، ثم قال الله للملائكة من الملأ الأعلى، وكان «لوسيفر» حاضرًا:

- أنبئوني بصفات هؤلاء، أصحاب الأنوار إن كنتم صادقين فيما ظننتم من قبل أن ذرية هذا فاسدون.

نظر الملائكة، ووجدوا آدم يشير إلى الكثرة الكاثرة من ذريته عليهم نور بين عيونهم، لكنهم لم يعرفوا معنى ذلك النور، ونظروا إلى «لوسيفر» الذي وضع نظره في الأرض، فقالوا:

- سبحانك لا علم لنا إلا ما علمتنا إنك أنت العليم الحكيم.

فقال الله لآدم:

- يا آدم أنبئهم بصفات هؤلاء.

فعلَّمهم آدم صفات هؤلاء الصالحين من ذريته والأنبياء والأولياء والزهاد والعلماء والقديسين، وعلَّمهم آدم من أنباء الغيب أن هذه الأنوار بين عيونهم تمثل إيمانهم وصلاحهم ورضا الله عليهم، وهذه الأنوار هي السلام، وأن أغلب ذريته مسالمون لا يفسدون في الأرض ولا يسفكون الدماء، ومعظم بلواهم وذنوبهم اتباع شهوات، وقليل منهم فقط يفسد في الأرض ويسفك الدم، فقال الله للملائكة:

- ألم أقُل لكم إنني أعلم غيب السماوات والأرض وأعلم ما تبدون وما كنتم تكتمون؟

ونظر الملأ الأعلى إلى «لوسيفر» الذي نقض الله ظنه ونظريته، فكان وجهه كالحِلس البالي. وعادت جميع الأرواح المخلوقة إلى صلب آدم، إلا روحين، انطلقتا لتستقر كل واحدة منهما في امرأة، واحدة هي حواء، والأخرى تدعى ليليث، وكانت بداية البشرية، فكان في البدء ثلاثة، ابتدأ بهم كل شيء.

******* تمت *******

رسالة من الكاتب

كنت قد بدأت حملة لاختيار الصفوة من القراء على أنهم مختارين لأداء مهمة تتعلق برسالتنا. وبالنسبة إلى من لا يفهم معنى كلامي فإن المختارين سيفهمونه جيدًا.

المختارون هم المخلصون الذين رأيت الإخلاص في عيونهم أو قرأت الإخلاص في حروفهم في تعليقاتهم أو رسائلهم، وإن روحي لا تخطئ الإخلاص لمّا تراه. أو هم من أصدقائي الروحيين الذين تعرفهم روحي وتماثل أهدافهم أهدافي. أو هم الذين لم أتحدث معهم على الإطلاق لكنهم تغير شيء كبير جدًّا في حياتهم بسبب إحدى رواياتي ليس تغييرًا بسيطًا. يمكن للمختارين أن يكونوا في أي سن كبارًا أو صغارًا ومن أي جنس ذكورًا أو إناثًا.

لنضع بعض القواعد، المختارون ليسوا من أصحاب الانتماءات السياسية أيًّا كانت؛ فهؤلاء نعرفهم ونطردهم، المختارون يعملون في مجموعات أو منفردين حسب شخصيتهم، كل مختار صاحب موهبة في أي مجال سنطلب منه نشر قبس من موهبته كل شهر، وسنضمن له عددًا من المشاركات (الشير) على الفيس بوك من زملائه المختارين من 300 إلى 3000 مشاركة أو أكثر من ذلك بكثير جدًّا في مجالات معينة، وكما يدعمه زملاؤه بالمشاركة فسيطلب منه عمل مشاركة لبعض أعمالهم كل شهر، فهو نظام تكافلي.

425

الرسالة هي نشر الثقافة والفنون الهادفة في العالم العربي.

إذا كان لديك محتوى ثقافي على اليوتيوب مثلًا، ستجد من زملائك المختارين من يعمل مشاركة لمقاطعك لتصل إلى أكبر مشاهدات ممكنة. إذا كانت لديك موهبة كتابة بوستات ثقافية بطريقة شائقة، فستجد دعمًا بالمشاركة من جميع زملائك المختارين سيُوصِل محتواك إلى أرقام عالية جدًّا. إن كنت من محبي صناعة الألعاب فستنضم لفريق من المبرمجين والمصممين لصناعة ألعاب عربية لأول مرة. إن كنت من محبي صناعة الأفلام أو التمثيل أو حتى الموسيقى فستجد من لديهم الشغف نفسه وتصنعون معًا شيئًا قيِّمًا بعيدًا عن الوسط الفني واحتكاره. إن كنت من محبي صناعة البرامج سواء على الأندرويد أو غيره فستسعد بوجود فريق يساعدك في نشر برنامجك. إن كان لديك اهتمام بالبحث والتحقيق في موضوع معين وإيجاد المعلومات فستجد من زملائك المختارين من لديه الشغف نفسه ومن ثم ستجد نفسك ضمن فريق بحث يتبادلون ما تتوصلون إليه، ثم يُكتب بحثكم هذا في مقال ينشره جميع المختارين. إن كنت من محبي كتابة المقالات كتابةً منفردةً فستشارك بمقالك في صنع أكبر موسوعة عربية على الإنترنت. إن كنت من محبي جمع الكتب فيمكنك المشاركة في صناعة أكبر مكتبة إلكترونية في العالم العربي. إن كنت من محبي الأعمال الخيرية فستلقى من هم مثلك لنشر الخير في فريق حقيقي بعيدًا عن الفرق المزيفة الإعلامية الأخرى. إن كنت تعلمت مبادئ علم الحديث النبوي فيمكنك المشاركة معنا في جمع الأحاديث الصحيحة كلها في كتاب واحد مقسم حسب الموضوع، وعمل تطبيق سهل يجعل من أي أحد قادرًا على الوصول إليها. إن كنت من الحقائقيين Truthers المذكورين في رواية أرض السافلين، فيوجد كثير منهم في فريقنا، وستشكلون فريقًا لإبادة الإشاعات المنتشرة على السوشيال ميديا. إن كنت تود المشاركة في جمع محتوى زوركسترا من الميديا والمذكور في

رواية أرض السافلين فستفعل ذلك ضمن فريق كامل ممن هم مثلك. حتى إذا كنت رسامًا سننشر لك رسمتك على نطاق كبير، أو إذا كنت نحّاتًا أو صانع إكسسوارات أو أي شيء يديوي الصنع، سننشر لك تحفتك أو عملك اليدوي في كل مكان. إذا كنت كاتبًا تريد نشر روايتك فستنضم إلى (جروب) الروايات وسندعم روايتك بالنشر، ونعمل لها عشرات الآلاف من (الشير) إذا كانت تستحق النشر. إذا كنت صاحب صوت جيد للتعليق الصوتي فسننشر مقاطع تعليقك على بعض المقاطع الثقافية ونوصلها إلى مشاهدات كبيرة جدًّا. إذا كنت صاحب دروس تعلم الناس شيئًا معينًا سواء كان لغة أو مهارة أو برامج أو أي شيء مفيد فسننشر لك دروسك الكاملة لتكسر حد المليون مشاهدة.

وتوجد (جروبات) كثيرة أخرى لا يتسع المجال لحصرها، لكنك حتمًا ستجد ما يوافق موهبتك وسندعمها لتصل إلى آلاف المشاهدات والتفاعل.

إن كانت لديك أي انتماءات سياسية أو حتى ميل سياسي لأي جانب من الجوانب أو أي فصيل إسلام سياسي فارحل منذ الآن أو ستجد نفسك مطرودًا بعد أن تدخل، فنحن خبراء في كشف الأفكار الموجهة.

لا نريد مقالات وأعمالًا موجهة بفكر مسبق أيًّا كانت، نريد أعمالًا محايدة تمامًا وبعيدة عن السياسة. ويجب ألّا يكون المختارون من أتباع فكري أنا الشخصي، بل يمكن أن يكونوا معارضين لي في الفكر تمامًا، لكن يجب أن يكونوا محايدين وليسوا تابعين لأحد، والتابعون يُكشفون ويُطردون سريعًا.

لو كنت فقط تحب هذه الأمور ولكنك غير متحمس لصناعتها أو المشاركة الفعلية بها، لكن تحب أن تعمل لها مشاركة (شير) مثلًا، فمرحبًا بك معنا، فمشاركة الشيء وإعلانه مهم مثل صناعة الشيء تمامًا.

للدخول معنا حمِّل تطبيق التليجرام واشترك في هذه القناة:

https://t.me/AKChosen

إذا وجدت القناة قد أغلقت لأي سبب، جرب AkChosen2 أو Akchosen3 وهكذا.. أو ببساطة ابحث بكلمة «المختارون جروب» في التليجرام وستعرف القناة إذا اشتركت فيها ورأيت محتواها، فستجد فيها كلامًا ستفهم منه كل شيء، وستعرف كيف ستبدأ بالضبط.

مع خالص تحياتي
د. أحمد خالد مصطفى

428

حسابات الكاتب الرسمية على السوشيال ميديا:

الإيميل الرسمي
ahmadoctor@hotmail.com

(يرجى استخدامه فقط للمراسلات الرسمية)

الصفحة الرسمية على الفيس بوك

facebook.com/Dr.AhmedKhaledMustafa

(لعرض الأخبار والمقاطع عن الروايات والبث المباشر (اللايف) الأسبوعي
الذي سميته «أنتيخريستوس لايف» وفيه أتحدث عن مصادر الروايات وأجيب
عن الأسئلة)

بروفايل الفيس بوك الرسمي   facebook.com/ahmadoctor

(بروفايل شامل للمنشورات والصور الشخصية، وتعرض فيه جميع المنشورات
من الحسابات الأخرى)

حساب الإنستجرام   instagram.com/ahmadoctor

(للصور الشخصية ليس إلا)

حساب تويتر   twitter.com/ahmadoctor

(لكتابة الخواطر الموجهة وغير الموجهة)

حساب اليوتيوب　　youtube.com/c/AhmadKhaledMustafa

(لعرض البرامج التي أنوي تقديمها على اليوتيوب بإذن الله)

حساب السناب　　ahmadoctorsnap

(لعرض اليوميات)

حساب الآسك　　ask.fm/ahmedoctor

(لاستقبال الأسئلة أيًّا كان نوعها)

حساب التيك توك　　ahmadoctor@

(لقراءة مقاطع من الروايات والتعليق عليها)

جميع هذه الحسابات أديرها بنفسي ولا يوجد مشرفون يديرونها بدلًا مني، وجميعها حسابات نشطة.

430

شكر خاص

أشكر أصدقائي الأحباء «محمود عطية» و«هاني حسن» و«أحمد ياسر».

جلساتنا ومناقشاتنا كل أسبوع في مختلف الأمور فتحت مداركي لأمور لم تكن على بالي، وقراءتكم وتعليقاتكم على هذه الرواية قبل صدورها جعلها أفضل كثيرًا.

وأشكر كذلك الصديق الغالي «أحمد ياسين» على كل شيء منذ البداية، ولتعليقاته أيضًا على هذه الرواية قبل أن تصدر.

وأود أن أشكر اثنين من قرائي لم أجد في مثل إخلاصهما، صمَّما أن يُراجعا الرواية كلها حتى لا يقع فيها أي خطأ نحوي أو لغوي، الأول هو «محمد حامد المنير»، حقًّا أشكرك من كل قلبي، والثانية هي فتاة لم تُرِد أن أذكر اسمها، تحريًا أن يكون عملها مخلصًا، فجزاكما الله عني كل خير.

وأخيرًا أشكر الناقدة الكبيرة «د. هبة السهيت» على ملاحظاتها الغالية التي أفادتني جدًّا.

431

عصير الكتب